D0234640

LES LIONS DE LUCERNE

BRAD THOR

LES LIONS DE LUCERNE

Traduit de l'américain
par Henri Froment

ÉDITIONS GUTENBERG

Pour des raisons de sécurité nationale des États-Unis, certains noms de personnes, et de lieux ainsi que la description de certaines procédures tactiques ont été changés.

Cet ouvrage a été publié sous le titre original de
The lions of Lucerne
par Pocket Books, New York, États-Unis

ISBN : 978-2-35236-049-0

Si vous souhaitez recevoir notre catalogue
et être tenu au courant de nos publications,
envoyez vos nom et adresse aux Éditions Gutenberg,
33 boulevard Voltaire 75011 Paris
www.editionsgutenberg.com

Et pour le Canada à
Édipresse Inc., 945 avenue Beaumont,
Montréal, Québec, H3N 1W3

Pour Trish, ma merveilleuse femme,
ma vie, mon amour et ma meilleure amie.

La fortune sourit aux braves.

Prologue

Fawcett entra dans la pièce boisée, foulant le parquet ciré de ses mocassins ornés d'un monogramme.

— Sénateurs, dit-il, je suis heureux que vous ayez pu venir.

Son cabinet de travail était garni jusqu'au plafond de livres anciens aux reliures de cuir, des éditions originales pour la plupart. Des rideaux de soie, tirés devant les hautes fenêtres, dissimulaient les eaux glaciales du lac Geneva au sud-est du Wisconsin. Ses deux invités se trouvaient dans des fauteuils au cuir épais installés près du feu.

Le premier, le sénateur Russel Rolander, se leva pour tendre une main épaisse :

— Content de te voir, Donald, dit-il. Lui et Fawcett se connaissaient depuis l'université d'Illinois, où le sénateur avait été un temps champion de l'équipe locale de football américain. Réputé pour son influence politique, il occupait aujourd'hui une position enviée à la commission des finances du Sénat. Sa résidence secondaire se trouvait à deux encablures de la maison de Fawcett.

L'autre était David Snyder, le sénateur de New York, redouté de tous et maître dans l'art des coups tordus. Snyder avait tracé sa route dans le paysage sinueux de la politique américaine grâce à un seul et unique mantra : *détruis les autres avant qu'ils ne te détruisent.* Les quelques audacieux qui avaient osé se mettre en travers de son chemin en avaient expérimenté toute la portée.

Sa grande intelligence, son génie de la stratégie, faisaient de lui l'un des pivots de la commission sénatoriale du renseignement. Pas une opération clandestine au cours des sept dernières années ne s'était montée sans porter son empreinte.

Fawcett ouvrit la boîte égyptienne marquetée posée sur son bureau, en sortit une télécommande, la pointa vers l'un des murs de la bibliothèque près de la cheminée. Le mur coulissa, s'ouvrit sur une pièce carrée, plus étroite, aux murs blancs de style rococo également garnis d'étagères de livres reliés. Il y flottait une odeur de miel et le parquet était recouvert d'un tapis oriental. Un feu brûlait dans la petite cheminée de marbre à l'un des angles de la pièce. Plusieurs miroirs dorés reflétaient l'imposant bureau à cylindre de style ancien posé au centre, devant un luxueux divan aux pieds ouvragés.

Fawcett fit signe à ses invités de le suivre. Lorsqu'ils furent dans la pièce, une autre pression sur la télécommande replaça le mur dans sa position initiale. Une troisième pression fit s'escamoter une rangée de faux livres, révélant plusieurs carafes d'alcool.

— Un brandy messieurs ?

— Scotch sur glace, pour moi, dit Snyder.

Rolander prit le brandy, se laissa tomber sur le sofa ancien. Snyder faisait le tour de la pièce sous prétexte d'admirer le décor. Accroché à sa ceinture, un détecteur déguisé en biper avait vibré de façon ininterrompue depuis leur arrivée. À présent, il était muet et Snyder en conclut avec satisfaction que, dans cette pièce au moins, leur conversation ne serait pas enregistrée. Il saisit les trois doigts de whisky que lui tendait Fawcett et prit place à son tour sur le sofa.

— Donald mon cher, dit Rolander, tous nos rendez-vous devraient se dérouler dans cette pièce. Elle est splendide.

— D'où vient cette curieuse odeur ? fit Snyder. Il la reconnaissait vaguement sans pouvoir l'identifier.

— Miel, dit Fawcett. De la cire d'abeille pour être précis. Le parquet vient d'être fait.

À l'énoncé du nom, les souvenirs affluèrent dans l'esprit de Snyder.

Il se remémorait Mitchell Conti, Mitch comme tout le monde l'appelait, qui avait rejoint son équipe deux étés plus tôt. D'une beauté frappante, âgé de vingt-trois ans seulement, le jeune homme s'était fait au Sénat une réputation d'homme à femmes et multipliait les aventures avec les assistantes parlementaires. Mais David avait un flair infaillible dans ce domaine. Un week-end, sous un prétexte quelconque, il avait invité Mitch chez lui et, au bout de quelques regards échangés au-dessus des verres, il l'avait emmené dans sa chambre à coucher. Il s'avéra que Mitch avait un faible pour un produit baptisé *Kamasutra honey dust*, déniché dans un magasin spécialisé pour adultes. Il recouvrait le corps de Snyder de cette poussière de miel avant de le lécher, et Snyder lui-même avait pris l'habitude d'en user sur les femmes qui partageaient son lit entre deux visites de son amant.

L'affaire, hélas, s'était achevée au bout de quelques mois, après que Mitch se fut mis à fréquenter un autre homme et que tous deux avaient échafaudé un plan pour faire chanter Snyder. Il avait dû les faire éliminer, discrètement, et la petite fiole de poudre de miel à demi vide, cachée sous le lavabo de sa salle de bain, était le seul souvenir qu'il conservait de son amant.

— Ce meuble est la réplique exacte du cabinet secret de Louis XV à Versailles, expliquait Fawcett, le tout premier bureau à cylindre jamais construit. En vérité, il s'agit de l'authentique. Celui de Versailles n'est qu'une copie. Est-ce que je vous ai raconté comment nous l'avons acquis ? Le propriétaire faisait monter les enchères à Sotheby's et les Français, par honneur national, étaient bien décidés à l'emporter. Bill Gates, sur le coup lui aussi, a préféré laisser tomber. Au final, il ne restait que les Français et nous, avec un atout dans la manche : une fille dévouée à la comptabilité de Sotheby's. Alors, nous avons laissé les Français gagner et payer. La fille a gardé leur chèque sous le coude. Les règles de Sotheby's sont très strictes, comme vous savez, surtout pour des ventes de cette importance. Si vous ne payez pas tout de suite, la vente est nulle. Sotheby's est donc revenu vers nous, second enchérisseur, pour demander si nous étions toujours intéressés. En fin de compte, on l'a emporté avec un sérieux discount. Amusant, n'est-ce pas ?

Rolander connaissait déjà l'histoire, mais il ne put s'empêcher de sourire. Il était toujours surpris de constater le chemin parcouru par son vieil ami. Il lui arrivait même de se demander ce que serait sa vie à lui, Russ Rolander, s'il avait été à ce point dénué de scrupules. Il n'y avait rien de pénible non plus à être sénateur, et Rolander n'avait pas exactement acquis sa position en enfilant des perles. Mais à quoi cela aurait-il ressemblé d'avoir l'argent et le pouvoir d'un Fawcett ? À quoi cela aurait-il ressemblé de se payer ses turpitudes avec son propre argent, plutôt que de dépendre des versements réguliers de gens comme Fawcett sur des comptes offshore quelque part dans les Caraïbes ?

— Combien pariez-vous, continuait Fawcett, que Louis XV s'est envoyé Marie-Antoinette sur ce divan-là ?

Snyder, bien qu'admiratif devant les moyens sans limites que Fawcett consacrait à l'assouvissement de ses désirs, ne put s'empêcher de sourire. En dépit de son pouvoir et de son argent, Fawcett était encore assez inculte pour confondre Louis XV et Louis XVI.

— J'obtiens toujours ce que je veux, n'est-ce pas Russ ? continua le maître de maison en tapant sur l'épaule de Rolander.

Fawcett fit le tour de la pièce comme un oiseau de proie en quête de gibier, puis vint se rasseoir derrière son bureau.

— Passons maintenant aux choses sérieuses, reprit-il. Où en sommes-nous ?

Rolander se redressa :

— Donald, comme tu le sais, tout s'est déroulé parfaitement jusqu'à présent. Nos agents étrangers sont en place, toutes les informations prévisionnelles vont dans notre sens. Je te rappelle naturellement que dans une affaire de cette importance, trop de précautions ne sont jamais…

— Ah ! l'interrompit Fawcett. Les précautions. Le langage des politiciens. Épargne-moi les leçons, Russ. Je sais que l'affaire est importante, j'y ai placé des milliards. Je ne veux même pas penser à ce que je vais perdre si la baisse des investissements en infrastructure pétrolière se confirme.

— Ce que tu as déjà perdu ou combien tu pourrais perdre encore, dit Rolander, n'est pas la priorité. Les choses doivent avancer selon le plan prévu, c'est ça l'important. Je dois te dire que nos partenaires ne sont pas ravis que tu aies précipité le calendrier.

— Laisse-moi m'occuper d'eux. Ils ont reçu des compensations plus que généreuses et n'ont aucune raison de se montrer nerveux. Le calendrier a été modifié parce qu'il fallait qu'il le soit, c'était un impératif technique. David, où en es-tu avec Star Gazer ?

Deux paires d'yeux se tournèrent vers Snyder.

— Comme prévu, dit Snyder, il apporte sa participation. Sous certaines conditions.

— Aucune que nous n'ayons anticipée, n'est-ce pas ?

— Aucune. On peut dire que Gazer est aujourd'hui partie prenante de l'opération.

— Parfait, dit Rolander impressionné.

Fawcett se renversa dans son fauteuil avec un sourire.

— Quant aux conditions, reprit Snyder, la plus importante est la suivante : une fois l'affaire achevée, le Président des États-Unis doit pouvoir retourner à la Maison-Blanche... Snyder prit le temps d'avaler une gorgée de whisky. Je veux dire, il doit pouvoir y retourner vivant.

1

Le soleil se couchait sur le lac de Lucerne. Un vent froid, que l'on sentait venir depuis la mi-journée, se mit à souffler, déclenchant l'avertisseur de givre.

Les doigts serrés sur le volant de cuir de son Audi A6 noire, Gehrard Miner souriait encore au souvenir de son déjeuner en tête-à-tête avec l'assistante du Procureur Fédéral. Claudia Mueller cherchait depuis deux mois à le voir pour l'interroger sur le spectaculaire vol survenu à la base militaire de Bâle où des caisses entières d'armes avaient disparu, dont des lunettes de visions nocturnes, des fusils d'assaut SWAT, des missiles anti-tank, des pains de plastique et même deux fusils dernier cri. Deux mois au cours desquels Miller, prétextant un emploi du temps surchargé, s'était débrouillé pour l'éviter.

Il savait que la jeune femme avait de bonnes raisons de le traquer. Cinq ans plus tôt, Miner commandait une division spéciale du renseignement helvétique qu'il avait créée et baptisée *Der Nebel,* Le Brouillard. *Der Nebel* était chargée de tester la sécurité des bases militaires sur l'ensemble du territoire. La division avait remporté tant de succès à déjouer les systèmes de défense helvétiques qu'on l'avait démantelée par crainte d'un scandale. Miner, quant à lui, avait été muté.

Il n'avait d'abord pas eu la moindre intention de se plier aux questions de cette emmerdeuse. Mais il s'était procuré son dossier, s'était attardé sur les dernières pages où figuraient des photos de service et, surtout, un portrait de Claudia publié dans la presse à l'occasion d'une compétition d'alpinisme. Il avait découvert une jeune femme énergique, fière, au visage empourpré par l'adrénaline et l'excitation de l'épreuve ; une fille splendide. Et il s'était ravisé.

Dans le même temps, au bureau fédéral du procureur de Berne, le *Budesanwaltschaft*, Claudia Mueller avait étudié pour la millième fois le dossier de Gerhard Miner. Parmi tous ceux qu'elle devait interroger dans le cadre de son enquête, Miner était le plus difficile à rencontrer. Chaque fois, il avait reporté le rendez-vous, avec des explications cohérentes et vérifiables. Pourtant, quelque chose clochait, sans qu'elle puisse préciser quoi.

Miner, à cinquante-trois ans, était célibataire. Il était séduisant, grand, dans une forme excellente. La coupe de ses cheveux gris était aussi impeccable que celle de ses costumes italiens de luxe taillés sur mesure. De l'opinion féminine presque unanime, il était l'homme à prendre. Elle aussi s'attardait sur les clichés quand le téléphone avait sonné.

« Fraülein Mueller ? Gerhard Miner, S.N.D., à l'appareil. »

S.N.D., *Strategisher Nachrichtendienst*, ou « Service d'Information Stratégique » en suisse allemand : c'était l'une des divisions les plus secrètes du ministère de la Défense, chargée du contre-espionnage.

— Monsieur Miner ! Que me vaut enfin ce plaisir ?

Miner, entendant la voix de la jeune femme, tentait de deviner la tenue qu'elle portait.

— Tout le plaisir est pour moi, il y a si longtemps qu'une femme ne m'a pas poursuivi avec tant d'assiduité que je ne peux même plus m'en souvenir. J'ai du temps de libre demain, si vous tenez toujours à me voir. Pourquoi ne viendriez vous pas chez moi, à Lucerne ?

Claudia avait calculé mentalement la distance entre Berne et Lucerne, une heure trente. Après deux mois de vaines tentatives elle était prête à beaucoup pour le voir. Elle savait aussi qu'il lui faudrait faire attention. Elle venait de postuler pour un poste important au sein de l'administration judiciaire et se faire un ennemi de quelqu'un comme Miner, l'un des officiers les plus respectés du ministère de la Défense, ne l'aiderait certainement pas.

De plus, sa responsable directe, Arianne Küess, venait d'être nommée au Tribunal Pénal International. Cela signifiait que le dossier des armes disparues était maintenant aux mains du très désagréable procureur adjoint Urs Schnell. C'était sa première affaire. Il tenait à la boucler aussi vite que possible, et la tâche reposait entièrement sur les épaules de Claudia.

— Voyons-nous pour déjeuner si cela vous convient, dit Miner, qui avait enchaîné sans attendre la réponse. L'hôtel des Balances dans la vieille ville. Midi et demi ?

Ce soir-là, Claudia avait passé un long moment à se torturer devant sa garde-robe. Il lui fallait apparaître aussi professionnelle que possible, mais, connaissant le penchant de Miner pour les femmes, il fallait aussi tenter de l'amadouer en usant de ses points faibles. Elle se décida pour une jupe bleue serrée qui descendait juste au-dessus du genou et pour un blazer de même couleur sur un chemisier gris. Le lendemain, en entrant dans le lobby de l'hôtel à l'heure dite, elle défit le premier bouton de son chemiser, puis le second.

Miner avait réservé une table parmi les plus calmes, près de la fenêtre donnant sur la Reuss d'où l'on apercevait un groupe de cygnes nageant lentement et, plus loin, le pont couvert du Kapellbrücke, qui était l'une des plus célèbres attractions de Lucerne. Miner, qui semblait absorbé par le paysage, observait en réalité Claudia sur le reflet de la vitre tandis qu'elle passait la porte et traversait toute la salle pour arriver à sa hauteur. Elle le salua, il feignit la surprise.

— Herr Miner, bonjour, dit-elle tout en se penchant sciemment dans sa direction pour le saluer.

Deux heures plus tard, lorsqu'elle quitta l'hôtel des Balances, elle était en colère et insatisfaite. Elle éprouvait le besoin de marcher afin de mettre ses idées au clair. Elle s'engagea sur les pavés de la petite voie privée qui menait au Weinmarkt, le quartier piéton historique sur la rive droite de la ville, dont certains des immeubles dataient du XVIe siècle. La plupart des façades étaient décorées de fresques illustrant la vie du pays et les rez-de-chaussée étaient envahis d'échoppes pour touristes pleines de montres et de coucous suisses.

Elle erra sans but, tout en se remémorant son déjeuner. Miner s'était montré cordial jusqu'à la condescendance. Il n'avait pas fallu longtemps à la jeune femme pour comprendre qu'elle ne tirerait rien, de lui.

— Où étiez-vous la nuit où les armes ont été volées ?

— En mission.

— Où cela, et à quel propos ?

— Je ne peux pas vous le dire.

— Vous ne pouvez pas, ou bien vous ne voulez pas ?

— Les deux. Je ne veux pas parce que je ne peux pas. Secret défense.

— Naturellement, vous savez que je peux vous assigner à comparaître et vous forcer à répondre.

— Naturellement.

— Alors pourquoi ne pas nous faciliter la vie à tous les deux ? Que je puisse rentrer à Berne en toute tranquillité.

— Fraülein Mueller, je ne suis pas là pour vous faciliter la vie. Je suis là pour servir la république fédérale. Je n'ai pas la liberté de répondre à vos questions. Vous pouvez me faire comparaître si cela vous chante mais je peux vous assurer que vous vous heurterez à de sérieux obstacles. Mon travail est de nature, j'ose le dire, *délicate*. Je le fais depuis plus de temps que vous n'êtes sur terre. Je vous l'avais dit au téléphone, je ne peux vous être d'aucune utilité. C'est vous qui avez insisté.

Claudia changea de tactique.

— Vous êtes expert en sécurité des installations militaires suisses, Herr Miner. Puis-je suggérer au moins que vous m'aidiez à comprendre comment un vol de ce genre est possible ? Où peut-on entreposer et vendre une telle quantité d'armes selon vous ?

— Y avait-il des signes d'effraction ?

— Pas selon les résultats de l'enquête.

— Les mesures de sécurité fonctionnaient-elles correctement au moment où le vol est censé avoir eu lieu ?

— Oui, parfaitement.

— Et bien sûr, vous avez interrogé tout le personnel sur ce qu'il avait vu ou entendu ?

— Bien entendu.

Miner parut réfléchir un instant.

— Pour ce qui est de savoir où les stocks volés peuvent être entreposés, la réponse est : n'importe où. Quand à deviner où elles peuvent être vendues, je répondrais de la même façon. À ce stade, fraülein, vous n'avez manifestement pas suffisamment d'indices pour formuler la moindre théorie. Je ne vois pas où tout cela peut vous conduire. Mais il serait dommage que vous ayez tout à fait perdu votre temps. Puisque vous avez fait ce chemin, profitez du déjeuner. Nous pourrons faire un tour ensemble ensuite si vous voulez.

Le reste du repas avait été à l'avenant. Il avait même tenté de la séduire. Claudia avait compté sur ses charmes pour lui tirer les vers du nez, n'obtenant pour résultat, malheureusement, que de le rendre plus pressant encore.

Sans même la consulter, il avait commandé un dessert pour deux accompagné d'un vin fabuleux qui était une spécialité de l'hôtel, et que le directeur conservait à la cave spécialement à son intention. Comme elle refusait de boire – elle ne buvait jamais durant la journée –, il avait rempli son verre d'autorité. Puis, sur un ton où perçait l'arrogance, il s'était mis à lui réciter en détail les charmes de ce vin de Constantia d'Afrique du Sud, naturellement liquoreux, si cher à Napoléon Bonaparte.

Elle avait néanmoins refusé d'en avaler la moindre gorgée. Le ricanement de dépit sur le visage de Miner avait été, enfin, l'une de ses maigres consolations.

L'obstination de Claudia vis-à-vis de Miner avait une raison simple : il était sa dernière piste. Elle avait épuisé sans succès toutes les autres, interrogeant l'ensemble des membres du personnel de la base, vérifiant les comptes bancaires de chacun à la recherche de versements douteux. Sans résultat. Et maintenant, comme elle devait le reconnaître, ce voyage à Lucerne, lui aussi, avait été une perte de temps. Si Miner disposait sans doute plus que quiconque des connaissances nécessaires pour voler les armes, le seul fait d'avoir dirigé des tests de sécurité pour le compte du gouvernement ne faisait pas pour autant de lui un suspect. Et l'absence de tout motif ou indice rendait impossible une assignation à comparaître pour quelqu'un de si haut placé.

Claudia avait dû se rendre à l'évidence. Son dossier était vide. Son enquête était une succession d'échecs, et sa carrière se trouvait dans une impasse.

Gerhard Miner gara sa voiture sur le parking de l'aéroport international de Zurich. La décision du Président de réduire son voyage de deux jours était un problème. Mais c'était dans la nature des choses, les chefs d'état modifient constamment leur emploi du temps. La mission devenait plus difficile, pas forcément impossible pour autant.

Il pénétra dans l'allée réservée aux premières classes, présenta son billet avec son passeport. Peut-être, cela avait-il été une erreur de se montrer si ouvertement séducteur au déjeuner. Mais quelle importance ?

Dans la salle V.I.P., il se débrouilla pour heurter une serveuse. Le verre de cabernet qu'elle portait se renversa sur lui, et il protesta si violemment que l'équipe de Swissair toute entière dut s'excuser. Une fois à bord, le steward en chef responsable des premières classes vint s'assurer qu'un traitement spécial lui était accordé.

Il passa les douze jours suivants dans les ports de Paros et de Mykonos à user de la même tactique pour se faire remarquer. Il se fit de nouveaux amis, dépensant avec eux trop d'argent, offrant des pourboires royaux aux serveurs et aux barmen.

Puis il mit les voiles, sur un bateau loué, vers l'île inhabitée de Despotiko, à trois heures au sud-ouest de Mykonos.

Son cousin, un charpentier de Hochdorf, l'y attendait comme prévu. C'était un homme qui ne posait aucune question. Son travail consisterait à naviguer au sud de Santorin jusqu'en Crète, où il abandonnerait son yacht, officiellement pour des raisons techniques. Ensuite, il se rendrait à Patras et, de là, prendrait un billet de première classe sur une croisière à destination de Venise. Il voyagerait avec le passeport et la carte de crédit de Miner. Il passerait une semaine en Italie et prendrait un train de nuit pour la France. En première classe, lors des voyages de nuit, les contrôleurs ont pour habitude de collecter les passeports avant le départ, se chargeant eux-mêmes des formalités de douanes afin de ne pas réveiller les voyageurs. Cela éviterait les contrôles. Au terme d'une nouvelle semaine en France, un nouveau train de nuit ramènerait le charpentier en Suisse. Une fois à Berne, enfin, et avant de rentrer sur Hochstoff, il glisserait le passeport de Miner, la carte de crédit et les tickets utilisés dans une enveloppe épaisse adressée à la poste restante de Lucerne.

Pendant ce temps, Miner, de son côté, franchissait la frontière turque avec un groupe de touristes et un faux passeport maltais. Vingt-quatre heures plus tard, aucun des voyageurs présents dans la salle d'attente de l'aéroport ne prêta la moindre attention à l'homme d'affaires aux cheveux blonds, à la barbe fournie, aux yeux bleus et à l'embonpoint prononcé qui lisait le *Herald Tribune* et répondait au nom de Henk Van DenHuevel, résidant à Utrecht.

L'article qu'il lisait annonçait les prochaines vacances de ski du Président des États-Unis, Jack Rutledge, et de sa fille Amanda. Le journaliste s'interrogeait au passage sur le coût du voyage pour le contribuable. « Ils n'ont pas la moindre idée de ce que ça va leur coûter », pensa Miner en se levant pour embarquer.

2

— Est-ce que tu sors avec quelqu'un en ce moment ? demanda Amanda Rutledge.

La question prit Scot Harvath par surprise. Tous deux avaient leurs skis aux pieds et attendaient le télésiège.

— Est-ce que ça te regarde ? répondit-il en souriant. Il était de notoriété publique qu'Amanda, seize ans depuis la veille, avait le béguin pour Scot Harvath depuis que ce dernier avait pris son poste à la Maison-Blanche. C'était si flagrant que le Président avait parfois dû intervenir afin qu'Amanda ne gêne pas Scot dans son travail. C'était une jeune fille touchante, vive et athlétique. Sa mère était morte des suites d'un cancer du sein deux ans plus tôt. Scot pensait qu'elle serait d'ici quelques années une splendide jeune femme.

— Ta fête d'anniversaire était formidable hier, dit-il pour changer de sujet.

— Oui, c'était cool. Merci encore pour les CDs.

— Oh ! Ma première idée était une Ferrari, mais les conseillers en sécurité de ton père ont flippé à l'idée de te savoir au volant. Trop dangereux pour le pays...

Amanda rit. Le télésiège les cueillit doucement au creux des genoux et commença de s'élever vers la vallée des Cerfs.

— Pas géniale, hein, la météo, dit Amanda, les yeux perdus dans le lointain.

Scot ne put réprimer un second sourire : ce n'était que sa cinquième séance et Amanda réagissait déjà comme une pro. Elle avait raison. La neige tombait sans discontinuer depuis le début de la semaine et le ciel bas n'offrait aucune visibilité. Le temps, en fait, était si mauvais que Scot avait conseillé au Président et à sa fille de renoncer au ski pour la journée, mais sans succès.

À Washington, la loi sur la réduction de la consommation des énergies fossiles allait porter un coup sérieux aux compagnies pétrolières et aider le secteur des énergies alternatives. Travaillée par les lobbyistes, la coalition sénatoriale qui l'avait rédigée et mise en place, commençait à se fissurer. Le Président allait devoir se rendre au Congrès pour se battre pour son projet, et tout indiquait que ce séjour de ski déjà écourté allait devoir l'être plus encore. Dans ces conditions, il fallait essayer de profiter de chaque seconde en dépit des intempéries.

Dans sa jeunesse Scot avait été membre de l'équipe nationale de ski *freestyle*[1]. Il s'était distingué pour la coupe du Monde, avait été pressenti pour les Jeux Olympiques. Et puis son père était mort lors d'un accident, durant un entraînement au sein de la Navy SEAL où il était instructeur, et l'enthousiasme de Scot pour la compétition s'était désintégré. Il avait repris ses études universitaires avant de rejoindre à son tour la Navy SEAL où il avait été affecté à la division Polar SEAL, spécialisée dans les conditions hivernales.

Amanda allait dire quelque chose quand Scot lui fit signe de se taire : sa radio crachotait.

— *Norseman*, ici *Sound. Over*, fit la voix grésillant dans l'oreillette. *Norseman*, « nordique », était le nom de code de Scot depuis son entrée aux SEAL. Avec ses 1,77 m, ses cheveux bruns et son regard bleu glacé, il avait de fait l'air plus allemand que viking. Mais le surnom lui venait de son goût pour les femmes scandinaves qu'il fréquentait à l'époque.

Quant à *Sound*, c'était Sam Harper, l'attaché à la sécurité personnelle du Président. Harper avait pris Scot sous son aile à son arrivée à la Maison-Blanche.

Le chef des Services secrets dont tous deux dépendaient était William Shaw, alias *Fury.* Quand Harper et Shaw

---

1. Le ski *freestyle* est un sport qui consiste, à partir de tremplins, à accomplir en l'air et à ski des figures acrobatiques.

travaillaient ensemble, cela donnait *the sound and the fury*, le bruit et la fureur[1], et quiconque était un jour entré en conflit avec eux savait exactement à quel point ce surnom était justifié.

La radio crépitait. Depuis la matinée, les communications ne cessaient d'être coupées, sans doute à cause du temps.

— *Norseman* à l'écoute. *Over*.

— *Norseman*, Trois-Victoires veut savoir comment ça se passe avec Boucles d'Or. *Over*.

— Mandie, traduisit Scot, ton père veut savoir si tout va bien.

À l'époque où le Président Rutledge était entré en fonction, il avait été jugé trois fois de suite par la presse comme l'un des politiciens les plus sexys de Washington. *Hat Trick*, Trois-Victoires, un terme technique utilisé en criquet pour désigner trois victoires consécutives, était devenu son surnom... Et bien qu'il jugea embarrassante la façon dont les médias se focalisaient ainsi sur son apparence physique, il avait laissé faire.

— Tout va bien, dit Amanda, mais je commence à avoir faim et j'ai froid aux pieds. On a qu'à faire une dernière descente et puis rentrer.

— *Sound*, dit Scot. Boucles d'Or est prête pour la dernière étape. *Over*.

— Ok, *Norseman*. Trois-Victoires est d'accord. On se retrouve à la dernière étape. *Over*.

— Dernière étape. Bien compris, *Sound*. *Over*.

Quand Scot et Amanda parvinrent au point convenu, le Président les y attendait déjà en compagnie de Sam Harper et du service de sécurité.

— Alors, dit le Président en accueillant sa fille, est-ce qu'on a fait des progrès depuis qu'on a seize ans ?

— Mes seize ans n'ont rien à voir là-dedans, papa. C'est sûr que j'ai fait des progrès, je te prends quand tu veux.

— Vraiment ?

---

1. Extrait d'une citation célèbre de *Hamlet* de William Shakespeare.

— Amanda a fait des merveilles cet après-midi monsieur le Président, dit Scot. Je parie qu'elle est prête à tous nous battre dans la pente mortelle.

— Heu, non, je crois pas quand même, se récria la jeune fille.

Les membres de la Sécurité rirent nerveusement. La pente mortelle était le nom donné à l'une des descentes hors-pistes les plus difficiles, et l'une des plus isolées, parmi les routes ramenant à Snow Haven où résidait le Président. Presque à la verticale, parsemée de rochers, son seul passage à peu près plat était recouvert d'arbres tout aussi dangereux, et l'ensemble réclamait une maîtrise de tous les instants. En skieur accompli, le Président réservait les parcours les plus faciles aux matinées passées avec sa fille ; puis, après le déjeuner, seul, il s'élançait sur les pistes noires et les parcours hors-pistes les plus risqués. Le seul capable de le suivre sans mal était Scot lui-même. Mais Scot était affecté à la sécurité d'Amanda.

— Qu'est-ce qu'on parie, que j'arrive avant toi ? dit le Président. Sur quoi sa fille, le prenant au mot, s'élança à toute vitesse sur la piste. Scot et ses hommes, après une seconde d'hésitation, s'élancèrent à sa suite.

Elle allait vite, résolue à battre son père et utilisait les bâtons pour accroître sa vitesse. Scot et l'un des agents qui l'accompagnaient échangèrent un regard critique. À cet instant précis, la jeune fille dérapa, s'étala dans la neige. Scot la vit perdre d'abord un bâton, puis un ski, puis le second bâton et enfin le deuxième ski. Lorsqu'elle se releva, son équipement était enfoncé dans trente centimètres de neige au sommet de la colline au pied de laquelle elle se secouait.

— Impressionnant ! dit Scot en arrivant à sa hauteur. Comme je dis toujours, si tu dois tomber, mieux vaut tomber de haut et que ça fasse du bruit.

— Si tu te crois drôle !

Scot se mit à rire franchement.

— Ce n'est pas drôle, Scot, répéta-t-elle, si vexée qu'elle semblait sur le point de pleurer.

Plus haut, Maxwell ramassait les skis et le matériel éparpillé dans la chute. Scot le rejoignit

— Je suis content de ne pas me trouver là-bas avec eux, dit Maxwell, le regard pointé sur le Président et son équipe que l'on voyait au loin aborder la pente mortelle.

— La raison pour laquelle tu n'y es pas, répondit Scot tout en secouant la neige du ski d'Amanda, c'est que tu es pathétique, comme skieur.

— Va te faire foutre Harvath, dit Maxwell qui tentait de récupérer l'un des bâtons d'Amanda et luttait pour conserver son équilibre.

Sans cesser de rire, Scot observait lui aussi la descente présidentielle. Les hommes suivaient le Président et l'entouraient en parfaite synchronisation, malgré les difficultés. Il vit le Président s'approcher de la partie plate de la piste, couverte par les arbres. Les silhouettes de deux agents disparurent.

— Difficile d'être sûr avec toute cette neige, mais je crois que je viens de voir Ahern et Houchins s'affaler eux aussi, là-bas près des arbres, dit Scot en rejoignant Maxwell qui était maintenant à la hauteur d'Amanda.

— Bien ! Au moins je ne suis pas la seule, dit Amanda.

— Je te l'ai dit, les fins de journées sont les moments les plus traîtres au ski, dit Scot. On se croit toujours moins fatigué qu'on ne l'est, et on va au-delà de ses forces.

— J'espère qu'ils ne se sont pas blessés, dit Maxwell.

Scot activa son micro :

— *Sound* ? Ici *Norseman*. Tout va bien chez vous, ou bien est-ce qu'on doit envoyer les saint-bernard récupérer Ahern et Houchins ? *Over*.

Une série de sifflements et de grésillements lui répondit.

— S'il y a des blessés, j'ai un chirurgien à recommander, je partagerais ses honoraires avec lui, reprit Scot, toujours sur le ton de la plaisanterie. *Over*.

Il attendit cette fois plus longtemps.

— *Sound*, reprit-il, ici *Norseman*. Nous avons vu deux agents tomber. Quelle est la situation ? *Over*.

Toujours sans réponse, il décida de changer de fréquence et se brancha directement sur celle des Services.

— Volière, ici *Norseman*. Répondez. *Over*.

La neige se remettait à tomber.

— Scot, dit Amanda, je me caille !

— Une seconde s'il te plaît.

Scot pressa l'oreillette sans obtenir plus de réponse.

— Volière, je répète, ici *Norseman*, répondez. *Over*.

Un silence.

— Volière, je répète, ici *Norseman*, me recevez-vous, *Over*.

Maxwell et Scot échangèrent un regard.

— Qu'est-ce que tu penses ? demanda Maxwell.

— Je ne sais pas. Je vais essayer la radio de la vallée des Cerfs. Si ça ne donne rien, on se ferme.

Se fermer était le terme technique des Services pour serrer les rangs et former un bouclier autour de la personne à protéger.

Scot essaya de joindre tout d'abord la patrouille de ski de la vallée des Cerfs puis la station des opérations – sans plus de succès. Toutes les radios semblaient hors service. Alors, il émit un long sifflement afin de capter l'attention du reste de l'équipe, sur quoi, sans un mot, d'un simple geste circulaire autour de sa tête, il donna l'ordre de se fermer.

En quelques secondes, les gardes du corps d'Amanda l'encerclèrent. Un incroyable attirail d'armes surgit, des Heckler et Koch MP5, des semi-automatiques SIG-Sauer, et même un fusil à pompe *tactical shotgun Benelli M1* modifié. Scot expliqua qu'il avait vu deux hommes de la sécurité présidentielle s'écrouler, et que les systèmes radios étaient hors service. À ce stade, les explications les plus probables étaient encore la chute accidentelle et le mauvais temps qui gênait les communications. Mais la procédure stipulait le retour immédiat au centre de commandement.

— Qu'est-ce qui se passe, Scot, intervint Amanda.

— Probablement rien, ma puce. On va quand même te ramener à la maison le plus vite possible, d'accord ? C'était formidable, aujourd'hui tu as skié de façon fantastique et je suis fier de toi. Mais il est temps de rentrer et pour ça, on va prendre le plus court chemin.

— Est-ce que c'est papa ? Il lui est arrivé quelque chose ?

— Non, je suis sûr que non. Mais le plus vite on sera rentré, plus vite on pourra s'en assurer. Le chemin normal nous prendrait un peu trop de temps. Tu crois que tu peux me suivre en descendant directement dans la cuvette ?

— Je ne sais pas, dit la jeune fille en jetant un regard inquiet vers le vide. Je suppose que oui.

— On va essayer.

Scot sourit de façon aussi rassurante que possible. Il fit signe aux hommes de la sécurité de se mettre en route. Depuis le bord glacé de la cuvette, l'équipe s'élança sur la pente escarpée. Des rafales de neige balayées par le vent leur cinglaient le visage. Amanda, terrifiée par la piste, glissait avec précaution, penchée vers l'avant, jetant dans les virages le poids de son corps sur le ski intérieur ainsi que le lui avait appris Scot.

Puis, le bruit survint. Cela ressemblait à un coup de feu. Il fut immédiatement suivi d'un lent roulement de tonnerre. Scot connaissait trop la montagne pour ne pas identifier immédiatement ce qui se passait : une avalanche.

3

Engoncé dans un treillis d'assaut hivernal doublé d'un composite thermal novateur, Hassan Useff tremblait pourtant de froid. Autrefois, dans son village natal au Liban, il avait été l'un des gosses les plus durs. Aujourd'hui, il passait pour l'un des meilleurs snipers de tout le Moyen-Orient. Et cependant, la température, en plus du fait d'être enterré vivant comme ça sous la neige, commençait à l'angoisser. Depuis un moment déjà, il n'avait plus pour seule perception que l'horrible répétition de sa respiration grinçante. Soudain, deux petits bruits résonnèrent dans son oreillette. Un flot d'adrénaline l'envahit. Il émit une très légère plainte en levant le fusil qu'il tenait entre ses mains. Deux autres clicks retentirent et il sut qu'il était prêt à surgir de sa tombe de neige.

Quand le ski de Sam Harper heurta un nouveau rocher, il ne put se retenir de lâcher un juron. Malgré son amour du ski, il détestait suivre le Président sur des pistes de ce genre. Il avait pris du retard sur le reste de l'équipe. Seul Ahern et Houchins se trouvaient derrière lui et cette pensée le consolait un peu. Du moins ne serait-il pas le dernier à aborder la zone plate, entre les arbres où ils avaient prévus de se reposer avant d'attaquer la descente finale.

Il arriva à proximité des premiers arbres. Tout arriva alors, lui sembla-t-il, en une fraction de seconde.

Trois bruits résonnèrent dans l'oreillette de Hassan Useff. Ils signalaient que les derniers membres de la sûreté présidentielle pénétraient la zone boisée. Useff se dressa hors de la neige, actionna son arme. À vingt mètres de lui, son équipier, Klaus Dryer, fit de même. Le résultat fut immédiat.

Les armes étaient des copies russes des fusils développés par le laboratoire Phillips de l'US Air Force. Leur baptême du feu datait de l'intervention en Somalie, en 1995. Leur fonction consistait à aveugler et à désorienter temporairement l'adversaire.

Les tirs croisés des deux hommes créèrent un laser imparable pour la sécurité présidentielle. Les agents perdirent l'équilibre, chutèrent dans leur course. Deux d'entre eux parvinrent à sortir leurs armes, mais ils furent aveuglés avant de savoir sur quoi s'en servir.

Useff saisit son micro, donna l'ordre d'avancer. Il mit son fusil sur l'épaule et défit la sécurité de sa mitraillette Heckler et Koch MP5. Ses hommes n'étaient pas encore sortis de leur cachette lorsqu'il tua les deux premiers agents.

— Harp, Harp, bafouillait le Président étendu dans la neige. Il était suffisamment conscient pour appeler au secours et tenter de se relever tandis que les rafales crépitaient. Miner s'approcha de lui et mit un genou dans la neige pour lui ôter ses moufles et sa veste. Il l'aida à s'asseoir et lui plaça entre les mains, à hauteur de poitrine, un exemplaire du *Salt Lake Tribune*. Le Président l'agrippa et s'y accrocha par réflexe. Miner saisit son polaroïd, prit rapidement deux clichés qu'il enfourna dans sa poche, puis il arracha le journal des mains du Président et, armé d'une paire de ciseaux, entreprit de découper la manche gauche du pull à col roulé de sa victime.

— La luge, hurlait-il en même temps. Où est la luge ?

— Harper, demandait le Président, que se passe-t-il ?

— Il y a eu un accident, monsieur le Président, dit Miner avec un parfait accent américain. Allongez vous, essayez de ne pas bouger.

— Qui êtes-vous ? Où est Harper ? Que m'arrive-t-il ? Je suis aveugle.

— Monsieur le Président, s'il vous plaît. Nous allons vous faire une intraveineuse. Vous ne devez pas bouger. J'attends du renfort. Restez calme. Tout va bien se passer.

L'effet du fusil aveuglant n'allait pas tarder à s'effacer, Miner le savait. Il prit dans son sac un nécessaire médical, en sortir un sac de solution saline et mit l'intraveineuse en place. Il remplit une seringue d'un sédatif puissant et la brancha sur l'intraveineuse : l'effet fut presque instantané. Les yeux du Président se révulsèrent, ses paupières se fermèrent, il s'affaissa.

L'un des hommes de Miner passa en courant, tirant une luge de secours tandis que Dryer s'approchait de Hassan Useff, et de l'homme étendu derrière lui.

— Voilà Sam Harper, dit Useff sans même se retourner. Le fameux chef de la sécurité du Président des États-Unis.

Harper s'était sérieusement blessé dans sa chute. Bien qu'aveugle il parvint à identifier l'accent moyen-oriental.

— Oui, dit-il, je suis Sam Harper. Et, qui que vous soyez, vous êtes dans de sales draps. Rendez-vous.

— Arrogance américaine typique, répondit Useff. Même face à la mort.

— Va te faire foutre, grogna Harper dans une tentative pour saisir son arme.

— Vraiment typique. Il faudrait voir à se renouveler un de ces jours, dit Useff en déchargeant son arme à bout portant dans le corps de l'agent.

Depuis le jour où il l'avait recruté, Dryer était fasciné par la haine que portait le Libanais au drapeau étoilé. Cette haine, couplée à sa ferveur religieuse étalée sur de nombreux sites Internet à la gloire du *Jihad,* en avait fait une recrue idéale pour cette mission dont tous les autres membres étaient des citoyens suisses.

— Ce lâche n'a même pas pu tirer un coup de feu pour protéger son Président, dit Useff en crachant sur le cadavre.

— Ce n'est pas ce que croiront les Américains, furent les derniers mots qui parvinrent aux oreilles du Libanais avant qu'une balle de 357 lui fit exploser le crâne.

Dryer plaça l'arme dont il venait de se servir entre les doigts de Harper. Il se saisit d'un pistolet mitrailleur 68 Skorpion à silencieux et arrosa de plusieurs rafales les corps des agents américains étendus autour d'eux avant de laisser tomber l'arme dans la neige aux côtés de Useff.

— *Inch Allah,* murmura Dryer.

4

— *Sound*, ici Volière, me recevez-vous ? *Over*. *Norseman*, ici Volière, me recevez-vous ? *Over*.

Tom Hollenbeck, chef du centre de commandement du voyage présidentiel, répétait ces phrases sans arrêt depuis sept minutes.

Le terrain montagneux, l'isolation et le temps épouvantable rendaient les communications sporadiques et très difficiles.

— Vous ne pouvez pas essayer d'améliorer la transmission ? demanda-t-il à son assistant Chris Longo.

— Bon Dieu, Tom. Qu'est-ce que vous croyez que je fais depuis tout à l'heure ? Si je savais ce qui cloche, ce serait déjà réparé. Les radios de la vallée des Cerf ne fonctionnent pas non plus.

— Pourquoi ça ?

— Ça ne passe pas, c'est tout.

— Merde. Et si on essayait les blouses ? Elles transmettent sur une fréquence différente, non ?

Les blouses, ou « robes de grossesses », était les surnoms donnés à une technologie de pointe permettant de surveiller les soldats pendant une bataille : un vêtement ultra-moulant équipé de senseurs capables de transmettre les signes vitaux du porteur via une petite unité de radio placée dans une poche. Bien qu'encore au stade expérimental, deux agents en service au sein de l'équipe présidentielle en étaient déjà équipés.

— Oui, dit Longo, la fréquence est différente.

— Palmer ! rugit Hollenbeck, appelant la séduisante jeune femme en charge des blouses qui se tenait à l'autre bout du centre de commandement.

— Mon commandant ?

— Quel est l'état des transmissions avec les blouses ? Ça passe ?

— Pas vraiment. C'est sporadique depuis ce matin.

— Pourquoi ça ?

— Je ne sais pas. Il semble qu'il y ait des interférences, peut-être la météo. C'est une technologie expérimentale, vous savez, mon commandant. Même la Playstation de la salle de repos peut suffire à la brouiller.

— Et hier ?

— Hier, c'était parfait. J'ai même pu imprimer presque en temps réel les blessures consécutives aux chutes, si vous voulez les voir.

— Quel est le plus long laps de temps sans réception de signal jusqu'à présent ?

— Jusqu'à présent ? Trois minutes. Palmer jeta un œil à sa montre. On en est à huit, maintenant.

— Comme les radios. Palmer, comment était la météo hier d'après vous ?

— À peine mieux qu'aujourd'hui, mon commandant.

Nouveau rugissement de Hollenbeck :

— Longo !

— Oui, mon commandant ?

— On a les visuels des rovers ?

Les rovers étaient les motoskis chargés de suivre les équipes de sécurité à la trace. Leurs conducteurs, membres de la fameuse *Counter Assault Team*, ou C.A.T., puissamment armés, avaient pour unique mission de fournir, en cas de besoin, l'appui militaire nécessaire aux équipes de sécurité.

— Leur dernier rapport est arrivé pile avant l'arrêt des transmissions.

— Rien depuis les huit dernières minutes ?

— Rien, mon commandant.

— Ok, conclut Hollenbeck en se levant.

Il rejeta son micro en arrière, appuya sur le bouton de transmission qui assurait le contact avec les patrouilles extérieures. Pour une raison non moins mystérieuse que le reste, les communications aux alentours du centre de commandement fonctionnaient normalement.

— Alerte générale ! Nous faisons face à une attaque potentielle !

5

Sitôt qu'Anton Schebel fut sur place, Miner donna ses ordres :

— Déchire la couverture. Aide moi à l'installer que je puisse retirer le reste de ses vêtements.

Schebel s'exécuta, tassant de la crosse de son arme les poches des chauffe-corps alignés le long de la housse mortuaire posée sur la luge de secours. Dryer les rejoignit avant qu'il eut terminé.

— Useff va bien ? s'enquit Miner tout retirant le pull du Président, en prenant soin, ce faisant, de ne pas toucher à l'intraveineuse.

— Il nous a quitté. Un rendez-vous urgent chez Allah. Tout est en ordre. Nous sommes dans les temps.

Dryer ouvrit la housse mortuaire, la déplia près du Président inconscient.

— On le déshabille, dit Miner. Entièrement.

Miner ne voulait rien laisser au hasard. Il savait que le Président portait sur lui, soigneusement dissimulé, un émetteur au moins, permettant de le localiser. La possibilité d'une implantation chirurgicale était minime, mais Miner avait apporté la housse mortuaire pour y parer. Elle était conçue de telle sorte que, même hermétiquement close, l'intraveineuse accrochée à une barre à l'arrière de la luge fonctionnerait.

Dryer et Schebel chargèrent le Président sur la luge et le sanglèrent étroitement. Les chauffe-corps alignés tout le long le maintiendraient au chaud.

— Deux minutes, dit Miner dans son micro.

Avec le reste de l'équipe, les trois hommes enfilèrent leurs skis alpins et se mirent à tirer leur précieux colis entre les arbres avec une vigueur exceptionnelle.

— Quatre-vingt dix secondes.

Dryer ouvrait la voie. Il portait d'épaisses lunettes de vue nocturne. Huit jours plus tôt, en préparation, il était venu enduire les arbres d'une peinture spéciale qui s'oxydait au contact de l'air et, en quelques heures, devenait invisible à l'œil nu. Mais les lunettes lui permettaient de suivre la signature chimique sur les troncs indiquant le chemin de leur fuite.

La route, tout d'abord plate, se fit bientôt plus escarpée. Ils accélérèrent. Miner avait averti ses hommes que l'efficacité du plan dépendait d'un timing absolument parfait. Si la luge versait, ou si l'un d'entre eux chutait, tout était perdu. Ils n'avaient aucun droit à l'erreur.

— Trente secondes.

L'équipe sortant de la zone boisée coupa rapidement en diagonale à travers la façade montagneuse dont la pente était si raide que la luge, sous son propre poids, se mit à glisser vers le bas. Schebel avait l'expérience des traîneaux et mit tout son corps du côté de la montagne pour équilibrer la course.

La neige et la glace crissaient sous le double poids de la luge et de l'homme creusant leur route à flanc de montagne. Si Schebel perdait pied, lui et le Président seraient précipités dans le vide.

La luge poursuivit sa glissade incontrôlable. Schebel se pencha plus fortement sur l'attelage. C'était le plus grand et le plus fort du groupe, et c'est pourquoi on l'avait affecté là. Mais même lui parut soudain vaciller. Il tenta de peser de toutes ses forces sur le ski intérieur et le résultat fut désastreux.

La luge, qui s'était mise à tanguer dangereusement, se trouva bientôt face à la pente et Schebel fut tiré en arrière. Il jura, se vit soudain glisser rapidement vers le bas, certain que sa dernière heure était arrivée. Celle du Président également.

Dans un dernier effort pour reprendre le contrôle, il jeta toute sa masse, qui était considérable, sur le ski opposé. Durant un temps qui parut une éternité, rien ne se produisit. La luge tanguait toujours, comme prête à verser et à entraîner Schebel avec elle. Puis le miracle se produisit.

À l'instant de chavirer, le joint supérieur s'enfonça dans la neige glacée, à la manière d'un ski, ce qui rétablit l'équilibre. Schebel avait glissé et se trouvait maintenant plus bas que le reste de l'équipe, mais il vit Dryer changer de direction et se diriger vers un rocher affleurant. Tant que la luge garderait cette stabilité précaire, tout irait bien.

Miner achevait le compte à rebours. Dryer vit deux énormes blocs de roc surgir devant eux. À cette distance, ils semblaient infranchissables et marquaient le début d'une étroite descente à pic, extrêmement dangereuse, à côté de laquelle la pente mortelle ressemblait à un jeu d'enfant. Mais pour six des meilleurs mercenaires de la planète, des hommes qui avaient passé leurs vies à défier les montagnes les plus inaccessibles, il y avait une chance.

Quand Dryer fut à proximité de la passe, Miner saisit fermement le petit transmetteur noir sanglé à sa poitrine. Une bande de scotch rouge électrique entourait l'antenne en caoutchouc. Miner appuya sur l'unique bouton.

Le bruit sec d'un coup de feu, bientôt suivi d'un roulement de tonnerre, retentit alors qu'ils commençaient leur descente infernale.

6

La neige soufflait contre le mur du centre de commandement mobile. À l'intérieur, tous les agents fixaient le chef des opérations.

— Nous avons perdu tout contact visuel et radio avec les équipes de sécurité du Président et de sa fille, disait Tom Hollenbeck. J'élève le stade d'alerte au niveau 2 jusqu'à ce qu'on obtienne de plus amples informations. Je veux que la résidence du Président soit verrouillée. Je veux voir tous les agents disponibles mobilisés. Le périmètre doit être verrouillé et éclairé. Je veux que les équipes tactiques arrières soient sur le pont et prêtes à être déployées. Le reste d'entre vous sait quoi faire, alors au boulot !

Son speech achevé Hollenbeck se tourna vers la fenêtre. Un groupe d'agents C.A.T. attendaient les ordres à l'extérieur.

— Mobilisez immédiatement les équipes d'interception de Trois-Victoires et Boucles d'Or. Nous répondons en aveugle à un acte hostile dont nous ignorons la nature. Votre objectif est de dresser un rapport de situation et de me l'apporter aussi vite que possible. Ceci n'est pas un exercice. Je répète, ceci n'est pas un exercice. Ne perdez pas une seconde. Des questions ?

— Négatif. Équipes Un et Deux en actions, fut la réponse provenant de l'extérieur.

En quelques secondes, les deux équipes de quatre hommes chacune, vêtus de combinaisons isolantes et de gilets pare-balles, disparurent sur leurs scooters des neiges.

— On peut avoir un renfort aérien ? demanda Hollenbeck à l'un de ses assistants opérationnels.

— D'ici, non. Le temps est impossible. Les hélicoptères de la Marine ne sont pas équipés pour ça. Mais depuis la base, on peut appeler un *Black Hawk*.

— Combien de temps ?

— Dix minutes pour le faire venir. Vingt à trente pour se rendre sur le terrain. Mais avec une telle visibilité, je ne garantis pas ce qu'il peut faire.

— Appelez la base, qu'ils en tiennent un à disposition.

Puis, se tournant vers son assistant Hollenbeck aboya :

— Longo ! Ça vient, ces communications ?

— Non, mon commandant. Aucun signal.

— Palmer ?

— Toujours rien.

C'est à l'instant même où Hollenbeck pensait que la situation ne pouvait pas empirer que retentit la plainte des sirènes d'avalanche.

7

Scot parvint à crier « Avalanche ! » suffisamment fort pour être entendu de ses hommes. « Et merde ! » murmura-t-il pour lui-même. Il savait qu'il n'avait pas le temps de prévenir les autres de ses intentions. L'avalanche venait droit sur eux. En fait, il avait à peine le temps de penser à ce qu'il allait faire. Ce qui valait peut-être mieux.

L'alternative, dans un cas comme celui-ci, était l'évacuation ou la protection – et l'évacuation était impossible. Quant à protéger la fille du Président, si jamais il y parvenait, il allait devoir faire appel à toute son ingéniosité. À toute sa force, aussi.

Devant lui, Amanda ne l'avait apparemment pas entendu crier. Toute à sa descente précautionneuse, tendue par l'effort, elle continuait à skier. Scot pila net sur ses skis et, s'agenouillant tel un athlète en position de soulever des altères, vint se placer derrière Amanda.

Il vit le raz-de-marée neigeux s'accumuler au-dessus d'eux.

— Ne bouge pas ! Laisse-toi faire ! hurla-t-il tout en la saisissant à la taille. Et il la souleva de terre. Elle eut un cri de surprise mais ne résista pas. L'inclination de la pente et leurs deux poids combinés les projeta dans le vide. La visibilité réduite empêchait Scot de savoir s'il avait correctement calculé. La moindre erreur, il le savait, serait mortelle. Et si la neige lui avait joué un tour, si ce qu'il croyait avoir vu n'existait pas, ils mourraient également.

Amanda n'était pas lourde. Il la sentait même se faire aussi légère que possible, comme si elle avait compris d'instinct comment lui faciliter la tâche. Scot Harvath était de son côté dans une forme physique parfaite. Et cependant, il sentait que l'effort lui déchirait chaque muscle du corps. Un instinct de survie primaire l'incitait à abandonner Amanda et sauver sa peau. Il devait mobiliser toute la force mentale accumulée par ses années d'entraînement pour ne pas y céder. La douleur, la peur même devait le servir.

Battre la vitesse de l'avalanche était hors de question, il le savait. Il n'osait même pas se retourner. Le moindre faux mouvement, la plus petite erreur détruirait tout espoir de salut.

Le vent glacé, la neige lui déchiraient le visage comme des échardes de verre brisé. Il prit de la vitesse. Les lois de la physique jouaient contre lui. Il descendait presque à pic et, cependant, pour chaque mètre dévalé, l'avalanche derrière eux en gagnait trois.

Le grondement, maintenant assourdissant, se répercutait dans tout son corps. La descente ultrarapide, commencée quelques secondes plus tôt seulement, lui semblait durer depuis toujours. *Où sont ces putains de rochers ?* s'entendit-il crier.

Il avait en fait sous-estimé la distance. À travers le blizzard neigeux, c'est à peine s'il distinguait l'affleurement rocheux qu'il cherchait, le long de la façade montagneuse, bien en dessous de là où ils se trouvaient.

Il comprit que sa seule chance consistait à pointer ses skis droits sur la pente. La vitesse, alors, devint terrifiante. Il sentit ses genoux, qui tentaient d'absorber son poids et celui d'Amanda, se soulever et s'abaisser, tressautant tels des marteaux-piqueurs tandis qu'il s'efforçait désespérément de garder le contrôle de ses skis claquant furieusement sur la neige.

Au moindre obstacle, c'en serait fini. Aucun skieur, pas même de son niveau, ne pouvait tenir ce rythme plus longtemps.

Enfin, il l'aperçut : l'affleurement rocheux semblait monter vers eux aussi vite que l'avalanche descendait.

Il calcula rapidement la distance qui allait se rétrécissant. Il s'entendit crier pour lui-même « trois… deux… un… zéro ! »

et, enroulant ses bras autour d'Amanda, il jeta leur deux poids réunis sur son ski gauche. Il la couvrit de son corps, autant qu'il lui était possible, pour la protéger tandis qu'ils tournaient et s'approchaient des rochers. Le bruit de l'avalanche était maintenant si puissant qu'il ne parvenait plus à penser.

Entre la neige de la cuvette et le blizzard, Harvath tentait de garder le sens de l'espace et de la distance. Ils roulèrent, chaque tonneau étant amorti par les épaules de Scot.

Ils s'arrêtèrent net, enfin bloqués par un mur de roc et, sous le choc, Scot hurla de douleur. Il resta conscient juste assez longtemps pour voir le torrent de neige s'effondrer sur lui et sur le corps affaissé d'Amanda à ses côtés.

8

Le silence fut la première chose qu'il nota en reprenant conscience. Une assourdissante et inquiétante absence de bruit. Amanda et lui se trouvaient sous une corniche étroite qui mesurait peut-être trois mètres de long, un mètre de large et un mètre cinquante de hauteur : c'était une petite cave de pierre et de neige où ils avaient du moins la place de remuer. Il ne restait qu'à espérer que les autres membres de l'équipe aient eu la même chance.

Dans l'obscurité, Harvath tenta d'évaluer sa condition physique. Côté chevilles, tout allait bien. Les genoux avaient souffert, mais restaient opérationnels. Ses cuisses étaient en bouillie, apparemment, mais tant qu'il restait allongé ce serait supportable. Il farfouilla dans sa poche pour en extraire sa lampe torche et l'alluma, tout en luttant pour se redresser et trouver une position assise. C'est alors que la douleur se déclencha.

Il ne pouvait dire si quoi que ce soit en particulier était cassé, il ne voyait pas de fracture apparente et ne saignait que superficiellement, d'une éraflure au front, mais toute la partie supérieure de son corps était en enfer.

De sa position, il distingua la jambe gauche d'Amanda. En dépit de la douleur, il lui fallait s'approcher. Dans un effort surhumain, il s'obligea à basculer de droite à gauche jusqu'au moment où il eut assez de puissance pour rouler. La souffrance, à peine supportable, n'était rien encore comparée à ce qui suivit.

À présent, allongé sur le ventre, il ne la voyait plus. La jeune fille se trouvait derrière lui. D'un nouvel effort, dont il ne se savait pas capable, il se redressa sur les coudes. Il entreprit de se retourner entièrement, sur la neige froide et les rochers de façon à faire face à Amanda, mais ses jambes mortes refusaient de bouger et, l'espace d'une seconde, tandis qu'une vague de chaleur extrêmement douloureuse irradiait son corps, il se crut paralysé.

Il se mit à ramper. La douleur dans ses bras et dans ses épaules était si intense qu'il crut s'évanouir. Il devait s'arrêter régulièrement pour retrouver un semblant de respiration. Il mit ainsi près de quinze minutes à faire les trois mètres qui le séparaient d'Amanda. Sans doute s'était-il cassé une côte, voire plusieurs, mais il était en vie. Et si Amanda l'était également, ils auraient gagné malgré tout.

Bientôt, il aperçut dans le rayon de sa lampe, la poitrine de la jeune fille qui se soulevait avec régularité. Il tenta faiblement de l'appeler, mais sa voix n'était qu'un souffle à peine perceptible. Du moins, pensa-t-il, elle respire.

Il rampait, s'arrêtait pour récupérer, se remettait à ramper. Enfin, il parvint juste derrière elle. Était-elle consciente ? Son visage était tourné vers le mur de rochers, ce qui l'empêchait de le savoir.

Il palpa sa tête ne détecta nulle blessure, bien sûr, cela ne voulait rien dire. En cas de dommage interne, si elle était blessée, le moindre mouvement pouvait être fatal.

— Amanda ? murmura-t-il d'une voix sèche. Est-ce que tu m'entends ? Est-ce que ça va ? Réponds-moi, petite fille, juste deux mots, juste un.

Elle ne répondit pas. Scot sentit qu'il n'avait pas la force de continuer. Il avait résisté autant qu'il avait pu, mais à présent, c'était fini, le néant s'emparait de lui. « Désolé, Amanda » fut la dernière chose qu'il eut encore la force d'articuler.

9

— Palmer ! aboya Hollenbeck en direction de l'agent le plus proche. Appelez immédiatement la vallée des Cerfs, vérifiez si l'alerte est normale. Je veux savoir s'il y a une avalanche ou non. Je veux toutes les informations, je dis bien TOUTES !

— Tout de suite, mon commandant !

— Longo ! Ces communications ?

— Toujours rien, mon commandant.

Hollenbeck se tenait debout depuis neuf minutes. Il se sentait incapable de s'asseoir.

Il marcha jusqu'à l'une des fenêtres et se mit à observer la neige réfléchissant à ce qu'il allait faire ensuite.

La vie du Président, celle de sa fille et de leurs équipes de sécurité, rien de moins, étaient en jeu.

— Mon commandant ! cria soudain Palmer. Avalanche confirmée à la vallée des Cerfs. Deux patrouilles l'ont vue et ont donné l'alerte.

— Comment ça ? Je croyais les communications interrompues.

— Apparemment, ils ont utilisé la fréquence radio d'un refuge.

— Une Cibi ?

— Et le son était parfaitement clair.

— Pourquoi diable une Cibi fonctionnerait-elle mieux que nos propres outils ou ceux de la vallée des Cerfs ?

— La Cibi utilise une autre fréquence que celle des Services. L'ironie, c'est que notre matériel est bien plus sophistiqué. Nous devrions être les derniers à rencontrer ce genre de problème.

— Ok, Palmer. Où l'avalanche a-t-elle commencé ?

— À en croire la patrouille, à Squaw Pike.

La main de Hollenbreck fouilla dans le désordre de son bureau pour en extraire la carte topographique préparée par l'équipe d'évaluation des menaces, qui détaillait toutes les pistes susceptibles d'être empruntées par le Président. Hollenbeck était doté d'une grande mémoire photographique et savait parfaitement où se trouvait Squaw Pike. Il espérait simplement se tromper.

— L'avalanche était de ce côté-ci de la montagne, dit Palmer, anticipant la question. Elle a dû charrier tout son flot de glace et de débris directement sur eux.

10

Sous l'effet de la douleur, Scot Harvath ouvrit brutalement les yeux. Il n'avait pas souffert aussi intensément depuis son entraînement dans les commandos SEAL. À l'époque, les membres des SEAL avaient coutume de plaisanter à propos de leur formation qu'ils résumaient aux formes de tortures les plus épouvantables jamais inventées par la civilisation. Cela l'avait préparé à ce genre d'épreuve. Ce que l'esprit croit, le corps l'accomplit – telle était la règle. Les membres des SEAL n'abandonnaient jamais. Ils ne s'avouaient jamais vaincus.

Tout en réprimant un cri, Scot esquissa un mouvement. Il parvint non sans mal à s'asseoir et, rampant et se tortillant, à se positionner juste au-dessus de la tête d'Amanda. Il ralluma sa lampe. Précautionneusement, il glissa ses paumes ouvertes sous le dos d'Amanda, sous sa nuque et ses épaules et il la retourna. Elle était parfaitement silencieuse. Elle respirait lentement et faiblement.

— Mandie, c'est Scot. Réponds-moi, ma puce, dis quelque chose.

Soulevant l'une après l'autre les paupières de la jeune fille, il projetait chaque fois la lumière de la lampe dans ses yeux. Mais les pupilles ne se contractaient pas, ce qui était mauvais signe.

Il n'aurait su dire à quelle profondeur ils étaient enterrés. La neige épaisse pouvait se changer en béton humide et rendre toute issue impossible. Il saisit sa radio pour une ultime tentative :

— S.O.S., S.O.S. Me recevez vous ? Volière, ici *Norseman*. On a besoin d'aide. *Over*. Vallée des Cerfs, vallée des Cerfs ? Me recevez vous ? *Over*.

Le grésillement statique fut sa seule réponse. Il comprit qu'il devait préserver son énergie et son oxygène. Il lui fallait aussi garder Amanda au chaud, autant que possible.

Il pariait sur leur survie, mais il le savait, leurs chances étaient minimes. Sans contact radio ni personne pour les localiser, nul ne pouvait prédire le temps que mettraient les équipes de secours pour arriver jusqu'à eux. La météo, de plus, les retarderait. Il jeta par réflexe un coup d'œil à sa montre. Il était près de cinq heures. Le soleil allait se coucher, la température baisser. Si Scot ne trouvait pas un moyen de sortir, tous deux seraient transformés avant l'aube en statue de glace.

11

Il enleva sa veste pour en recouvrir Amanda. Elle était allongée sur la neige, ce qui rendait le geste plus ou moins symbolique. Placer la veste sous elle aurait été plus efficace mais il ne voulait pas risquer de la déplacer une seconde fois.

Scot comprit qu'il allait devoir envisager la tâche dangereuse de les sortir de là. La respiration irrégulière d'Amanda était inquiétante. Elle avait dû se blesser durant la descente. Il rampa jusqu'à son sac, fouilla à l'intérieur et sortit ce qui semblait être un bâton de ski télescopique. C'était une sonde utilisée dans les avalanches pour repérer les victimes.

Il choisit l'angle qui paraissait le plus facile, l'enfonça, faisant attention à ne pas déstabiliser une neige déjà instable. La sonde s'enfonça si profondément que tenter de calculer l'épaisseur de la couche était peine perdue. Visiblement, ils avaient survécu à une avalanche massive.

Oubliant sa fatigue, Harvath entreprit d'assembler sa pelle de neige démontable. Puis, pliant les genoux, il posa un pied sur le rocher derrière lui, et commença de creuser précautionneusement leur chemin vers la sortie. Le risque à éviter était l'effondrement.

Il creusa longtemps. De la glace pulvérisée tombait sur son visage et ses mains. Il progressait à une terrible lenteur, centimètre par centimètre. Régulièrement, il lui fallait revenir en arrière, sortir du tunnel, ramasser et débarrasser la neige accumulée par ses soins. Lorsqu'il lui sembla avoir creusé un chemin assez profond, il entreprit de gratter la neige accumulée sur la paroi supérieure du tunnel étroit.

À son onzième retour dans le tunnel, au bout d'un temps infini, il sentit que la pelle atteignait la surface. Indifférent aux morceaux de neige gelée qui lui tombait dessus, il continua de creuser frénétiquement jusqu'à obtenir un trou assez grand pour s'y faufiler. Il parvint enfin à l'air libre.

Un vent glacé soufflait à l'extérieur. La neige tombait plus violemment. Parce que le soleil était entièrement maintenant couché, Scot ne pouvait rien voir de ce qui l'entourait. Il s'assit sur le bord du trou, ses lourdes bottes pendant dans le vide et, l'espace d'une seconde, reprit son souffle. En cet instant, il ne sentait pas la morsure du froid.

Mais rien n'était réglé. Amanda était toujours évanouie et il ne pouvait évaluer le degré de ses blessures. La transporter dans de telles conditions risquait de provoquer des lésions irréversibles, mais il était tout aussi dangereux de rester sur place. Ils avaient de fortes chances de mourir de froid, ou de subir une seconde avalanche. Les équipes de secours étaient sans doute maintenant à leur recherche, mais les sauveteurs n'avaient aucun moyen de deviner qu'ils s'étaient aventurés aussi loin à flanc de montagne. Il leur faudrait des jours avant d'y songer, et par ce temps, la lampe n'était pas assez puissante pour servir de signal. Se mettre en route, transporter Amanda quels que soient les risques, était donc la seule solution.

Scot se mit sur le ventre et pénétra de nouveau dans le tunnel. Il examina Amanda de façon sommaire au moyen de sa Mag-Lite. L'état de la jeune fille semblait stationnaire. Le pouls était toujours aussi faible, la respiration lente et irrégulière.

Il saisit sa mini-pelle et se mit à déblayer la neige devant l'entrée du tunnel afin de pouvoir hisser la jeune fille aussi facilement que possible. Puis il se défit de ses bottes de ski et de son pantalon. En dessous, il portait une tenue moulante en fibre Lycra qui avec un peu de chance suffirait à le protéger.

Avec son couteau, il coupa l'épaisse sangle de son sac à dos pour confectionner un collier rudimentaire qu'il entreprit de nouer au cou d'Amanda. Avec le fond en plastique du sac, il fabriqua ensuite une petite planche pour son dos. Enfin, aussi doucement que possible, après avoir coupé les bretelles de la tenue d'Amanda, il la revêtit de sa propre combinaison.

Toujours au moyen de son couteau, il se mit à fabriquer des chaussons de fortune à partir des poches extérieures de son sac. Avec un peu de chance, elles aideraient à maintenir au sec les pieds de la jeune fille, car la porter avec ses bottes de ski, rendrait non seulement le trajet plus difficile encore, mais risquerait également d'aggraver les blessures dont elle pouvait souffrir.

Il avait commis une erreur, réalisa-t-il trop tard. Au moment de creuser, afin de protéger Amanda des débris, il avait choisi d'ouvrir le tunnel à partir des pieds de la jeune fille. Malheureusement, il avait arrangé sa combinaison de sorte à pouvoir la tirer depuis les bretelles qui pendaient de ses épaules – ce qui signifiait qu'elle pointait dans la mauvaise direction. Il allait devoir la retourner, dans l'état dans lequel elle se trouvait, dans une grotte de glace qui mesurait à peine plus d'un mètre de large.

Aussi délicatement qu'il lui était possible, il commença à relever les genoux d'Amanda. Puis il vint placer sa main sous ses omoplates et tenta de faire pivoter le haut de son corps. Il risquait ce faisant, si son dos était endommagé, de provoquer une paralysie définitive – la seule pensée le rendait malade. Il s'efforçait de canaliser ses émotions, de ne pas les laisser prendre le contrôle de lui-même – sans quoi c'est *lui* qui serait paralysé. Un craquement retentit. Une seconde il crut que c'était le dos d'Amanda. Baissant les yeux, il vit que sa veste de ski avait accroché et arraché un morceau de glace. Il poursuivit la rotation jusqu'à ce que le buste de la jeune fille se trouve face à l'entrée du tunnel.

Maintenant, c'était comme pénétrer dans une matrice sombre et glacée pour retourner un nouveau-né qui se présente par le siège avant de le délivrer au monde. Les bretelles d'Amanda fermement tenues dans ses mains gantées, il progressait à tâtons, lentement. Le voyage vers la sortie fut infini.

À bout de force, dans la dernière portion verticale du tunnel, il dut mobiliser tout ce qui lui restait d'énergie afin de positionner le corps inerte d'Amanda dans la position voulue. À présent, ni la douleur ni la fatigue ne comptaient plus. Seule importait, obsessionnelle, la perspective du succès. Sauver de cette cave glacée Amanda Rutledge, une gamine qui venait d'avoir seize ans et qui était la fille du Président. La ramener saine et sauve chez elle.

Après avoir allongé Amanda sur la neige près de la bouche du tunnel, il s'accorda un moment pour récupérer, reprendre son souffle et calmer la symphonie de douleurs qui hurlait dans tout son corps. Il sortit sa lampe, entreprit de vérifier à nouveau l'état de la jeune fille. Rien n'avait changé, sinon que le pouls semblait plus lent. Il devait se mettre en route sans tarder.

Il se leva, enroula ses mains autour des lanières de la civière artisanale et commença lentement la descente.

Le chemin s'avérait escarpé et difficile. Scot s'enfonçait régulièrement jusqu'aux genoux, parfois même jusqu'aux cuisses, et chaque fois, l'attelage menaçait dangereusement de lui tomber dessus et de les propulser tous deux dans le vide.

Un puissant vent glacé soufflait et des cristaux de neige coupants lui déchiraient le visage sans qu'il puisse se protéger. Sa seule arme était sa détermination ; ses seules munitions, un pas après l'autre. La conscience de devoir avancer avec le maximum de précaution pour ne pas aggraver l'état de la jeune fille le ralentissait encore. Un pied devant l'autre, se répétait-il, un pied après l'autre.

Forgeant ainsi son chemin dans la froidure, il perdit bientôt toute notion de l'espace et du temps. Descendre, avancer, était son seul credo. Il était vaguement conscient que son propre corps avait cessé de grelotter. Au moins, mes jambes continuent d'avancer, pensait-il. Il se trompait. Ce qu'il prenait pour de la marche n'était déjà plus en fait qu'une série de trébuchements, ultime accomplissement d'un fantastique effort de volonté alors que ses muscles étaient désormais incapables de bouger.

Finalement, le moment arriva où il s'effondra dans la neige. Il eut le temps de se demander si sa chute avait fait le moindre bruit, si un bruit existait encore quand personne n'était plus là pour l'entendre.

À deux cent mètres de là, munis de lunettes infrarouges dernier cri, le chef de l'équipe de secours venait de capter les signaux calorifiques de deux formes couchées dans la neige. Il fit une brusque volte-face et tourna son scooter dans leur direction.

Il les rejoignit en quelques secondes, son équipe sur ses talons. Les membres du service de secours entourèrent les deux blessés tandis que d'autres sécurisaient le périmètre alentour.

Scot émit un grognement lorsque l'un des agents le retourna prudemment.

— C'est *Norseman* ! Il est vivant ! hurla le chef de l'équipe à ses hommes. Il se dirigea vers Amanda pour prendre son pouls.

— Il a ramené Boucles d'Or vivante, mais tous deux sont mal en point. *Volière* ici *Hermès*, me recevez-vous ? *Over.*

Il n'y eut pas de réponse mais il s'y attendait.

— Je veux deux luges gonflables opérationnelles immédiatement, hurla-t-il à ses hommes. Je transporterai Boucles d'Or et Archimède se charge de *Norseman*. *Hammer 4* et *Hammer 5*, prenez les coordonnées G.P.S. du lieu pour revenir chercher les autres ! *Go*, *Go* !

Harvath eut à peine conscience d'être installé sur une luge d'urgence gonflable. Sitôt que les scooters de l'équipe de secours démarrèrent en direction du centre de commandement, il sombra.

12

Non loin du centre de la ville de Lucerne se trouve un monument majestueux taillé à même le roc. Il figure un lion au repos sur un bouclier arborant les armes suisses. L'œuvre se veut un hommage aux sept cents quatre-vingt-six membres de la garde suisse qui, durant l'assaut aux Tuileries en 1792, défendirent Louis XVI et Marie-Antoinette au prix de leur vie. C'est à la suggestion de Miner que ses hommes avaient adopté le surnom des « Lions » de Lucerne, en référence au courage et à la détermination dont ils avaient fait preuve.

Les « Lions », au grand plaisir de Miner, arrivèrent avec sept minutes d'avance au lieu prévu – la ferme de Joseph et Mary Maddux. Située à la lisière de la petite ville de Midway, au cœur de l'Utah, en bordure de la vallée des Cerfs, elle avait été choisie en raison de son isolement. Le voisin le plus proche se trouvait à plus de quatre kilomètres et la seule voie d'accès, outre une route de terre terriblement défoncée, était un étroit canyon derrière la ferme qui, à cette époque de l'année, n'était praticable que par les conducteurs de scooters les plus expérimentés ou les champions de ski de fond.

Joe et Mary Maddux avaient passé leur dimanche de la façon la plus habituelle. Ils étaient officiellement retraités, mais le mot n'avait pas de sens dans leur vocabulaire de Mormons, grands-parents de vingt-deux petits-enfants et de onze arrières-petits-enfants. En fait, avec l'âge, les Maddux étaient devenus encore plus affairés qu'auparavant.

Le couple s'était levé avant l'aube. Leur foi leur interdisait le travail durant le sabbat, à quelques exceptions près comme nourrir les animaux, une tâche dont ils s'étaient acquittés avant le petit déjeuner et le premier office dominical.

Au temple, ils avaient écouté le prêtre évoquer le succès d'une mission mormone en Asie et prêcher les devoirs de l'épouse qui, disait leur doctrine, n'atteindrait pas le royaume des cieux sans la proclamation publique de son mari attestant qu'elle s'était bien conduite. Mary, qui était fort dévote, avait souri à la pensée qu'après cinquante-sept ans de mariage avec un homme qui était aussi, depuis l'enfance, son meilleur ami, ce dernier l'emmènerait sans aucun doute au ciel avec lui. Ce en quoi elle avait raison. Elle ne se doutait pas, cependant, que cela arriverait bien plus tôt que prévu.

C'est parce que Joseph se sentait, sans raison, vaguement déprimé depuis quelques jours, que lui et Mary choisirent d'annuler leur traditionnel dîner familial du dimanche soir chez leur fille aînée et optèrent, à la place, pour un repas frugal et une soirée tranquille chez eux. Cette exception allait leur coûter la vie.

À deux heures de l'après-midi, nul ne prêta attention au semi-remorque qui, après avoir pris la Sweetwater Road, s'arrêta dans la cour de la ferme des Maddux. Le véhicule portait le blason de l'église mormone ainsi que logo de Desert Industry, l'organisation à but non lucratif gérée par l'Église de Jésus-Christ des Saints-des-Derniers-Jours. Bien que l'Église fût normalement inactive le dimanche, Miner avait prévu, avec raison, que ces sigles familiers suffiraient à calmer la curiosité.

Le chauffeur de Miner apparut le long de l'allée couverte de neige de la ferme. Il était convaincu de n'avoir pas attiré l'attention. L'allée débouchait sur une vaste cour bordée par la ferme proprement dite, par une grange toute blanche, deux silos à grains et plusieurs autres dépendances.

Le chauffeur manœuvra le camion, le tourna face à la route qu'il venait d'emprunter, positionnant la remorque dans la direction de la grange. En toute logique, les Maddux, qui avaient été minutieusement observés au cours des semaines précédentes, devaient se trouver chez leur fille où ils resteraient jusqu'à la fin de la journée. L'homme déverrouilla les portes arrière du camion et entreprit de déployer une longue rampe plate vers l'extérieur. Il ouvrit ensuite les portes de la grange, puis disparut dans le semi-remorque. À l'instant où il s'apprêtait à décharger son premier colis, il crut entendre quelque chose. Il passa de nouveau la tête vers l'extérieur. Il ne se trompait pas. La camionnette de Joe Maddux venait de tourner le chemin et s'approchait lentement.

L'homme sauta au bas du camion, ferma précipitamment les portes derrière lui. Il eut encore le temps de faire disparaître la rampe et de refermer la porte de la grange avant que la camionnette ne se rapproche.

Vêtu de l'uniforme classique bleu et blanc de Desert Industries, il s'adossa au camion, prit un air tranquille, et dessina sur son visage un sourire franc. Il salua Joe et Mary Maddux à l'instant où ils pénétraient dans la cour.

— Bonsoir, frère Maddux, dit-il. Et bonsoir à vous aussi, ma sœur.

Le couple répondit à l'unisson. Mary sortit de la voiture pour mieux examiner l'imposant semi-remorque garé devant chez elle.

— Désolé pour le retard, dit l'homme tout en se dirigeant vers le couple, la main tendue.

— Le retard ? répliqua Joe. Nous devions nous voir ? Il serra la main de l'homme par réflexe, Mary également.

— J'ai été pris dans les embouteillages sur la 215, et avec le temps et tout... J'ai bien failli ne pas passer le canyon. Le Seigneur m'est venu en aide, je crois bien.

— C'est moi qui suis désolé, dit Joe, toujours soucieux de servir l'Église. J'ignorais que nous avions rendez-vous, je suis confus. De quoi s'agit-il au juste ?

— Ne me dites pas que vous n'êtes pas au courant non plus. J'en suis à mon troisième arrêt aujourd'hui, personne ne sait rien. Il doit y avoir une erreur. Il faut que je parle à quelqu'un de l'Église.

— Si cela concerne l'Église, entrez, vous pourrez téléphoner depuis la maison.

— Vous êtes trop aimable.

Ils passèrent les doubles portes sur lesquelles étaient collées les photos de leurs arrières-petits-enfants. L'homme connaissait déjà les lieux, il était venu les repérer en leur absence et durant leur sommeil. Joe dit :

— Que pouvons-nous faire pour vous monsieur…

— Baker. Brian Baker. Je suis venu prendre les équipements agricoles usagés dont vous avez bien voulu faire don à l'Église.

— Mais, dit Joe tandis que sa femme prenait son manteau et le rangeait dans l'armoire, je ne peux pas dire que je me souvienne avoir fait un don quelconque. Du moins pas récemment. Ce que nous avons en ce moment c'est le tracteur, et nous en avons besoin. Il doit y avoir une erreur quelque part.

— Vous pouvez utiliser le téléphone dans la cuisine, si vous voulez bien me suivre, dit Mary.

Elle guida l'homme jusqu'au vieil appareil jaune canari qui semblait accroché au mur depuis les années soixante-dix.

— Ma sœur, dit l'homme, je suis vraiment navré d'avoir à vous déranger. Mais vu le système que nous utilisons au standard, je vais devoir vous demander si vous n'auriez pas par hasard un appareil à touches quelque part.

— En haut, à l'étage, dit la vieille dame. Je vais vous conduire.

À mi-étage, celui qui se faisait appeler Baker s'interrompit une nouvelle fois :

— Ma sœur, pourrions-nous demander à votre mari de venir avec nous, au cas où nous aurions besoin d'informations complémentaires ?

— Bien sûr, bien sûr, dit-elle. Elle appela Joe, qui entretemps avait allumé la télévision et ne détestait rien tant qu'être dérangé dans son activité favorite, même pour l'Église.

Mary guida l'homme jusque dans leur chambre à coucher. Sur la table de nuit se trouvait un téléphone à touches phosphorescentes. Certaines portaient les noms des enfants Maddux, d'autres indiquaient des raccourcis comme *Police, Pompier, Ambulance.*

L'homme se dirigea vers l'appareil. Il défit le haut de son bleu de travail. Durant quelques instants, il prétendit chercher une facture.

Mary souriait poliment. Elle espérait que le malentendu ne créerait pas de problème entre eux et l'Église. L'homme entendit Joe Maddux s'approcher, ses pas étouffés par l'épaisse moquette du couloir. Il saisit la crosse de son Walther P4 9 mm sortit l'arme dotée d'un silencieux de son étui et l'exhiba une fraction de seconde.

C'était l'instant qu'il attendait toujours, celui où ses victimes réalisaient leur mort toute proche. Il fut déçu. Le couple en état de choc contemplait l'arme sans pouvoir réagir. Ce genre de chose était inconcevable à Midway ou même au fin fond de l'Utah, d'où ils venaient, et ils n'avaient aucun moyen de comprendre ce qui leur arrivait. Ils avaient les yeux rivés sur l'homme comme sur un écran de télévision.

Puis Mary émit un gémissement. Des larmes commencèrent à couler le long de ses joues à mesure qu'elle prenait conscience de la réalité de la situation. Joe, en revanche, restait impassible. Il fit un mouvement vers son épouse comme pour la consoler et, à cet instant, l'homme lui tira dessus par deux fois, le touchant au visage.

Le visage de Mary se couvrit instantanément d'éclaboussures – un mélange de sang, de morceaux d'os et de matière grise – tandis qu'elle se mettait à bafouiller incompréhensiblement à travers ses larmes.

— Mon Dieu, Mon Dieu, Mon Dieu…

— C'est une bonne chose pour vous d'être allé à l'office ce matin, non ? dit l'homme. Dans votre vie prochaine, quand vos enfants vous inviteront à dîner, un conseil : n'annulez pas.

Il pointa l'arme sur Mary, appuya sur la détente. À la dernière seconde, elle tourna la tête dans un réflexe de protection et la balle déchirant sa chair lui arracha le nez. Elle tomba au sol en hurlant. L'homme s'approcha et, de colère, tandis qu'elle se contorsionnait de douleur et de peur, il vida le reste de son chargeur dans son cou, dans sa poitrine et dans sa tête.

Joe Maddux avait eu la bonne idée de tomber sur le lit. L'homme souleva ses pieds et vint les placer sur les couvertures. Sans le trou sanglant dans sa tête, maintenant, il paraissait dormir.

Il tira ensuite le cadavre de Mary de l'autre côté du lit, la souleva et la déposa à côté de son époux. Ses bras se trouvaient dans une drôle de position, au-dessus de lui, et l'homme joua une seconde avec l'idée de les déshabiller tous les deux pour les installer dans une posture sexuelle – juste une blague amusante à jouer aux Mormons.

Au lieu de cela, il se lava les mains dans le petit cabinet de toilettes, puis, attentif à ne pas laisser d'empreintes, il redescendit pour finir le travail qu'il avait commencé.

Le camion vidé, il n'eut plus rien à faire, sinon revenir dans la ferme et attendre.

La petite salle à manger était agréable, chaude, et la fenêtre fournissait, à travers la neige, un parfait poste d'observation du chemin menant à la ferme. La télévision, toujours allumée, diffusait les images d'un match de football américain.

Un paquet de cigarettes plus tard, l'homme commença à sentir les premiers signes du diabète – une maladie qui lui était tombée dessus quelques années auparavant et qu'il avait soigneusement cachée à Miner.

Il sortit d'une poche la barre de chocolat Nestlé prévue à cet effet, la brisa en petits carrés égaux, après avoir calculé ce qu'il lui faudrait pour la journée, puis il en mit un dans sa bouche et se mit à le sucer lentement, avec délices. C'est alors qu'un bruit de verre brisé retentit à l'étage.

Il se leva d'un bond, saisit son arme dans le même mouvement. Avec précaution, il se dirigea vers les escaliers, les escalada marche par marche, crispé sur son arme. Il s'avança dans le couloir moquetté jusqu'à la chambre où se trouvait les corps d'où le bruit provenait. Adossé au mur, il inspira profondément, posa son doigt sur la détente et bondit dans l'embrasure de la pièce, prêt à tout.

La cause du vacarme était évidente. Les bras de la vieille femme, qu'il avait laissés au-dessus de sa tête, étaient maintenant étendus en travers de la table de nuit, et le verre du cadre d'une photo de famille répandu sur le sol. Un réflexe post-mortem.

L'homme baissa son arme et éclata de rire. Juste à ce moment, le bruit d'un moteur lui parvint. Miner et ses hommes étaient en avance.

13

L'éclat orangé d'une lampe de chevet fut la première chose que vit Scot lorsqu'il ouvrit les yeux. Puis il découvrit les planches de pins au plafond, le papier mural qui reproduisait des cerfs et des daims dans un environnement boisé. Enfin, ses yeux se posèrent sur la lourde couverture du lit en laine rouge et grise ponctuée de flacons blanc qui le recouvrait pesamment. Au bout du lit il y avait un panneau en bûche grossièrement taillée. Il se trouvait, réalisa-t-il, dans l'une des chambres d'amis du chalet présidentiel. Dehors, il faisait toujours nuit.

— Le gamin se réveille, on dirait, fit une voix près de lui.

Il s'agita, tenta de s'asseoir :

— Amanda ! Où est Am...

— Oh ! Du calme, Scot. Elle est ici, de l'autre côté du couloir. Le docteur Paulos s'occupe d'elle.

— Comment va-t-elle ? Je veux la voir.

— Je vais d'abord finir de t'examiner, si ça ne te dérange pas. Ensuite, on demandera des nouvelles au docteur Paulos, et si on a son feu vert, tu la verras.

L'homme avait extrait de son sac une lampe-stylo. Il se pencha pour observer les yeux de Scot. C'était le docteur Skip Trawick, et l'amitié qu'il entretenait avec Scot, comme avec son collègue John Paulos, remontait à leur passé commun au sein de l'équipe de ski *freestyle*. C'est Scot lui-même qui les avait recommandés l'un et l'autre pour le voyage.

— Bon Dieu, Skip, dit-il. Laisse-moi me lever, je dois la voir.

— Tu n'as pas changé d'un iota, hein. Toujours aussi têtu. Combien de doigts vois-tu ?

— Aucun, tu n'as pas levé la main.

— Bien, jusque-là, je dirais que tout est normal. Tes fonctions neuronales sont aussi basses que d'habitude. Tu sens des douleurs quelque part ?

— Ce n'est pas moi qui vais avoir mal, si tu ne m'aides pas tout de suite à me lever de ce lit, dit Scot en s'agitant.

— Vivant et agressif, fit une seconde voix, celle de Tom Hollenbeck qui entrait dans la pièce. Bon signe ça, docteur, non ? Quelque chose de cassé ? Des signes de commotion ?

— Je n'ai pas encore pu finir les examens, Tom. Le patient ne se montre pas coopératif.

— Vraiment ? Quelle surprise ! Un peu de bonne volonté, Harvath, s'il te plaît. Je parle sérieusement, ajouta-t-il alors que Scot faisait le geste de se lever et d'arracher son intraveineuse. Je ne veux pas te voir jouer les héros. Tu étais pratiquement en hypothermie quand on t'a amené ici. Allonge-toi et laisse-toi soigner.

Scot retomba sur le lit, vaincu.

— Et tu ne vas nulle part avant que je n'ai un rapport complet sur ce qui s'est passé, ajouta Tom sortant de sa poche un petit magnétophone.

Le docteur aidait Harvath à s'asseoir et ce dernier ne put retenir un gémissement. Son pull et sa tenue en lycra lui avaient été retirés au profit d'une tenue d'hôpital ouverte dans le dos. Lorsqu'il se pencha en avant Hollenbeck ne put retenir un juron devant les hématomes qui, sur toute la surface de son dos et sur ses épaules, faisaient des îlots verdâtres bleus et jaunes comme sur une carte topographique.

— Je vais injecter de l'adrénaline dans la perfusion, dit le médecin. Ça devrait te donner un peu de force. Il n'y a apparemment rien de cassé. Et si les tests d'urine sont bons, on devrait pouvoir retarder le check-up. Respire.

Scot s'exécuta. L'examen effectué, Hollenbeck brancha le magnétophone et le débriefing commença.

Scot fit un résumé aussi complet que possible des événements – depuis la dernière étape jusqu'à la chute des agents du Président et l'arrêt des communications, puis leur décision de prendre par la cuvette, l'avalanche et la suite.

Lorsqu'il eut terminé, le docteur Trawick revint vers lui cette fois pour tester ses souvenirs. La mémoire à long terme de Scot semblait intacte – il pouvait répondre sans problème à des questions relatives à son adresse, son âge, son numéro de téléphone ou celui de son permis de conduire, mais les informations concernant les souvenirs récents, comme le nom de son hôtel ou la date de sa dernière visite à la Maison-Blanche lui échappaient.

Il y eut un silence.

— Tu es conscient de la chance que tu as de t'en être sorti vivant ? dit enfin Trawick avec un long sifflement.

— Ouais, ouais je sais.

— Il faut faire des tests supplémentaires pour ta mémoire, il y a quelque chose qui cloche.

— Ce n'est rien, Skip. Un coup sur la tête, ça passera. Et les autres ? Le Président ? Harper ? Maxwell ?

Hollenbeck soupira profondément avant de répondre.

— On ne sait rien. La radio est toujours au point mort. Amanda et toi, pour l'instant, êtes les seuls que l'on ait récupérés.

— Rien, répéta Scot incrédule. Et les *cinq cents* ? Rien non plus ?

Les *cinq cents* étaient le gadget électronique dont les Services secrets équipaient chaque Président : une petite pièce contenant un transmetteur qui sur une fréquence spéciale, envoyait les coordonnées G.P.S. de la personne qui le portait. Le Président ne s'en séparait jamais et l'avait surnommé son porte-chance.

— Tout est plus ou moins hors-service depuis ce matin. On a fait monter des radios Cibi depuis la vallée.

— Les équipes de secours ?

— Les agents disponibles sont sur la pente mortelle avec des patrouilles à skis des trois comtés voisins et toutes les forces de police disponibles. On a fait venir des détecteurs de chaleurs et des lunettes infrarouges depuis la base. L'agent Palmer a emmené une équipe de recherche civile dans la zone où nous vous avons trouvés. Je parie plutôt sur eux.

— Pourquoi ça ?

— On vous a trouvé dans la cuvette. C'est un endroit accessible. On y a installé des lampes et des équipements et on est en train d'envoyer tout ce qu'on a pu dénicher comme engins possibles capables de déblayer le terrain. J'ai bien dû parler avec la quasi-totalité les sociétés de construction dans les cent kilomètres à la ronde.

— Et le Président ? Sam ?

— Tu connais la pente, Scot. C'est toi qui étais chargé de sécuriser le parcours. À ton avis ?

Scot se tut un instant.

— Et les hélicoptères ? reprit-il.

— Cloués au sol par le temps.

— *Nos* hélicoptères ? *Nos* gars ? Cloués au sol, vraiment ?

— Jette un œil à la fenêtre. On ne voit pas le bout de son nez, dehors. Impossible d'éclairer quoi que ce soit.

Harvath commençait à prendre conscience de la difficulté de la situation.

— Ce que nous avons pour nous, poursuivit Hollenbeck, c'est que tu as vu la sécurité présidentielle arriver à la hauteur du premier plateau. L'équipe des C.A.T. ne les a jamais vus en sortir. Ça nous donne une idée générale de la zone où ils se trouvent.

— Mais l'avalanche a tout balayé. Ils pourraient très bien avoir été emportés.

— Non, je ne crois pas. Si tu as vraiment vu Ahern et Houchins tomber entre les arbres, ça veut dire que le reste de l'équipe est venu à leur secours. Je suis obligé de supposer qu'ils ont entendus l'avalanche et sont allés se réfugier dans le bois. On a cinquante personnes sur place en ce moment, avec des traîneaux et des chiens.

La technique utilisée, dans ces cas-là, consistait pour les membres des équipes de secours à avancer côte à côte, comme reliés par une chaîne invisible, tout en enfonçant à chaque pas un bâton d'aluminium, dans l'espoir de sentir quelque chose ou quelqu'un.

— Washington est prévenu ? demanda Scot à Hollenbeck, qui acquiesça.

— Nous avons pleine et entière assistance de leur part. Tout est à notre disposition.

À cet instant, un signal d'appel provenant de la Cibi accrochée à la ceinture de Hollenbeck se mit à grésiller et il leva la main comme pour s'intimer le silence.

— Ici *Volière*, j'écoute. *Over*.

— *Volière*, fit une voix, ici *Hermès*, on a trouvé quelque chose, *over*.

— Bien reçu *Hermès*, j'écoute, *over*.

Scot s'assit avec effort pour mieux écouter.

— *Volière*, il semble que nous ayons trouvé deux agents de la sécurité de Trois Victoires. Nous sommes en train de les extraire en ce moment.

— Quelle est leur condition ? *Over*.

— Nous sommes en train de les extraire en ce moment, répéta la voix.

— Bien reçu *Hermès*. Dites-moi dès que vous savez. *Over*.

Plusieurs secondes s'écoulèrent, puis la voix se fit de nouveau entendre, cette fois sur un ton oppressé.

— *Volière*, *Volière* ! Les deux agents sont décédés de cause non naturelle. Je répète, cause non naturelle.

Hollenbeck contemplait sa radio, incrédule, incapable de répondre. Scot se pencha un peu plus, comme s'il avait pu se transporter sur place par la seule force de sa volonté. Dans l'obscurité, là-bas, les agents devaient se sentir menacés et sans doute étaient-ils prêts à appuyer sur la gâchette.

— *Hermès,* ici *Volière*, réagit Hollenbeck. Coup de balai immédiat. Je répète, coup de balai immédiat. Me recevez-vous ?

Coup de balai dans le jargon du Service signifiait fouille méthodique de la zone à la recherche d'un ennemi potentiel et, en cas de succès, son arrestation.

— Bien reçu *Hermès*. Coup de balai parti, *over*.

Hollenbeck appela les quatre équipes C.A.T. qu'il avait déployées sur le terrain. Sur ses ordres, deux d'entre elles filèrent immédiatement en direction de la pente tandis que les deux autres prenaient des positions défensives autour du chalet. Scot, de son côté, se débattait tant et plus pour arracher sa perfusion et s'extraire de son lit. Le docteur tâchait de le maintenir en place.

— Scot, bon sang ! N'importe qui de normal serait mort là-haut. Ton organisme est épuisé et tu es couvert d'hématomes ! Je vais te poser une ceinture et faire quelques rayons X ainsi qu'un scanner. D'ici là et pour les douze heures à venir, tu restes ici, sans bouger et sous perfusion.

— Hors de question. Tom a besoin de moi.

— Reste au pieu, bordel ! aboya Hollenbeck en réponse. Puis se tournant vers le docteur : faites lui une piqûre. Endormez-le.

— Impossible. Pas dans son état.

— Ok. Dans ce cas, je veux un garde cette nuit devant la porte. Il ne bouge pas d'ici.

Harvath eut à peine le temps de balbutier une protestation avant qu'Hollenbeck, saisissant sa parka, ne claque la porte derrière lui.

14

Une fois de plus, Miner regardait sa montre. Tout se déroulait dans les temps. Les risques d'échec guettaient à chaque étape. Le plus dur à présent, concernait le transport de la précieuse « cargaison ».

Le service d'ambulance du comté de Wasatch comptait une vingtaine de voitures en activité quasi-permanente. C'étaient des véhicules épais, lourds, destinés à franchir les cols escarpés de cette région montagneuse plusieurs fois par semaine. Pour cette raison, les chauffeurs devaient en vérifier les freins avant chaque changement d'équipe. La veille, le conducteur de l'ambulance 17, prenant son service et découvrant le liquide de frein répandu en mare sous la voiture avait immédiatement averti son dispatcher.

Ce jour-là curieusement, l'atelier était assailli de problème. Au moins quatre autres véhicules s'avéraient hors d'usage, si bien que le dispatcher avait dû envoyer l'ambulance 17 dans l'un des garages locaux.

L'homme de Miner attendait, paisiblement installé dans une Ford Taurus banalisée. Il vit la dépanneuse arriver de l'autre côté de la rue, nota comme prévu le nom, l'adresse et le numéro de téléphone de l'atelier mécanique tels qu'ils s'inscrivaient en grosses lettres vertes sur le véhicule. Un simple coup de fil depuis son portable auprès de Grunnah Automobile lui confirma les informations de Miner : dans cette région de l'Utah à forte population mormone, le garage, une fois fermé le samedi, n'ouvrirait sous aucun prétexte avant le lundi suivant.

Le système d'alarme de Grunnah Automotive fut désactivé en un clin d'œil. L'homme passa la demi-heure suivante à réparer l'ambulance tout en se rafraîchissant de Coca-Cola dénichés dans le frigidaire du garage. Puis il enfila la tenue bleue foncée badgée qui pouvait passer pour officielle, se mit au volant de l'ambulance et sortit, prenant soin de baisser le rideau de fer derrière lui. Il roula jusqu'à l'endroit où il avait laissé le semi-remorque afin d'y charger la voiture.

Dix-huit heures plus tard, tandis que l'ambulance volée et le camion qui la portaient descendaient Provo Canyon à toute vitesse, Miner parlait au téléphone avec le pilote de son avion Medijet spécial.

Il avait adopté le ton et l'accent d'un médecin urgentiste anglais en charge d'un malade sérieusement mal en point.

Deux semaines plus tôt, un incendie avait ravagé plusieurs jours durant la raffinerie de Magna de façon incontrôlable, dégageant une fumée telle que l'aéroport international de Salt Lake City avait pratiquement dû être fermé. Militants écologistes dénonçant la pollution des grandes industries pétrolières, journaux et télévisions avaient transformé l'événement en cause nationale. Magna était devenue l'icône médiatique des catastrophes tout comme les puits de pétroles irakiens et l'*Exxon Valdez*.

— Vous êtes sûr qu'on pourra décoller ? demandait Miner qui avait pris place dans l'ambulance toute secouée de cahots.

— Absolument professeur. Nous avons une fenêtre de quarante-cinq minutes et un statut prioritaire auprès de la tour de contrôle.

— Comment est le trafic aérien ?

— La piste de l'aéroport de Salt Lake est encombrée en raison des conditions météo.

Miner avait choisi l'aéroport municipal de Provo, à soixante kilomètres plus au sud, précisément pour cette raison. Le temps y serait plus clément, et dans un aéroport municipal où la sécurité serait plus relâchée, l'urgence médicale lui donnerait une liberté absolue.

— Quel est l'état du patient ? demandait la voix dans le téléphone.

— Stationnaire, mais critique.

— Bien compris. Pour ce qui est de vos instructions, professeur, nous avons ajouté l'équipement que vous avez demandé. La tente à oxygène stérilisée et la civière seront dans l'avion.

— Parfait. J'imagine que ça n'a pas été facile à organiser ?

— C'est contraire à la procédure, professeur. Mais vu la tragédie... Tout le monde est bouleversé par l'incendie.

— Les douanes anglaises sont au courant ?

— Ils savent que vous avez à bord un blessé anglais, chimiste chez Fawcett Petroleum. Le bureau de Londres vous contactera sitôt votre arrivée à Stansted Airport. Vous n'avez qu'à nous faire passer vos passeports, on s'occupera des formalités.

— Et ils connaissent la gravité des blessures ?

— Brûlures au troisième degré sur 95 % du corps, oui professeur.

— Parfait, capitaine. On est sur place d'ici quinze minutes. Merci de contacter la tour pour le laissez-passer et tenez-vous prêt à décoller.

— Ok.

Miner coupa la communication, se tourna vers son homme de main :

— On en est où ?

L'homme s'écarta et Miner se pencha pour admirer son travail.

Un usage ingénieux de latex et de maquillage avait transformé le Président des États-Unis en corps carbonisé. La tente à oxygène stérilisée ferait le reste. En fait, le déguisement était si parfait qu'à l'aéroport la Sécurité lui offrirait sans doute une escorte jusqu'à l'avion. Mais cela, bien sûr, il lui faudrait le refuser.

15

Harvath s'éveilla sans la moindre idée du temps qu'il avait passé à dormir. Il se trouvait dans la même chambre que la nuit précédente – si du moins c'était la nuit précédente.

En dépit des rideaux tirés devant les fenêtres, il pouvait voir l'aube qui se levait. La neige tombait toujours, quoi que moins drue. Sans même réfléchir, il retira d'un geste l'aiguille de l'intraveineuse enfoncée dans son bras.

À sa gauche, au bout de la pièce, une porte ouverte conduisait à la salle de bains.

Il se redressa douloureusement, contractant ses muscles abdominaux, s'aidant de ses bras comme de piliers pour ne pas retomber sur l'oreiller. Dans le dos et les épaules, la douleur était toujours aussi intense, mais elle se diffusait aussi maintenant dans d'autres parties de son corps.

Basculant son poids sur son bras gauche, il repoussa du droit ses couvertures. Il inspira profondément comme pour prendre son élan, jeta ses pieds d'un coup vers l'extérieur en sorte de se trouver assis sur le bord du lit d'hôpital. Il pouvait bouger, mais l'étendue et la portée de ses mouvements étaient sérieusement limitées. Après tout, c'était sa première avalanche : les effets étaient encore inédits. Rien cependant qu'une bonne douche bien chaude ne puisse guérir, pensa-t-il.

Harvath posa ses pieds au sol et, précautionneusement, il entreprit de se lever. Ses jambes étaient faibles. Il dut faire un effort réfléchi pour se propulser jusqu'à la salle de bains.

Se débarrasser de la tenue d'hôpital nouée dans son dos s'avéra le plus compliqué. Il marcha jusqu'à la cuvette des toilettes, releva la chemise à mi-corps, entreprit de se soulager. Puis, toujours aussi lentement, il la releva au-dessus de sa tête jusqu'à se trouver nu. Enfin il entra sous la douche et positionna le bouton sur « brûlant ».

Il s'assit sur les marches de marbre – le Président avait des amis qui savaient vivre – et il laissa l'eau fumante couler sur son dos martyrisé. Au bout de ce qu'il estimait être une quinzaine de minutes, il activa la vapeur et ferma les yeux. L'humidité chaude pénétrait dans ses poumons. Sans bouger, il passait en revue les dernières vingt-quatre heures. L'avalanche n'avait aucun sens. En dépit de la neige fraîche, ni le centre météo de l'Utah ni le centre de contrôle de la vallée des Cerfs n'avaient prévu quoi que ce soit. Et Scot lui-même avait effectué le trajet auparavant jusqu'au pic pour tester les conditions de la piste.

Avait-il sous-estimé les risques ? En ce cas, sa responsabilité était écrasante. Mais que penser des deux agents retrouvés morts de cause non naturelle ?

Il remit le levier en position douche, puis renversa le bouton sur « glacé » – un truc appris dans un club massage à Hong-Kong. Rien de tel qu'une douche bien froide après un bain brûlant pour vous réveiller complètement.

Lorsqu'il sortit de la douche, il se sentait revivre, les sens en éveil, même si son corps souffrait encore. Il se jura quoi qu'en pense Hollenbeck ou Trawick, de ne prendre ni sédatif ni médicament d'aucune sorte pour ne pas amoindrir ses capacités mentales.

Ses vêtements ne se trouvaient nulle part dans la chambre – on avait probablement dû les découper pour le déshabiller – mais il finit par dénicher un peignoir en éponge dans l'un des placards en cèdre qu'il enfila aussitôt avant de se diriger vers la porte.

Il s'engageait dans le couloir lorsqu'il aperçut la porte en face de la sienne, grande ouverte sur un lit fait. Il lui fallut quelques secondes pour se souvenir de ce que le docteur Trawick lui avait dit, à propos d'Amanda. N'était-ce pas sa chambre ? Si oui, l'avait-on déménagée ?

Il n'y avait aucun agent de sécurité alentour. Il s'avança vers l'escalier, perçut des voix montant de l'étage inférieur.

Marcher en droite ligne était une chose – descendre un escalier, pour son corps meurtri, en était une autre. Il s'appuyait lourdement sur la rampe en pin, cherchant à faire obéir ses genoux, et remercia le ciel qu'aucun des agents, installés dans l'énorme living-room juste en dessous n'assiste à son combat.

— Qu'est-ce que tu fais debout, Scot ? demanda l'agent Palmer l'apercevant au bas de l'escalier.

— Je ne suis pas payé à dormir et je veux savoir ce qui se passe. Il paraît que deux agents ont été tués.

— Tu as pris une sacrée trempe, à ce qu'on dit.

— Ne t'inquiète pas pour moi. Est-ce que quelqu'un peut m'expliquer la situation ?

— Et tu n'as rien avalé non plus... Il allait protester, mais elle l'interrompit : Scot, écoute-moi. Il s'est passé beaucoup de choses. Je serai plus qu'heureuse de te mettre au courant devant un petit-déjeuner. Être assis sera encore la meilleure façon de digérer non seulement le café mais aussi ce que j'ai à te raconter.

Sans lui laisser le temps de répondre, elle sortit de la pièce, revenant bientôt avec, au bras, un sac marin aux emblèmes des services.

— Hollenbeck a pensé qu'il te faudrait des vêtements. Ça vient de ta chambre d'hôtel.

Il ne répondit pas. Il sentit qu'il pensait *mon* hôtel sans pouvoir se rappeler son nom.

— Il y a une salle de bains juste au bout du couloir. Va te changer et retrouve-moi dans la cuisine. Je vais préparer le café et voir ce que je peux trouver à grignoter.

— Ok, Palmer. Merci.

Vingt minutes plus tard, rasé de près, et une fois accomplie la tâche surhumaine d'enfiler ses vêtements, Scot apparut dans l'embrasure de la cuisine, vêtu d'un jeans, d'un sweat-shirt et de bottes Timberland. Assise sur un tabouret devant le comptoir de granit de la cuisine, Palmer lisait le journal.

— Comment te sens-tu ? dit-elle en levant les yeux sur lui. J'ai déniché un « p'tit-déj » tout préparé, œufs et bacon au micro-ondes, c'est tout ce qu'on a.

— Ça ira.

Il eut vite devant lui une tasse de café brûlant. La nourriture était sans saveur, mais il s'en moquait.

— Ton équipe n'a pas survécu, lui dit Palmer brutalement.

— Personne ?

— On a retrouvé pour l'instant que cinq corps. On cherche les autres, mais il y a peu d'espoir. Ceux que nous avons récupérés ont tous été tués par l'avalanche.

Scot baissa la tête pour endiguer à la fois une migraine et le flot d'émotions qui risquait de le submerger.

— Et Boucles d'Or ?

— Elle souffre d'un sérieux double traumatisme cervical et crânien, de gelures et d'hypothermie. Tu ne l'aurais pas tirée de la neige et l'équipe de secours ne vous aurait pas trouvé à temps, elle serait morte. Son état est stable mais le pronostic est réservé. Les vertèbres ont souffert.

— Est-ce qu'elle pourra remarcher ?

— D'après le docteur Paulos, oui.

Scot émit un soupir de soulagement.

— Et Trois Victoires ? demanda-t-il.

— Jusqu'à présent, je t'ai donné les bonnes nouvelles, Scot. Tous les membres de l'équipe de sécurité du Président sont morts. On a retrouvé des balles de neuf millimètres dans leurs corps.

Il la fixa, incrédule, sans savoir quoi dire.

— Ce n'est pas tout. Les équipes de secours dispersées dans les bois ont été également éliminées.

— Et le Président ?

— On ne sait pas.

— Comment ça, on ne sait pas ?

— Nous n'avons pas pu mettre la main sur son corps.

Il y eut un silence.

— Je n'arrive pas à y croire, dit-il enfin. Quelqu'un a dû l'enlever. Est-ce qu'on a une demande de rançon ou quelque chose ?

— Tu vas trop vite, Scot, nous n'en sommes pas là du tout.

— Vous avez trouvé tous les corps sauf le sien, non ? Et ils l'entouraient, ils étaient tous à proximité.

— Scot, on est en état de choc. Une chose pareille, je veux dire le kidnapping du Président…

— Donc vous êtes d'accord ? Vous l'envisagez ?

— … On l'envisage, dit-elle avec réticence.

Ce fut lui qui répéta cette fois :

— Je n'arrive pas à y croire.

— On a un début de piste. Harper est parvenu à tuer l'un d'entre eux et pour une raison quelconque, ils ont laissé le corps derrière eux. On attend confirmation de l'identité auprès des chefs de station de la C.I.A. au Moyen-Orient.

Scot la fixa.

— Tu n'es pas en train de suggérer que l'enlèvement a été accompli par un groupuscule d'islamistes, j'espère ? Je n'y crois pas une seconde.

— Tout ce que je peux te dire, c'est ce que nous avons : trente morts parmi les Services secrets, un Président disparu, et le cadavre d'un homme en provenance du Moyen-Orient trouvé sur la scène du crime avec une balle dans la tête. L'analyse déterminera certainement qu'elle provient de l'arme de Sam Harper.

Scot posa ses coudes sur le granit froid du comptoir. Il mit sa tête dans ses mains.

— Les interférences des systèmes de communication. Ce n'était pas la météo, n'est-ce pas, dit-il avec lenteur, comme pour lui-même.

— On ne sait pas encore.

— Et sur le terrain, on en est où ? Les équipes ont déjà ratissé la pente ?

— Non.

— Comment ça non ? fit-il en relevant la tête.

— Scot, le Président a été kidnappé ou pire. Le dossier est entre les mains du F.B.I.

— Et c'est tout ?

— C'est tout.

— Qui a donné les ordres ?

— Washington ! Qu'est-ce que tu imagines ? Il y a eu une discussion entre Hollenbeck et le directeur des Services. Les agents du bureau de Salt Lake sont sur le site et attendent les Fédéraux, s'ils ne sont pas déjà là-bas.

— Les Fédéraux, tu veux dire Gary Lawlor ? grogna Scot avec humeur.

— Le directeur adjoint lui-même, oui.

16

Scot attrapa l'une des parkas pendues à la porte et se retrouva dehors. Trois agents faisaient une pause cigarette dans le froid. Ils échangèrent un regard. Que dire ?

Il s'avança jusqu'à la rangée d'arbres longeant le bâtiment et, une fois qu'il fut hors de vue, s'adossa contre un tronc et ferma les yeux. Un millier de questions l'assaillaient. Comment une chose pareille avait-elle pu arriver ? Comment, surtout, ne l'avait-il pas anticipée ? Où avait-il été négligent ? Le moindre cinglé à cent kilomètres à la ronde était sous surveillance depuis des semaines, et les plus dangereux psychopathes répertoriés en prison préventive. Aucune alerte particulière n'était venue des services de l'immigration, aucun message menaçant non plus de la part des groupes extrémistes habituels – rien, nulle part, qui laissât prévoir ça.

Il inspira, laissant l'air froid envahir ses poumons, et retint sa respiration jusqu'à ce qu'ils le brûlent. Puis il expira lentement, en un long sifflement, et réitéra l'opération comme si le fait de respirer ainsi allait lui donner la réponse. Il devait y avoir quelque chose, un signal précurseur qu'il avait manqué.

Des corps se trouvaient encore sous la neige, parmi eux des amis, et tous sous sa responsabilité. De nouveau, il respira. Ses côtes le faisaient souffrir. Moins que le sentiment de culpabilité contre lequel il luttait en vain. Les réponses, pensait-il, ne se trouvaient pas entre ces arbres.

— Les lieux sont en cours d'investigation par le F.B.I. Personne n'y a accès à l'exception du F.B.I. *Capisce* ?

Scot s'était fait transporter par l'un des scooters qui acheminaient le matériel jusque sur la pente mortelle où des hommes des Services et du F.B.I. entreprenaient de le décharger.

Le Fédéral qui lui faisait face lui bloquait le passage. Le type n'était pas d'humeur, visiblement. Ses ordres étaient de ne laisser passer personne jusqu'à l'arrivée de Lawlor, et il entendait les faire respecter à la lettre.

— Écoutez agent…, fit Scot, déchiffrant tout en parlant le badge d'identification autour du cou de l'homme… agent Zuschnitt, mon nom est Scot Harvath. J'étais responsable de l'équipe de reconnaissance et…

— Ah oui ? Vous allez avoir quelques explications à donner mon pote, hein ! Je ne voudrais pas être à votre place.

Qu'est-ce que c'est que ce connard, pensa Scot dans le silence épais qui suivit. Les hommes du F.B.I., jusqu'à présent, s'étaient toujours conduits correctement avec lui.

— Je sais que vous faites votre job, agent Zuschnitt. J'essaie juste de faire le mien.

— Faites votre boulot, c'est une bonne idée, mon vieux, vous auriez dû y penser plus tôt, même qu'on serait pas ici.

— Près de trente hommes placés sous ma responsabilité sont tombés, tenta Scot après un nouveau silence passé à tenter de se contrôler.

— Et c'est une raison pour vous laisser passer, d'après vous ? Vous pensez que ça va arranger les choses ?

Troisième silence. Harwath fit mine de reculer. Un sourire de victoire se dessinait déjà sur les lèvres de l'agent quand Harvath lui balança son poing droit dans le sternum. Le type, le souffle coupé, se plia en deux comme s'il avait été frappé par un boulet de canon. Harvath le saisit par les omoplates, jeta son genou sur sa bouche ouverte, lui coupant les lèvres. L'homme s'écroula dans la neige, K.O.

— Ça c'est pour la politesse, dit-il tout en se glissant sous le ruban qui sécurisait la scène.

Il grimpa sans se retourner la colline au sommet de laquelle de petits fanions avaient été plantés.

Des bâches bleues recouvraient les corps, les protégeant de la neige accumulée.

Bien que ce soit la procédure, sceller les lieux ne servait à rien. Tout le coin avait été retourné par les équipes de secours en quête d'éventuels survivants qui, au passage, avaient détruits les indices éventuels.

Il défilait devant les bâches alignées. Il les souleva une à une, reconnaissant chaque visage. La plupart des morts avaient encore les yeux grands ouverts et paraissaient le fixer. Sur leurs crânes, les traces d'impact ressemblaient à des exécutions. Chez certains, elles se doublaient de blessures plus anarchiques. Le mélange ne faisait aucun sens.

Il parvint à la dernière bâche, où reposait Sam Harper. Il souleva la couverture de plastique bleu. La main droite de Sam était toujours fermée sur son SIG-Sauer .357.

C'était à lui que Scot devait son recrutement dans les Services, des années plus tôt. Fraîche recrue des SEAL, déjà remarquablement noté, Scot s'était fait remarquer lors d'une excursion similaire en découvrant et en désamorçant un petit explosif qui visait le Président. Sam n'avait eu de cesse, par la suite, de le poursuivre à Little Creeck au sein du *think tank* dont il était membre pour tenter de le convaincre de les rejoindre. C'est encore lui qui l'avait intégré à l'équipe de la Maison-Blanche après ses mois de formation à Beltsville. Il lui avait montré toutes les ficelles et, avec le temps, était devenu plus qu'un mentor, un ami intime avec qui les dîners en compagnie de son épouse Sharon et de leurs deux filles ne se comptaient plus.

— Qu'est-ce que tu fous ici ? C'était, derrière Scot, la voix de Tom Hollenbeck.

Scot laissa retomber la bâche. Il marcha vers le dernier corps, celui que Harper avait tué.

Il souleva le plastique, découvrit le cadavre ensanglanté de l'inconnu. La moitié de son crâne avait explosée.

— Et qu'est-ce que c'est que cette façon de frapper des Fédéraux, maintenant, continuait Hollenbeck, tu es devenu cinglé ? Regarde-moi, quand je te parle.

Scot mit près d'une minute à détourner son regard du cadavre.

— Skorpion, dit-il enfin, les yeux sur Hollenbeck.

— Comment ?

— Le pistolet mitrailleur. C'est un Skorpion. Une arme tchèque particulièrement appréciée au Moyen-Orient.

— Je sais de quelle arme il s'agit, merci. C'est pour me dire ça que tu as cogné un Fédéral ?

— Il l'a cherché.

— Il obéissait aux ordres, Scot. Si ça te dit quelque chose ?

— Et ça ? Ça te dit quelque chose, Tom ? La sécurité explosée, nos hommes tués, le Président enlevé…

— On ne sait pas encore s'il a été enlevé.

— Non, c'est ça. Il va surgir de la neige.

— Pour autant que je sache, il pourrait aussi bien être mort. Son cadavre est peut-être quelque part ici. Même si ton hypothèse est la plus probable. Et c'est bien la raison pour laquelle on essaie de suivre les procédures et de travailler ensemble. Scot… Nous sommes tous sous le choc. Par ailleurs, tu as sauvé Boucles d'Or. Tu devrais au moins t'accorder ça plutôt que te morfondre. On est tous fiers de toi.

— Ce n'est pas le moment d'être fiers. C'est le moment d'agir. Nous avons perdu assez de temps.

17

David Snyder décrocha à la première sonnerie. Une pluie drue s'écrasait contre les vitres de sa résidence de Georgetown.

— Oui, dit-il, les yeux concentrés sur le visage endormi qui était face à lui.

— Zuschnitt à l'appareil.

— Une seconde, je ne peux pas vous parler ici.

Le sénateur pressa le bouton d'attente du téléphone qui se trouvait posé sur sa table de nuit orientale, tout près du lit. Très précautionneusement, il s'extirpa d'entre les draps, enfila une robe de chambre turque, une paire de pantoufles et referma la porte de la chambre à coucher derrière lui.

Il pressa l'interrupteur du chandelier illuminant l'escalier tournant. Les nuages rendaient le matin plus sombre qu'à l'ordinaire.

Il suivit le hall de marbre au bas des marches, ouvrit la porte d'entrée, ramassa les journaux du matin sur le perron. Il y avait là, enveloppé dans du plastique, le *Wall Street Journal*, le *Washington Post*, le *New York Times*, et *USA Today*. Le travail de compilation de ses assistants au Sénat ne le privait pas du plaisir matinal qu'il avait à découvrir la presse chez lui.

Il se glissa jusqu'à son bureau, un œil sur les titres, distinguant à travers le plastique *Utah, avalanche, Président disparu*... Il alluma la rangée de télévisions murales. Toutes les chaînes montraient des présentateurs identiques, vêtus de costumes semblables, interviewant les correspondants que l'on apercevait dans la neige engoncés dans d'épaisses parkas, équipés de micros aux logos bien en évidence. Snyder n'avait pas besoin du son pour comprendre. C'était l'information la plus importante du pays, sinon du monde.

Il lança les journaux sur le divan, près de la cheminée qu'il alluma par télécommande. Quand Washington n'était pas noyée sous le froid, la ville suffoquait de chaleur humide. Le climat tempéré, ici, semblait être une donnée inconnue.

Il prit le temps de faire le tour de sa table de travail et d'allumer une cigarette.

Le bureau du F.B.I. de Salt Lake City était l'un des plus importants du pays. L'Amérique honorait son contrat de réduction des armes nucléaires avec l'ex-Union Soviétique et, parce que les deux anciens ennemis ne se faisaient pas vraiment confiance, un nombre important de Russes basés à Salt Lake suivaient les progrès du désarmement – tout comme des experts américains étaient dispersés sur le territoire russe dans le même but. Le F.B.I., quant à lui, surveillait les Russes.

Snyder avait cultivé ses contacts au sein de la communauté du renseignement. Zuschnitt n'en était certes pas le plus brillant spécimen mais Snyder aimait sa méchanceté. Par ailleurs, l'homme avait été facile à acheter.

— Vous êtes en retard, dit-il en décrochant le téléphone et en tirant sur sa cigarette.

— Je sais, je…

— Taisez-vous et écoutez-moi. D'où appelez-vous ?

— À votre avis, sénateur ? J'appelle d'une cabine, depuis la station.

— Où, à la station ?

— Près du poste médical. Ce qui convient à mon état, figurez-vous.

— C'est-à-dire ?

— C'est-à-dire que je me suis fait cogner par un cinglé des Services. Un certain Harvath, apparemment le responsable de l'équipe de reconnaissance présidentielle.

— Je sais qui est Harvath. Vous voulez dire qu'il est toujours vivant ? Qui d'autre a survécu ?

— Pour autant que je sache, personne. À part la fille.

— Et le Président ? La moindre piste ?

— Pas à ce stade, non. Les Services ont déniché le corps d'un type au crâne arraché à la mitrailleuse. Ils traitent l'affaire comme un kidnapping.

— Et les médias ?

— Tenus à distance. Ils savent qu'il y a des morts et que le Président est introuvable, mais c'est tout.

— Votre altercation avec Harvath. Donnez-moi des détails.

— Il voulait pénétrer la zone sécurisée. Le Bureau a des consignes strictes. Bon Dieu, vous devriez voir comme tout a déjà été salopé. Harvath a insisté, je l'ai envoyé baladé. Voilà.

— Rien d'autre ?

— À part le fait que j'ai trois points de sutures et que mon crâne a doublé de volume ? Non, je ne vois pas.

— Bien. J'attends votre prochain rapport à l'heure convenue Zuschnitt, ok ? Et ça, que vous vous soyez fait tabasser ou écraser par un tracteur. C'est clair ?

— Parfaitement clair. Que voulez-vous que je fasse avec la presse ?

La question était de savoir quel serait le meilleur moment pour laisser Zuschnitt annoncer que le Président n'était pas sous la neige.

— Vous avez toujours votre biper ?

— Naturellement.

— Laissez-moi vous biper le moment venu. Je vous dirai comment faire.

— Très bien.

Snyder raccrocha avant que l'homme put dire autre chose. Au même instant, à l'étage supérieur, le téléphone de la chambre à coucher était reposé par un amant extrêmement intrigué.

18

André avait saisi au premier coup d'œil ce qui avait pu séduire à ce point Mitch chez David Snyder.

Son amant couchait avec son patron dans l'espoir de faire avancer sa carrière, et la pensée n'avait jamais enthousiasmé André. C'était là le genre de choses qui arrivent parfois à Washington lui avait assuré Mitch, ça faisait partie du métier et ça ne durerait pas car ça ne durait jamais.

André avait laissé faire. C'est ainsi qu'il avait vu une affaire d'un soir s'épanouir peu à peu en relation à part entière. Dire qu'il avait été jaloux, qu'il avait souffert, serait encore trop peu dire.

Les conquêtes féminines de Mitch au Sénat étaient notoires. André ne s'en était jamais formalisé. Il les considérait comme allant de soi, et même comme une couverture plus ou moins nécessaire. Mais il en allait tout autrement avec le sénateur Snyder, qui appelait parfois Mitch au beau milieu de la nuit et que Mitch devait alors rejoindre dans l'heure. Parfois aussi il disparaissait des week-ends entiers.

André Martin avait finalement atteint le point de rupture. Il lui était apparu que s'il ne pouvait avoir Mitch pour lui seul, il ne voulait plus l'avoir du tout. Il était déjà bien assez pénible pour lui de cacher son homosexualité à Washington, à sa famille comme au sein du cabinet d'affaires qui l'employait – tenir en plus le chandelier de l'homme qu'il aimait profondément lui était insupportable.

Rompre avec Snyder ou avec lui, André, tel fut l'ultimatum qu'il formula. Il ne s'attendait pas à la réponse. Rompre était précisément ce que Mitch s'efforçait de faire depuis deux semaines, lui fut-il expliqué. Mais plus il essayait, plus le sénateur devenait bizarre – distant et même froid quelque fois et il posait aussi depuis peu des questions inquisitoriales. Il s'enflammait, entrait dans ces colères brusques qui faisaient sa réputation au Sénat mais que Mitch ne lui avait jamais connues jusque-là. Et le sexe, lui aussi, était devenu plus brutal. La rupture cependant devait se faire dans les termes du sénateur si Mitch voulait avoir une chance de préserver son job et ses chances de carrière, expliqua-t-il à André, lequel pour sa part s'estimait plus important que n'importe quel job et le fit savoir en quittant, pour toute réponse, leur appartement commun. La seule chose à faire sans doute, mais il en ressentait encore toute la culpabilité.

Mitch n'avait cessé, par la suite, de répéter à André combien il l'aimait et à quel point il était pour lui ce qui comptait le plus au monde. Le sénateur allait sous peu se rendre à l'évidence et lui rendre sa liberté, tout dans son comportement l'indiquait – en fait, Snyder semblait ne plus du tout supporter Mitch dans son environnement. Une semaine était tout ce qu'il lui demandait – une petite semaine de répit. Qu'André s'accroche huit jours encore et les choses s'éclairciraient.

André l'avait cru. Il l'avait cru au point même d'envisager son retour. Au point de réserver une table pour deux le samedi suivant Monroe's, qui était leur restaurant favori.

Et le samedi au Monroe's, il avait attendu, aidé par trois verres de chardonnay et des capacités d'introspection qu'il ne se connaissait pas. Puis il avait compris que Mitch ne viendrait plus, payé et quitté le restaurant avec la certitude d'avoir été trompé. Il avait retrouvé la chambre de l'Holiday Inn qu'il louait depuis qu'il avait quitté l'appartement, non sans avoir auparavant convaincu le barman de lui servir un dernier verre – une vodka tonic qu'il faillit recracher quand le barman lui fit une réflexion qui n'était que partiellement fausse :

— Elles nous font du mal mais on y survit mon pote, courage.

Dans sa chambre, il avait encore vidé près d'un tiers du minibar en s'insultant copieusement pour son cœur d'artichaut puis, enfin, avait sombré dans un sommeil sans rêve.

À son réveil le lendemain, l'intérieur de sa tête battait douloureusement contre son crâne. Au radar, il avait trouvé la salle de bains, défait le plastique entourant l'une des timbales qui se trouvaient près du lavabo et s'était enfilé deux Advil.

Puis, toujours plus ou moins par réflexe, il avait marché jusqu'à la porte de sa chambre, l'avait ouvert et ramassé les éditions du jour du *Post* et de *USA Today* gratuitement fournies par l'hôtel. Il les avait jeté sur le lit avant de retourner dans la salle de bains en espérant que se laver les dents l'aiderait à se sentir plus humain.

Trois minutes et demie plus tard, alors qu'il commandait un petit déjeuner par téléphone, ses yeux tombaient sur l'entrefilet du *Post* annonçant un tir mortel, depuis une voiture, la nuit précédente. L'une des deux victimes était l'assistant du sénateur Snyder, Mitchell Conti. La seconde, qui l'accompagnait, n'avait pas encore été identifiée.

— Monsieur Martin, demandait la réceptionniste dans l'écouteur. Vous vous sentez bien ?

— Annulez le café, avait-il eu le temps de dire avant de raccrocher et de se précipiter dans la salle de bains – cette fois pour vomir.

Posant des questions aussi discrètes que possible à des amis communs, André s'était efforcé de reconstituer les derniers moments de Mitch. Mitch était, semblait-il, profondément déprimé au cours des derniers jours, du fait de sa rupture avec André et de problèmes non spécifiés au travail. Au moment de sa mort, il était en compagnie de son ami Simon, occupé, selon les témoignages, à chercher un cadeau pour André.

La police mit l'incident sur le compte de balles perdues. Les deux amis s'étaient trouvés au mauvais endroit au mauvais moment. Les tireurs ne furent jamais retrouvés. André continuait à ratiociner seul, convaincu que quelque chose clochait dans cette version officielle qui, au fond, n'en était pas une, et il repassait dans son esprit de façon obsessionnelle tout ce que Mitch avait pu lui raconter au sujet de Snyder. Le dernier message qu'il lui avait laissé à l'hôtel disait qu'il avait trouvé un moyen infaillible d'obliger le sénateur à lui rendre sa liberté sans pour autant compromettre son propre avenir, et qu'avec un peu de chance, il pourrait même en tirer de l'avancement... Qu'est-ce que ça pouvait être ? Mitch s'était toujours cru plus malin que les autres. Avait-il été jusqu'à s'imaginer pouvoir faire pression sur quelqu'un comme Snyder ? Dans ce cas, sa mort prenait un sens tout à fait *non* accidentel. C'est de ces ruminations que l'idée de vengeance avait germé dans l'esprit d'André Martin.

Approcher Snyder n'avait pas été des plus faciles. Il n'avait pas les contacts de Mitch. Mais il savait, en revanche, comment monter un dossier sur quelqu'un, trouver les informations adéquates, dresser un portrait psychologique. Au bout de plusieurs mois de recherches, grâce à l'épouse d'un de ses collègues du cabinet, il était parvenu à dénicher une invitation à la soirée privée donnée par le cercle international des diplomates – où il était arrivé en smoking, aussi élégant et séduisant que Mitch avait pu l'être et dopé par un double Martini.

Il était resté sur la réserve dès leur premier rendez-vous et n'avait cessé par la suite, de montrer qu'il n'était pas impressionné par le style de vie du sénateur. Snyder n'en avait été que plus séduit. Jaloux, doutant de son pouvoir de séduction, il en était venu à rechercher la compagnie d'André à chaque minute.

Depuis quelque temps cependant, Snyder semblait tendu. Les signes étaient discrets certes, mais André, qui l'observait attentivement depuis le début sentait quelque chose de nouveau dans l'air. Quelque chose, manifestement, d'important.

Il savait, de par sa profession, combien il risquait gros à fouiner ainsi dans la vie de l'un des hommes politiques les plus puissants du pays. Mais ce n'était pas après des secrets d'état qu'il courait. C'était après des secrets intimes – des turpitudes quelconques, les souillures cachées de David Snyder qui, il en était certain, était responsable de la mort de Mitch et de Simon. Tout comme il était certain de subir le même sort, pour peu que Snyder découvre ses motivations.

Snyder avait reçu un premier coup de fil énigmatique peu après minuit. Il était sorti en catimini et André avait compris qu'il se passait quelque chose. Snyder s'était discrètement rhabillé et avait quitté la maison, croyant André endormi. Ce dernier l'avait vu par la fenêtre monter dans un taxi un bloc et demi plus loin. En dépit de la pluie, il était parvenu à en noter le numéro.

Il avait pris un second taxi et avait suivi le premier sans difficulté car le sénateur semblait pressé et prenait peu de précautions. Au bout d'une demi-heure, le taxi avait tourné le coin d'une rue résidentielle sur McLean. André l'avait observé parlementer une seconde devant l'interphone d'un lourd portail en fer qui ouvrait sur une maison de style colonial. Il avait vu les portes s'ouvrir et le taxi de Snyder s'engouffrer dans la propriété. Satisfait, il était rentré à Georgetown où il avait passé le reste de la soirée. Une fois le sénateur de retour, il avait prétendu dormir et n'avait plus bougé avant l'aube et le second coup de fil.

À présent, dans la lumière sombre du matin pluvieux, raccrochant le téléphone, il méditait, toujours allongé, sur les implications de ce qu'il venait d'entendre.

Il se leva, marcha jusqu'à la salle de bains, tourna le bouton de la douche et saisit le pain de savon à la cire d'abeille, l'un des luxes que se permettait le sénateur. Tout à ses pensées, il n'eut pas conscience de la présence de son amant derrière lui – pas avant que le rideau de la douche ne soit brusquement tiré.

— André, dit le sénateur, je crois que nous devrions avoir une petite conversation, toi et moi.

19

Une fois installés dans l'autoneige qui les ramenait au centre de commandement, Hollenbeck sortit de sa poche une série de polaroïds qu'il tendit à Harvath.

— Tu as déjà vu ça à l'époque des SEAL ?

La première photographie montrait une boîte peinte en blanc, de la taille approximative d'une enceinte acoustique. Elle avait été trouvée, selon toute apparence, dans la neige. Les suivantes montraient la boîte sous différents angles.

— Je ne sais pas, dit Harvath rendant les images à Hollenbeck. Ça ressemble à une boîte blanche.

— Maintenant, regarde ça. Hollenbeck lui tendit une autre série de photos. Elles montraient chacune une partie différente de l'intérieur de la boîte, bourrée de circuits électroniques.

— On dirait le ventre d'un ordinateur en mauvais état. Il doit y avoir au moins cent circuits cramés là-dedans. Impossible d'éviter la surchauffe, à moins…

— À moins de le placer dans la neige ?

Hollenbeck sortit une troisième série de photos qu'il entreprit cette fois de commenter lui-même.

— L'alliage a probablement permis de faire circuler le froid. Il y a aussi des ventilateurs et des tubes conducteurs d'air, on suppose qu'il s'agit d'un système de refroidissement. Ça sert à quoi, selon toi ?

— On distingue une petite antenne. Si l'on cherche dans les arbres, est-ce qu'on trouve un petit transmetteur ?

— C'est exactement ce qu'on a trouvé, oui.

— C'est ça qui a brouillé les communications ?

— Exactement. Dès que nous l'avons mis hors d'usage, les radios se sont remises à fonctionner. Et maintenant, ajouta Hollenbeck en sortant une dernière photo de sa poche, qu'est-ce que tu penses de ça ?

Harvath prit le temps de l'étudier soigneusement.

— L'écriture ressemble à du coréen. Vu la sophistication de l'ensemble, je dirais la Corée du Nord.

— Je l'ai fait examiner par les experts en communication des Services et même de la Maison-Blanche. Ils n'ont jamais rien vu de tel. On suppose qu'il s'agit d'un système très particulier de brouillage.

— Et pour quelle raison les Cibi n'ont-elles pas été brouillées ?

— Justement pour ça. Il semblerait que le système soit équipé pour brouiller des fréquences spécifiques à des intervalles différents.

— Un brouillage intermittent destiné à nous faire croire que les causes sont naturelles ? Mais pour ça, il faut connaître à l'avance les fréquences des Services, non ?

— Exactement.

— Tu ne penses pas à des fuites, quand même ? Ça me semble inimaginable.

— Ça reste entre nous, Scot. Je n'ai aucune intention de déclencher une chasse aux sorcières au sein des Services.

— Le problème n'est pas de la déclencher. C'est de la finir, qui risque d'être compliqué.

20

L'autoneige parvint au centre de commandement. Le chauffeur avait à peine arrêté le véhicule que Harvath et Hollenbeck se dirigeaient déjà vers le camping-car géant en provenance du local du F.B.I. de Las Vegas et qui servait de centre de commandement durant toute la durée des vacances présidentielles.

— Tom, dit Harvath, je peux récupérer mon SIG ?

— Si tu promets de ne pas l'utiliser contre un Fédéral à la première occasion. Longo l'a en charge, vois avec lui.

Longo se trouvait à l'intérieur tapant furieusement sur le clavier de son ordinateur.

— Hollenbeck m'a dit que je pouvais récupérer mon SIG auprès de vous, dit Scot.

— Votre quoi ? demanda Longo sans lever la tête.

— SIG-Sauer. C'est un truc long comme ça à peu près. Gris-noir, qui tire des balles quand on appuie sur la gâchette.

— Très drôle. L'avalanche n'a pas enfoui votre sens de l'humour, à ce que je vois. Je finis ce rapport pour le service de communication de la Maison-Blanche. Désolé de vous l'apprendre, mais deux douzaines d'hommes des Services ont été tués, le Président a disparu, aucune piste en vue. Je n'arrive toujours pas à le croire. Quoi qu'il en soit, des têtes vont tomber. Je vous aime bien, Harvath, mais comme responsable de l'équipe présidentielle de reconnaissance, vous êtes en haut de la liste, mon vieux.

Harvath n'avait pas eu besoin que Longo le lui dise – il y avait songé tout seul, durant les heures terribles passées à estimer sa responsabilité dans les événements. Sa seule chance de sauver un quelconque avenir professionnel – sans parler de se sauver lui-même à ses propres yeux – tenait au rôle qu'il pourrait éventuellement jouer dans la résolution de la crise.

Longo farfouilla dans une réserve.

— Voilà votre arme, dit-il en déposant le pistolet sur la table. Puis il glissa un formulaire sous les yeux de Harvath : signez ici.

Scot noua la courroie de son holster sous l'épaule.

Une fois dehors, il leva les yeux vers le ciel et la neige qui tombait toujours. Les agents ensevelis sous l'avalanche n'avaient à présent aucune chance d'être encore vivants. Amanda allait probablement s'en sortir. Quant à la situation dans laquelle le Président pouvait se trouver, Scot préférait ne pas y penser.

Sa carrière dans les Services était probablement finie. Il serait transféré dans un secteur moins « sensible » que la sécurité présidentielle, sans doute la protection de délégués du Tiers-Monde en visite officielle… s'il avait de la chance…

En théorie, il pouvait aussi retourner aux SEAL. Ses coéquipiers, là-bas, l'avaient toujours jugé meilleur à l'attaque qu'en défense. Mais Scot avait trop d'orgueil pour revenir en arrière. Tout le monde saurait qu'il avait été le responsable de la sécurité présidentielle au moment de l'enlèvement. Et les membres du SEAL, qui avaient une haute opinion d'eux-mêmes, ne se voyaient certainement pas comme un lieu où se réfugier lorsqu'on avait échoué.

Échouer... Avait-il échoué ? Mais alors, selon quels critères ? Pour les membres du SEAL échouer signifiait abandonner, jeter l'éponge et accepter. Les Services reconnaissaient leur défaite par le simple fait de laisser le F.B.I. prendre le contrôle de l'enquête, oui. Mais cela ne signifiait pas qu'il dût en faire autant. À bien y réfléchir, même, il n'avait aucune raison d'en faire autant.

La commission sénatoriale, à ce stade inévitable, allait sans le moindre doute le crucifier – lui et d'autres. Même sa démission préventive des Services n'empêcherait pas sa convocation ni ce qui s'ensuivrait. Et puis bien sûr, il y avait le fait que quelles que soient les qualités des fédéraux, il leur faudrait se soumettre aux procédures d'enquête lesquelles seraient sans doute renforcées.

Le Président était toujours vivant, Scot en était persuadé. Le but n'avait pas été l'assassinat.

Il avait le choix entre participer à l'effort collectif, avec ce que cela supposait de blâme personnel, et… Le F.B.I. comme les Services étaient en position défensive. Tout l'entraînement de Scot avait été basé sur l'offensive. Et qu'avait-il encore à perdre ?

21

Scot trouva Vance Boyson et Nick Slattery penchés sur le plateau du semi-remorque de l'équipe de contrôle des avalanches, occupés à vérifier leur matériel. Vance, un ami du temps de l'équipe *freestyle*, lui avait aussi filé un sérieux coup de main lors des repérages préparant la visite présidentielle. Il le vit approcher et se redressa.

— Alors, comment tu t'en sors ? demanda-t-il.

— J'ai connu des temps meilleurs. Écoute, j'ai besoin d'un service. Le temps se lève vaguement, est-ce qu'on peut faire démarrer ton hélico ?

— Où veux-tu aller ?

— Là où l'avalanche a commencé.

Nick, qui les avait rejoints, émit un sifflement dubitatif.

— Le shérif a fermé toute la zone, Scot.

— J'en prends l'entière responsabilité.

— Agent Harvath, je ne sais pas si…

— Les consignes sont d'assister les Services dans toutes ses demandes, intervint Vance. Si Scot dit qu'il veut aller là-haut, c'est qu'il veut aller là-haut. Et Scot est un agent des Services.

Puis, se tournant vers Scot et désignant le camion :

— Monte là-dedans.

L'hélicoptère de la vallée des Cerfs était comme neuf et prêt au décollage lorsqu'ils arrivèrent sur la piste. Scot et Vance avaient passé en revue le matériel dont ils auraient besoin une fois sur place – pour l'essentiel, un équipement standard dont l'hélicoptère était de toute façon pourvu.

Une fois en l'air, Scot prit pour la première fois pleine conscience de l'agitation. La route qu'ils avaient prise jusqu'à la piste leur avait épargné le chaos. À présent cependant, depuis l'hélicoptère prenant de la hauteur, il apercevait clairement les escouades de véhicules de secours et les camions neufs parqués pêle-mêle le long des routes.

Ils s'approchèrent du pic. Tout le monde avait été maintenu à distance, y compris les experts du centre météo de l'Utah, si bien qu'aucun examen des lieux n'avait encore pu être conduit et que l'on en était réduit aux hypothèses – la première, vu les conditions météo, étant la catastrophe naturelle.

— Ça n'a rien d'exceptionnel, disait Nick dans son casque.

— Ce n'est pas l'événement qui m'intrigue, répondit Scot tout en enfilant une combinaison de ski verte et jaune. C'est plutôt sa puissance. Est-ce qu'on peut s'approcher pour avoir suffisamment de détails ?

— Sûrement pas. On ne sait pas dans quelle mesure la neige est stabilisée. Notre moteur peut déclencher à lui seul une nouvelle avalanche. Il y a un plateau étroit près du sommet, on peut essayer de se poser et faire le tour des lieux à pied.

Vance, sur le siège du copilote, se tourna vers Scot, lui lança un regard qui disait : Tu t'en sens capable ?

— Ne t'inquiète pas pour moi, répondit-il à haute voix.

Mais la manœuvre s'avéra plus difficile qu'il ne l'avait prévu. Le vent soufflait bien plus fort à cette hauteur et le pilote dut s'y reprendre à trois fois avant de pouvoir poser l'appareil. Une fois dehors, presque immédiatement, Scot perdit toute sensation dans les mains tandis que la douleur se réveillait dans son dos, un peu plus intense à chaque minute.

Nick suggéra l'encordement.

— Qu'est-ce qu'on cherche, exactement ? demanda Vance tout en tendant à Scot l'extrémité de la corde.

— Je pourrais essayer de vous expliquer mais le mieux est encore de le trouver. Je saurais ce que je cherche en le découvrant.

Le groupe se mit en marche sur la piste étroite de la crête. Vance dirigeait, Scot se trouvait tout juste derrière et Nick fermait la marche. Harvath examinait le paysage aussi précisément que possible. Il leva une main, cria « stop » à Vance. Les deux hommes l'entourèrent.

— Vous voyez ça ? dit-il, désignant une petite crevasse en pierres explosées juste au-dessus de leurs têtes.

— On dirait que quelqu'un a creusé quelque chose, il y a peu, dit Nick.

— La zone est hors limite, n'est-ce pas ?

— En permanence, oui, dit Vance. Tout spécialement en hiver et plus spécialement encore durant la visite présidentielle. Sans toi, nous ne serions même pas là. Nos hommes n'accèdent ici qu'avec un passe spécial que Nick et moi sommes les seuls à délivrer. Il n'y a eu aucune demande de ce genre, à ce que je sache.

Scot apercevait, cinq mètres plus bas, la plaque de neige et de glace d'où l'avalanche avait démarré. Les niveaux et la qualité de la neige étaient si différents à l'œil nu qu'elle était immédiatement repérable.

— Laisse-moi deviner, dit Vance qui observait Scot.

— Il faut aller voir.

Nick, quelles que soient ses objections, se savait en minorité. Sans un mot, il déposa son sac et entreprit d'étendre les rouleaux de corde qu'ils avaient apporté, avec l'espoir que Vance parviendrait à ramener Harvath à la réalité.

— Scot, on ignore tout de la stabilité de la neige là-dessous.

— Raison de plus pour s'y rendre maintenant. Les traces qui restent peuvent disparaître.

— Et ces traces concernent... quoi, au juste, on peut savoir ?

— Je ne suis pas sûr. Disons que je ne crois pas que l'avalanche ait commencé toute seule. Je crois qu'on l'a un peu aidé.

Nick lui fit signe que tout était en place. Il avait planté les pitons et lança vers Harvath une nouvelle longueur de corde. En retour, Scot lui jeta un crayon de cire orange.

— Je veux que tu traces un 'X' à l'emplacement de chaque piton que tu as placé. Comme ça, les enquêteurs pourront faire la différence entre ton travail et ce qui aurait été éventuellement planté avant.

Nick acquiesça puis s'exécuta.

Scot enroula la corde dans l'anneau de métal de son harnais et jeta le reste à main droite au-dessus de la crête, face au pic. Vance accrocha la corde de sécurité au harnais et entreprit de donner des instructions à Scot.

— On dirait que tu t'y connais. Je suppose que tu as déjà fait du rappel.

— Plus souvent que tu ne l'imagines et depuis des objets dont tu n'aurais pas idée, sourit Scot.

— Ça va être légèrement différent cette fois. Tu ne peux pas rebondir contre la paroi, étant donné qu'on ignore l'état de la neige. Alors il te faudra avancer très doucement. Il faut que tu sois à l'affût du moindre craquement. Ok ?

— Ok, dit Scot, tournant le dos à la crête et à la vallée en dessous. Prêt pour le relais ?

— Relais prêt, dit Nick.

— On y va !

Très lentement, Scot s'inclina sur son harnais, puis il entreprit à petits pas la limite de la crête jusqu'à l'instant où il se sentit reposer sur la face glacée. Il serra rapidement ses mains gantées pour tenter de se réchauffer les doigts avant de se laisser aller sur la corde.

Il se mit à descendre lentement, choisissant chaque mouvement avec soin, tandis que Nick relâchait la corde à mesure.

Dans la neige des mottes de terre pouvaient être soit des empreintes de pas, soit des petits cratères provoqués par le vent.

La descente parût durer infiniment. Chacun de ses gestes était ralenti par le moindre craquement de neige, il posait un pied, se figeait, à l'écoute, avant d'appuyer doucement de tout son poids et de recommencer. Il sentait son corps blessé atteindre ses limites et ne put retenir un sourire à la pensée de ce qu'aurait dit le docteur Trawick s'il l'avait vu faire.

Tout en descendant, il continuait d'examiner avec attention les curieux petits trous qu'il apercevait dans la paroi, sur sa gauche. Ils étaient trop réguliers pour un phénomène naturel et trop petits pour être des marques de pas.

Mais en levant les yeux vers ses propres traces, il changea d'avis et comprit : c'étaient ses traces et pourtant, elles étaient inférieures de moitié à la taille de ses pas. La faute en incombait aux marques dentelées des crampons que devait porter quiconque s'attaquait ainsi à une telle surface de neige et de glace. Quiconque avait laissé les traces qu'il contemplait à présent avait su que lorsqu'elles seraient découvertes, il se trouverait en sécurité à plusieurs milliers de kilomètres.

Il approchait le plateau d'où était partie l'avalanche. Il jeta un nouveau regard aux traces pour constater qu'elles s'éloignaient à présent de lui. Il assura sa prise sur la corde puis, levant précautionneusement sa main droite à hauteur de poitrine, appuya sur le bouton de sa radio.

— Vance, tu me reçois ? *Over*.

— Bien reçu Scot, qu'est-ce qui se passe ?

— On avait raison. Il y a des traces de pas sur toute la façade. Elles bifurquent vers la gauche, je vais essayer de les suivre. Je vais avoir besoin de jeu. Six mètres de corde.

— Ok. Fais attention aux éboulements, d'accord ?

— Je *fais* attention Vance, tu peux me croire.

Il attendit de voir la corde pendre dans le vide et calcula, au jugé, l'élan dont il allait avoir besoin pour atteindre sa cible. Trop de force risquait de déclencher une nouvelle avalanche. Cette fois, elle tomberait droit sur les équipes de secours et les agents qui patrouillaient la zone juste en dessous.

Il testa la puissance de ses jambes, plia les genoux plusieurs fois, douloureusement, et prit son élan. Là-haut, sur la crête, Vance et Nick ne pouvaient qu'espérer. Ils ne le voyaient pas.

À trois songea-t-il… *Un... Deux... et...*

La poussée le renvoya dans les airs, puis le projeta avec violence vers la zone située en dessous de la plaque où les traces disparaissaient.

Genoux pliés, prêt à l'impact, il eut le temps de penser qu'il s'était propulsé avec trop de force et qu'il allait trop vite.

D'un coup, les crampons s'enfoncèrent dans la glace et l'onde de choc remonta le long de ses jambes et de sa colonne vertébrale. Il avait mal évalué sa force. Tout son corps vint se cogner contre la falaise.

Une pluie de neige et de glace lui tomba dessus. Il entendit la voix paniquée de Vance hurlant son nom dans la radio. Il leva les yeux vers la crête, puis en bas et aperçut, comme il le pensait, les marques de l'explosion qui avaient sans doute provoqué l'avalanche.

Scot donnait un peu plus de jeu à la corde pour descendre lorsqu'il prit de plein fouet une plaque de glace qui lui parut peser cinquante kilos, et bascula.

Il s'agrippa frénétiquement. Il n'avait que quelques mètres avant de tomber dans le vide. Durant de longues secondes il se sentit tomber à une vitesse infinie tout en se battant avec la corde pour essayer de reprendre le contrôle. Son crâne heurta la falaise plusieurs fois et, soudain, dans un claquement brusque, sa chute s'arrêta.

Du sang coulait de sa tête. Il réalisa qu'il pendait à l'envers, suspendu par la corde de sécurité. Au-dessus de lui il pouvait voir la première corde pendre dans le vide.

Il fit appel à ses ultimes forces pour se redresser. Il savait, ou plutôt il espérait, que Vance et Nick faisaient tout ce qu'ils pouvaient pour tenter de le remonter. Tout en se contorsionnant et luttant pour planter ses crampons dans la falaise de glace, il se promit dès que possible quelques jours de vacances.

22

Comme Vance le lui expliqua, tandis que de retour dans l'hélicoptère, allongé sur le dos, il récupérait, le choc de son corps contre la falaise avait bel et bien provoqué une avalanche secondaire. Elle n'avait rien de comparable avec la première, heureusement, et elle s'était arrêtée avant de faire la moindre victime, mais le corps de Scot avait agi à la façon d'un aimant, en attirant la glace et la neige qui s'étaient empilées sur lui, accroissant le poids de la corde.

Les pitons s'étaient décrochés et, durant un instant, Vance et Nick s'étaient vus eux-mêmes projetés dans le vide. C'est à la dernière seconde seulement qu'ils avaient repris le contrôle de la situation. Sur leurs gants, les marques de brûlures attestaient à la fois de leur courage et de l'extrême chance de Scot.

Il voulait les remercier, mais avant de pouvoir le faire, une voix provenant de l'héliport se fit entendre dans le casque. Elle ordonnait au pilote de rentrer pour charger une équipe du F.B.I. sur une nouvelle scène de crime non loin de là, à Midway.

— Midway, dit Scot penché vers Vance. C'est de l'autre côté de la montagne, non ? Qu'est-ce qui a pu se passer là-bas ?

Vance, qui le comprenait à demi-mot, demanda par radio les coordonnées exactes de l'endroit où l'équipe devait être déposée puis donna l'ordre au pilote de s'y diriger.

— Je suppose, commenta Nick, que vous prenez l'entière responsabilité de ça aussi ?

Scot sourit sans répondre. Il demanda au pilote s'il existait le moindre passage entre la pente mortelle et la ferme de Midway vers laquelle ils se dirigeaient.

— Un ou deux, oui, dit le pilote. Un seul en fait qui soit vraiment praticable.

Scot lui demanda de le suivre.

— Quand vous transporterez l'équipe du F.B.I., assurez-vous de lui faire un peu découvrir d'autres beautés du paysage, ok ?

L'homme éclata de rire et leva vers Scot deux pouces enthousiastes.

— Sitôt qu'on arrive, dit-il pour Nick, vous retournez à la base. Je continue seul.

Il laissa l'hélicoptère s'éloigner et se dirigeait vers les trois voitures de la police locale garées devant la ferme des Maddux quand l'un des adjoints du shérif l'arrêta.

— F.B.I. ?

— Services secrets, dit-il. Je suis l'agent Harvath, chef de…

— … l'équipe de reconnaissance présidentielle ? Je sais, j'ai vu votre nom sur le mémo. Ben MacIntyre, shérif adjoint. Vous travaillez avec les Fédéraux sur ce coup ?

— Ouais. Nous coopérons pour tout ce qui concerne les affaires présidentielles, en fait. Qu'est-ce qu'on a ici ?

MacIntyre sortit un petit carnet de sa poche de poitrine et se mit à lire :

— Eh bien voilà. À sept heures trente ce matin, nous avons reçu un appel de la fille des propriétaires des lieux, Mary et Joseph Maddux. Il semble qu'après l'office d'hier, ils aient annulé leur repas dominical en famille attendu que le père Maddux ne se sentait pas bien. La fille a tenté de les joindre par deux fois dans la soirée, sans succès. Elle a pensé qu'ils avaient dû se coucher tôt et n'avaient pas entendu le téléphone et elle a de nouveau tenté de les joindre ce matin. Comme il n'y avait toujours pas de réponse, elle nous a appelés pour nous demander de passer.

— Pourquoi n'est-elle pas venue elle-même ?

— Elle habite Orem, dit l'adjoint en vérifiant ses notes. Ça fait petit bout de chemin pour venir ici, spécialement par ce temps. Son patron ne l'aurait pas laissé faire. On connaissait bien les Maddux, pour nous, c'était comme une visite de voisinage.

— *Connaissait* ? Ils sont morts ?

— Tout ce qu'il y a de plus morts. Lui, exécuté à bout portant. Elle, ça a été un peu plus long.

— Le shérif est au courant ?

— Tout à fait. Il est en chemin avec le F.B.I. Le coroner est en route également, et aussi la brigade criminelle du comté. Des barrages ont été établis sur toutes les routes.

— Quelqu'un a touché quelque chose à l'intérieur ?

— À part les pouls des victimes, rien. On a probablement répandu un peu de neige aussi, mais comme on avait pris la précaution de recouvrir le sol de plastique...

— Parfait. Le shérif vous a sans doute averti de ne laisser entrer personne avant l'arrivée du F.B.I. ?

— Absolument.

— Bien. Dites leur de me rejoindre à l'intérieur sitôt qu'ils arrivent.

— Monsieur, comme vous venez de le dire vous-même, heu, j'ai ordre de laisser entrer personne, monsieur.

— Oui. Et quand pensez-vous que le shérif m'a appelé, officier ?

— Il vous a appelé, monsieur ?

— Avant ou après vous avoir parlé ?

— Après, j'imagine.

— Exactement. Il ne savait pas que j'étais en route quand il vous a donné ses instructions. Inutile de vous faire un dessin, je suppose. Vous êtes un garçon intelligent. Si le shérif est en route avec le F.B.I. et si le responsable de la sécurité présidentielle est ici, vous comprenez ce que ça signifie.

— Oui monsieur.

— Bien. Où sont les victimes ?

— Dans la chambre à coucher, monsieur. Premier étage au fond du couloir. Faites moi plaisir, mettez au moins ça, ok ?

L'adjoint tendait à Scot une paire de surbottes stérilisées et des gants en latex qu'il enfila, debout sur le plastique étendu devant la porte de la ferme.

Sitôt à l'intérieur, il détecta un reste d'odeur de tabac. L'odeur se faisait plus forte à mesure qu'il s'approchait du salon. Rapidement, il fit demi-tour, se retrouva dehors devant l'un des adjoints.

— Officier, savez-vous si les Maddux étaient Mormons...

Il vit le visage de l'homme se contracter, comprit tout de suite son faux pas et rectifia :

— Pardon. Étaient-ils des fidèles de l'Église des Saints-des-Derniers-Jours ?

— Oui monsieur. Monsieur Maddux a été notre prêtre ici de longues années avant de se mettre en retraite. Mais on le voyait encore très souvent à l'église.

— Vous êtes vous-même pratiquant je suppose ?

— Je le suis, oui.

— Donc, vous ne fumez pas. Savez-vous si monsieur et madame Maddux fumaient ?

— Jamais, monsieur. Je peux vous l'assurer.

Scot retourna à l'intérieur, ferma les deux portes derrière lui. Il lui fallait voir les corps. La manière dont ils avaient été tués, leur position le renseigneraient peut-être sur le ou les tueurs. Il lui fallait faire vite. Le détour que Scot avait mis au point avec le chauffeur de l'hélicoptère ne retarderait pas le F.B.I. au-delà d'un certain temps.

En haut des escaliers, il vit une porte entrouverte face à lui. Il s'avança, poussa du pied pour l'ouvrir complètement. Une forte odeur de savon flottait à l'intérieur – une odeur, pensa-t-il, de maison de grand-mère. Tout y était parfaitement en ordre, à l'exception d'une serviette qui semblait avoir été suspendue à la hâte sur un séchoir supportant sa sœur jumelle.

Scot jeta un œil à la baignoire, parfaitement sèche, puis à la cuvette du lavabo, dans le même état en dehors du petit cercle de moisissure qui entourait l'évacuation. Il nota l'écoulement lent du robinet. Quelqu'un d'autre que les Maddux avait utilisé les lieux sans précaution.

Il sortit de la salle de bains, et, suivant les indications de l'adjoint, se dirigea vers la chambre à coucher. Il y avait des rangées de photographies de famille aux murs, de pique-niques et de mariages. L'ensemble était agencé chronologiquement, depuis des photos de ce qu'il supposait être les Maddux jeunes, au début du couloir, jusqu'aux portraits posés des petits-enfants à l'entrée de la chambre à coucher. Chaque soir, en allant au lit, ils avaient pu voir défiler le résumé de toute leur existence – et Scot frissonna à l'idée que la dernière image, la dernière pose, se trouvait désormais au bout de ce couloir.

Pose était le mot qui convenait. En entrant dans la chambre, Scot vit le couple allongé sur le lit. Les deux corps étaient habillés, étendus sur le dessus-de-lit blanc chenillé, à présent souillé de tâches brunâtres. D'autres traces étaient visibles au sol, signe qu'au moins l'un des deux corps avait été hissé sur le lit.

La plaie de Joe Maddux était le travail d'un tueur professionnel : précis, froid, efficace. Celles de la femme, en revanche, indiquaient le contraire. Avec la moitié du nez arraché et des blessures au cou, à la poitrine, à la tête et sur le visage, elle semblait avoir été victime d'un maniaque fou furieux. La mise en scène allait occuper les services de police et le F.B.I. un certain temps.

Scot avait commencé d'élaborer une théorie durant son trajet en hélicoptère. L'une des questions, en plus de savoir comment les kidnappeurs s'y étaient pris pour planifier l'enlèvement, concernait la façon dont ils avaient organisé leur fuite. Tout indiquait un haut degré de professionnalisme. Le moindre détail avait été planifié et probablement répété jusqu'à obtenir la précision voulue. Il était difficile d'imaginer une action plus audacieuse, plus difficile et plus dangereuse, et pourtant ils avaient réussi.

Le F.B.I. allait analyser toute la pièce en quête de cheveux, de fibres, d'empreintes et de toutes sortes d'indices imaginables et Scot était déjà convaincu qu'ils ne trouveraient rien.

Il s'efforçait de replacer la tuerie dans une sorte de contexte. Les kidnappeurs avaient eu besoin d'une base à partir de laquelle opérer, d'un lieu où se replier. Il n'y avait que deux façons de sortir de la pente mortelle – l'hélicoptère ou bien la marche et, au vu du temps de la veille, le premier était impraticable. Sans compter le bruit, il en était hors de question. À moins, raisonna Scot, qu'en volant à suffisamment basse altitude un appareil furtif ait échappé aux radars des Services spécialement installés pour la visite présidentielle dans la tour de contrôle de l'aéroport international de Salt Lake. Le même appareil aurait pu se faufiler dans la zone interdite au vol au-dessus de la vallée des Cerfs. La sophistication des engins trouvés par Hollenbeck démontrait après tout que les kidnappeurs avaient accès à des instruments de haute technologie. Mais il y avait un obstacle – les pilotes.

Même les chasseurs nocturnes de l'armée américaine n'auraient pas eu la plus petite chance dans la tourmente neigeuse de la veille, alors que dans des conditions normales, la zone était déjà difficile et de surcroît dépourvue de toute piste d'atterrissage praticable. La succession d'improbabilités – que les kidnappeurs aient pu mettre la main sur un hélicoptère furtif, puis sur un pilote qui soit non seulement assez suicidaire pour tenter sa chance dans ces conditions météorologiques, mais encore assez bon pour y parvenir, et qu'ils aient trouvé, de plus, un lieu d'atterrissage là où il n'y en avait aucun, tout cela rendait l'idée pratiquement impossible.

Restait le ski. Les kidnappeurs avaient dû skier depuis la montagne le long d'une route relativement sûre jusqu'en un lieu de rendez-vous d'où leur fuite avait été organisée d'une façon ou d'une autre.

De retour au rez-de-chaussée, l'odeur de tabac le ramena dans le salon. Il resta quelques instants debout, immobile, les yeux fermés, pour tenter de se projeter dans l'esprit du tueur. Nul doute qu'il était l'homme aux cigarettes – au pluriel, car la prégnance des effluves indiquait qu'il avait pris son temps. Pourquoi ?

Simple. Il attendait. Ses collègues. Les kidnappeurs en route avec le Président. Il les a attendus dans cette pièce en fumant.

Il en fit le tour des yeux. Nul livre ou magazine à proximité. Il y avait une télévision, qu'il alluma. L'image apparut au bout d'un petit moment. *Où s'est-il assis ?* Il repéra l'épais fauteuil inclinable La-Z-Boy et, sachant qu'il polluait la scène du crime mais poussé par la nécessité de reconstituer les choses du mieux possible, il s'assit et étendit les jambes. *S'il a fumé il a eu besoin d'un cendrier et d'un endroit où le poser.*

Scot examinait les objets sur la table basse. Un programme télé tâché d'une marque de verre, des aiguilles à tricoter, une paire de lunettes de lecture, deux dessous de verres.

S'efforçant de reconstituer chaque geste du tueur fumant, il tendit le bras gauche en direction d'un cendrier imaginaire posé sur la table et constata à quel point le mouvement était peu pratique.

Sur les coins de la table il y avait un peu de poussière grise qui ressemblait à de la cendre. Il se mit à genoux, examina les pieds de la table et trouva ce qu'il cherchait. Entre les fibres orange du tapis il y avait effectivement de la cendre.

C'est alors qu'autre chose capta son attention. Sous le divan, posé entre le fauteuil et la table basse, se trouvait un objet carré et sombre qu'il ramassa. Il le porta à la lumière de la fenêtre. C'était un morceau de chocolat parfaitement découpé. On y distinguait clairement le *N* de Nestlé ainsi que, presque invisible, le mot *lieber* juste à côté.

Scot posa précautionneusement l'objet au creux de sa main et se dirigea vers la cuisine en quête d'un sac plastique. Il plaça le chocolat sur le coin du comptoir, près de l'évier, et entreprit de fouiller les tiroirs qui se trouvaient en dessous.

Puis il traversa la pièce jusqu'au réfrigérateur, prit plusieurs morceaux de glace, les déposa dans la plus grande des pochettes en plastique. Il mit le morceau de chocolat dans la plus petite, qu'il referma et plaça dans la première afin de conserver la glace au froid. Puis il glissa le tout dans la poche extérieure de sa parka et tourna son attention vers la poubelle qui se trouvait sous l'évier.

Elle était presque vide et ne contenait rien en tous cas qui eut pu recueillir de la cendre. Il se redressa, referma le placard. Juste à cet instant lui parvint le ronflement du moteur d'un hélicoptère. S'appuyant sur l'évier, il se pencha vers la vitre et distingua l'équipe des fédéraux qui s'approchait. Ses yeux tombèrent sur les trois verres retournés en train de sécher. Il les saisit un à un, se mit à les humer profondément. Le second sentait le tabac. Il le reposa, se rua au salon pour remonter le fauteuil dans sa position initiale, sortit et ferma les portes derrière lui. Une fois dehors, après avoir remis aux pieds ses Timberland il trouva le temps encore de glisser ses surbottes dans sa poche.

— On dirait qu'ils approchent, dit MacIntyre tandis que Scot le rejoignait près des véhicules de police.

— Pas trop tard.

— Z'avez trouvé quelque chose, là-dedans ?

— Non, pas vraiment. Juste ce que vous m'aviez dit. Vous n'avez pas trouvé des traces de pneus à l'extérieur, par hasard ?

— Oh, si. Des gros machins même je dirais.

— Ah oui ? Gros comment ?

— Genre « gros-cul », je crois bien. Semi-remorque. Là-bas juste derrière la grange. Et je crois bien aussi un autre de ces trucs à plateau avec double pneu à l'arrière. Et d'autres traces, plus petites, des scooters.

— Ça fait pas mal d'activité tout ça, officier.

— Ah, l'hiver. Savez ce que c'est. Les fermiers utilisent leurs scooters à tort et à travers, même chez eux. De la maison à la grange, de la grange à la maison. Le double pneu a pu venir de chez n'importe quel voisin des environs. Le semi-remorque, c'est plus compliqué, sais pas trop. Positionné comme il a l'air d'avoir été, juste en face de la grange, c'est pour déposer quelque chose je crois.

— Vous ou vos hommes avez fouillé la grange ?

— Du tout. On allait le faire, et pis le shérif a appelé pour nous donner ses consignes, alors…

— Bien sûr, dit Scot, bien sûr. Mon avis ? Ils vont vouloir voir les victimes d'abord, et aussi la maison. Ensuite seulement les autres bâtiments. Quand ils en seront là, envoyez les me rejoindre à la grange, ok ? Merci bien, officier.

Scot décocha son sourire le plus engageant avant de s'éloigner vers la grange. Il marchait vite tout en cherchant à ne pas attirer l'attention. Le bruit de l'hélicoptère lui parvenait maintenant tout près.

Heureusement pour lui, la porte du bâtiment n'était pas fermée. Il parvint à se faufiler à l'intérieur et referma derrière lui à l'instant où l'hélicoptère touchait le sol. Il mit un moment pour adapter sa vision à l'obscurité.

Scot marchait sur le bord du sol poussiéreux, s'efforçant de ne pas piétiner d'éventuels indices. La neige avait beau rendre difficile toute identification précise des multiples traces, l'adjoint du shérif avait probablement eu raison. On distinguait clairement, en effet, les empreintes profondes de scooters en provenance de la porte arrière, et qui s'arrêtaient en parfait horizontal dans la poussière. S'il avait pu ouvrir les portes et si la neige à l'extérieur ne les avait pas effacées, Scot était certain qu'elles l'auraient conduit à travers la passe jusqu'à un point adjacent, quelque part aux abords de la pente mortelle. Les choses devenaient claires à présent.

Derrière lui, la grange s'ouvrit soudain dans un flot de lumière. Il n'eut pas besoin de se retourner pour comprendre que le F.B.I. était résolu à commencer par lui. Il savait aussi exactement qui se trouvait à l'entrée.

23

— Pour qui tu te prends, on peut savoir ? demanda l'homme qui se tenait dans l'embrasure, nul autre que le numéro deux du F.B.I. Gary Lawlord. Et passe-moi ces gants en latex, ajouta-t-il en voyant Scot qui tentait de les enlever et les cacher dans sa parka. On ne trouvera pas d'empreintes sur ton corps, quand j'en aurai fini avec toi.

— Attends une seconde, Gary...

— Une seconde ? Je n'ai pas une seconde Scot, on n'est pas en vacances de neige. Et je n'ai pas non plus d'ordre à recevoir d'un simple agent. Monsieur Je-sais-tout. Ça a toujours été ton problème, hein ? Qu'un type comme toi avec ta grande gueule ait pu faire son instruction dans une unité d'élite aussi disciplinée que les SEAL, voilà qui me dépasse.

— J'avais une bonne recommandation.

— Ouais ? Je devais être malade le jour où je l'ai donnée. C'est aux SEAL qu'on t'a appris à cogner les agents du F.B.I. ? C'est aux SEAL qu'on t'a enseigné à saloper non pas une ni deux mais trois scènes de crimes scellées par le bureau et à déclencher une avalanche au risque de faire disparaître les preuves et de mettre en danger la sécurité des agents chargés de les collecter ? Et détourner le trajet de l'hélicoptère qui nous a amené ici, tu l'as appris là-bas aussi ? Ou bien tu te lances dans le tourisme ?

— Gary, bon Dieu. J'ai perdu trente hommes. Trente ! Et des bons. Tous sous *ma* responsabilité. Qu'est-ce que tu attendais de moi ?

— Ce que j'attendais de *toi* ? fit Lawlor incrédule. Sa voix s'éleva jusqu'au hurlement. J'attendais que tu honores ton engagement ! Voilà ce que j'attendais !

Scot le fixa sans rien dire. Après la mort de son père, Gary Lawlor, un ami de longue date de la famille, était devenu pour lui comme une seconde figure paternelle. Pour cette raison, même si Gary et lui n'étaient pas d'accord sur tout, il avait attendu de sa part un minimum de compréhension et d'indulgence.

— Scot, reprit Lawlor d'une voix plus calme, tu es en train de t'attirer de très sérieux ennuis, tu comprends ça ? Il n'y a pas une seule procédure que tu aies respectée.

— Qu'est-ce que tu ferais à ma place ?

— Je ne suis pas le sujet de cette conversation. Et on n'est pas en train de discuter théoriquement des possibilités d'action. Il s'agit de ce que *tu* as fait concrètement...

— Je peux te poser une question ?

— ... Je ne sais pas si tu le réalises Scot, mais le Président a été kidnappé. Je n'ai pas de temps à perdre en problème de discipline.

— J'ai une question, répéta Scot. À l'époque où tu traquais les types de l'attentat du Scripps Institute à La Jolla, tu la respectais, la procédure ?

C'était un point sensible, Scot le savait. Gary dirigeait le F.B.I. de San Diego lorsqu'un groupe d'extrémistes avait investi l'Institut de La Jolla, dix ans plus tôt, et pris une partie du personnel en otage. Au terme d'un long week-end de négociations, les hommes du bureau qui lançaient l'assaut avaient eu la surprise de découvrir des terroristes deux fois plus nombreux qu'ils ne le pensaient et bien mieux préparés. Toutes les issues étaient piégées. Les agents qui n'étaient pas tombés sous les balles étaient morts dans les explosions. Lawlor, déjà doté à l'époque d'une grande expérience des prises d'otages, était resté persuadé qu'il aurait dû tout prévoir, et que, d'une manière ou d'une autre, il était responsable du destin de ses hommes. Au cours des trois années suivantes, il avait consacré tout son temps et tout le budget dont il disposait à retrouver un à un les membres du groupe responsable de l'attaque, ceux qui étaient restés dans le pays comme ceux qui s'étaient cru en sécurité à l'autre bout du monde. Au passage, Scot le savait, il avait contourné non seulement la procédure, mais aussi bon nombre de libertés civiles.

— C'était il y a longtemps, éluda Lawlor. Et de toute façon, ça n'a rien à voir avec ce qui t'arrive. Tu as attaqué un agent fédéral sur mon territoire. Le bureau de Salt Lake veut ta peau. Sans parler du reste. Même ton dossier médical plaide contre toi. Tu devrais être sur un lit d'hôpital à l'heure qu'il est.

— Gary, tu as déjà perdu des hommes, tenta d'argumenter Scot. Tu sais comment ça se passe, tu…

— Je t'arrête tout de suite, mon petit. Tu ne vas pas t'attirer mes bonnes grâces comme ça. Ok ? À l'époque de La Jolla, j'agissais sous directive fédérale. Tu ne sais rien de ces choses, tu n'en as pas la moindre idée. J'essaie de te faire entendre raison mais ça ne sert apparemment à rien. Tu me fais juste perdre mon temps en discussions puériles.

— Ton temps, tes directives, dit Scot qui s'énervait lui aussi. Depuis que je te connais, c'est toujours de toi qu'il s'agit.

— C'est faux et tu le sais.

— Où en seront ma carrière et ma vie quand tout se sera tassé ?

— Parce que tu crois te rendre service en déconnant de cette manière ? Tu ne sais même pas reconnaître tes amis. Tu joues les cow-boys, tu te prends pour Clint Eastwood. Mais le travail efficace, ça se fait dans la coopération, Scot. Dans l'organisation. Dans la spécialisation. Dans les informations recoupées par une équipe commune. L'effort d'un seul type, ça ne sert à rien, même s'il est bien intentionné. Les résultats sont toujours le travail de cent, parfois même de milliers d'hommes qui travaillent *ensemble*. Tu crois que tu te contentes de saloper les pistes comme tu l'as fait là-haut quand tu joues seul ? Non ! Tu désertes ton équipe ! Voilà ce que tu fais.

Scot ouvrit la bouche pour dire quelque chose.

— Ta gueule ! l'interrompit Lawlor. Je ne veux pas entendre un seul argument. Je ne veux pas entendre le son de ta voix. Oui, je peux comprendre ce que tu ressens. Et alors ? Ça n'excuse pas ton attitude. Tu as bousillé toute la compassion, toute la compréhension qu'on pouvait avoir pour toi, tu t'es saboté tout seul, mon vieux. Je ne sais pas si ta carrière peut encore être sauvée ou pas à ce stade. Mais fais encore une connerie, une seule, et je veillerai personnellement à ce que ça n'arrive jamais. Je me fais comprendre ? Et je ne veux même pas t'entendre dire oui. Je ne veux pas te voir ouvrir la bouche ou t'entendre dire un putain de mot. Secoue simplement la tête.

Une colère acide brûlait chacun de ses pores mais Scot hocha lentement la tête, avec réticence.

— Parfait, dit Lawlor qui se retourna et sortit de la grange.

Scot l'entendit crier en direction de l'adjoint MacIntyre :

— J'ai besoin d'un homme pour conduire l'agent Harvath au centre de commandement. Et ce sans aucun arrêt. Sous aucun prétexte.

24

Scot enragea durant tout le trajet de retour. Lawlor avait été le premier à ne pas respecter les formes et à tordre la loi dans tous les sens, il en était convaincu – tout comme il était convaincu que nul ne s'en prenait jamais à Lawlor ni n'osait jamais se mettre en travers de son chemin. Le fait est que Scot était désormais seul. S'il voulait sauver sa carrière, son unique chance consistait à faire lui-même progresser l'enquête. Les indices trouvés jusque-là, bien que non négligeables, n'étaient pas non plus si probants et, en fin de compte, il n'avait rien. Rien ni personne sur qui compter.

Il sauta de la voiture de MacIntyre avant même qu'elle ne fut à l'arrêt et montra sa carte au militaire en faction. Il se dirigea droit sur le camping-car avec l'espoir d'y trouver Palmer. Par chance, elle était assise à la table de Longo et leva la tête de son ordinateur portable lorsqu'il surgit de l'étroite entrée.

— Eh ben, dit-elle. On a été très occupé ce matin, on dirait.

— Très amusant.

— Qui a dit que c'était amusant ?

— On a du nouveau ? fit-il en ignorant l'humour.

— Deux-trois choses.

— Je suis tout ouïe.

— Tout d'abord, une confirmation du Moyen-Orient. L'homme mort s'appelle Hassan Useff, le Mossad l'a identifié. C'est un sniper freelance au service de diverses organisations pro-palestiniennes. Impliqué dans plusieurs meurtres d'israéliens.

— Hm-hm. Ça fait sens, et en même temps pas vraiment.

— Comment ça ?

— Et bien, l'arme avec laquelle on l'a trouvé est un Skorpion. Très commune dans les rangs palestiniens, c'est vrai, mais c'est essentiellement une arme défensive. À longue portée, sa précision est faible. Ce n'est pas du tout idéal pour un sniper.

— Peut-être en avait il une autre que ses amis ont emporté ?

— En laissant derrière eux celle qui identifie les Palestiniens ? Ça n'a pas de sens, dit Scot dont l'esprit se concentrait sur autre chose. Dis-moi, reprit-il à brûle-pourpoint : aimes-tu le chocolat ?

— Oui, comme beaucoup de femmes.

— Je pense à ceux que tu as rapportés d'Europe l'an passé…

— Tu veux dire ceux dont vous vous êtes tous goinfrés à la Maison-Blanche sans m'en laisser un carré ?

— C'est ça. Tu l'avais eu où ? Je veux dire, tu l'avais acheté au *duty free* de l'aéroport ou bien dans un magasin ?

— Oh, je ne sais plus moi. J'ai bien dû en acheter un peu partout. Je voyageais avec un pass Eurail en m'arrêtant un peu au hasard.

— Essaie de te souvenir.

Elle soupira.

— J'ai commencé par la Belgique. En Suisse, évidemment j'ai dû acheter du Nestlé. Ils font une tonne de chocolats différents, en Suisse.

— Voilà. Et celui qu'ils importent ici doit avoir un autre nom, j'imagine ?

— Pas forcément. Toblerone ou Baci s'appellent Toblerone et Baci des deux côtés de l'Atlantique. Tout dépend de l'identité de la marque et de son potentiel commercial. Les amateurs américains de chocolats fins à consonance étrangère doivent être assez peu nombreux, je suppose.

— Bien vu.

— Et oui, dit Palmer en souriant, je ne suis pas arrivée où j'en suis sans rien dans le crâne. Je m'inquiète un peu à ton sujet. Si on oubliait cette histoire de chocolat ? Je suis sûre que Nestlé doit avoir un site sur le web si ça t'intéresse tant.

— Merci Palmer, merci beaucoup, dit Scot en se levant.

— Où tu vas ?

— Je n'ai rien mangé depuis ton délicieux petit déj' de ce matin. Je pensais m'envoyer un chili au Silver Lake Lodge.

— Un peu de compagnie ? C'est presque l'heure de ma pause.

— Non merci, Palmer. J'ai besoin d'être seul, il faut que je réfléchisse.

— Ok. Passe une tête à ton retour.

Scot acquiesça. Il sortit en refermant rapidement derrière lui pour ne pas laisser entrer l'air froid. Il arrivait en bas des marches quand il entendit la porte se rouvrir et Palmer passa la tête :

— Il y a aussi autre chose, dit-elle. Ça n'a peut-être aucun rapport mais on a trouvé une ambulance abandonnée à l'ouest de la vallée, au-dessus de Kennecot Copper Mine.

Scot s'arrêta.

— Vol déclaré ?

— Non. La plainte nous est parvenue après qu'on ait trouvé le véhicule. Elle a été volée dans un atelier de réparation du nom de Grunnah Automobile. Apparemment, monsieur Grunnah l'avait remorquée le samedi précédent pour un problème de freinage. Il était censé la livrer le lundi suivant. Elle a manifestement été volée entretemps.

— Comment quelqu'un a-t-il pu voler une voiture qui ne roulait pas ?

— D'après Grunnah, le ou les voleurs l'ont réparée.

— Réparée ? Ils ont pris le temps de la réparer d'abord ?

— Exactement.

— Merci Palmer, dit Scot après un temps.

La jeune femme referma la porte tandis qu'il s'éloignait. En passant la sécurité, il aperçut une ambulance garée sur le chemin. Il n'y avait jamais prêté attention jusque-là, mais la forme d'une ambulance est en gros celle d'une camionnette. S'approchant, il se baissa pour constater que les roues arrière étaient doublées afin de supporter le poids éventuel d'un malade.

Une autre pièce du puzzle se mettait en place. Pour autant, l'image était encore loin d'être claire.

25

Il prit à travers les bois, vers la pente skiable, afin d'éviter la meute de journalistes qui devait certainement se trouver en bas de la route.

L'air froid, le silence, la paix étaient tout ce dont il avait besoin pour réfléchir calmement à la masse d'informations accumulée depuis le matin. Depuis le sommet, il observait passivement l'activité tranquille des skieurs que l'avalanche ne semblait pas avoir découragés. Ce sentiment général de normalité lui faisait du bien, songer que tous ces gens allaient poursuivre leurs vacances comme si de rien n'était, skier chaque jour et, le soir, s'abîmer devant la télévision – devant les nouvelles du kidnapping du Président des États-Unis avant d'aller dîner en famille et de chausser leurs skis le lendemain matin. Il descendit jusqu'au Silver Lake Lodge dont les arômes épicés parvenaient jusqu'à lui, aiguisant son appétit.

Son entraînement était comme une seconde nature : impossible d'entrer dans une pièce, fût-ce une salle de restaurant, sans repérer aussitôt les différentes sorties, l'écartement des fenêtres et ce qui se trouvait derrière elles ainsi que chacun des visages et des gabarits des clients paisiblement attablés.

Il attrapa un plateau et prit place dans la queue derrière un groupe d'Allemands chahuteurs et bruyants qui s'étaient rués pour passer devant lui. Quand enfin vint son tour, il commanda un chili aux oignons dans un bol en pain[1] et une double dose de fromage. Son plateau en mains, il se mit en quête d'une place.

---

1. Spécialité culinaire américaine.

Un couple en pleine dispute se leva, par chance, à son approche. Il les remercia machinalement, ils ne l'entendirent pas et il s'assit. Il prit le temps de fermer les yeux pour humer l'odeur du chili. Sa cuiller en main il prit une large bouchée et la dégusta se reculant lentement pour s'adosser et mieux profiter de l'arôme fumé.

— Je ne vous dérange pas, j'espère ?

C'était moins une question qu'une affirmation. Il ouvrit les yeux pour découvrir une petite blonde qui venait de s'installer devant lui.

— Jody Burnis, C.N.N., se présenta-t-elle. Je voudrais…

— Sans commentaire, dit Scot en se penchant vers son chili.

— Mais je ne vous ai encore rien demandé.

— Ça ne saurait tarder. Et c'est ma réponse.

— Vous êtes Scot Harvath, n'est-ce pas ?

— Chère madame…

— Appelez-moi Jody.

— Chère madame, je n'ai aucun commentaire d'aucune sorte à vous faire.

— Je voudrais savoir à quoi ressemblait l'avalanche ?

— À de la neige tombée du haut d'une montagne. Maintenant, si je peux profiter de mon chili en paix… Je suis sûr que vous allez trouver quelqu'un d'autre à déranger dans cette salle.

— C'est le cas ? Je vous dérange ?

— Oui.

La journaliste s'inclina tout en le fixant de façon intense. Elle hochait la tête bizarrement.

— Vous avez un problème ? demanda Scot. Dans le même instant, il la vit du coin de l'œil envoyer un signal de la main. Elle devait avoir un cameraman.

Il se retourna, nota deux tables plus loin un type équipé d'une Bétacam braquée sur eux. Revenant sur la journaliste, il aperçut le micro accroché à sa veste. Il se pencha à son tour vers elle et le décrocha d'un coup, lui arrachant un cri. Puis il approcha le micro aussi près que possible de ses lèvres et se mit à pousser des cris d'animaux. Derrière lui, le cameraman hurla, surpris par la violence. Scot dit à la journaliste :

— Vous voulez une déclaration ? En voilà une. Je vous interdis absolument de me citer ou de mentionner mon nom ou mes activités dans quelque cadre que ce soit. Si mon visage apparaît ou si j'entends ma voix dans l'un de vos reportages je vous traîne illico en justice, vous et votre chaîne. C'est clair ?

Il ponctua la dernière phrase en lui jetant le micro au visage. Elle se leva tout en protestant. Elle se dirigea vers son cameraman et il les entendit parler à son sujet tandis qu'ils s'éloignaient.

Ce qu'il ne vit pas, cependant, c'était l'agent Zuschnitt, qui non seulement avait été témoin de la scène mais l'avait orchestré, et sortait à son tour discrètement de la salle par l'une des portes latérales.

Vingt minutes plus tard, Scot digérait son chili et le reste de son repas. Repu, presque somnolant, il quitta le restaurant pour le bureau de contrôle des avalanches. La première personne qu'il y rencontra fut Nick Slatery.

— Non non non non mon pote, fit immédiatement ce dernier en le voyant arriver. Le guichet est fermé, maintenant. Fini.

Scot répondit par son plus charmant sourire.

— Allons allons, dit-il, qu'est-ce qui se passe ?

— Ce qui se passe ? Je me suis fait passer un savon par au moins cinq personnes dont quatre portaient des armes dans les deux dernières heures, voilà ce qui se passe. Je ne veux même plus savoir qui tu es, mec.

— Nick, Nick ! Vance entrait derrière Scot, avec une tasse fumante. Ce n'est pas une façon de traiter notre ami.

Scot se retourna et aperçut la tasse :

— Ne me dis pas que…

— C'est du chocolat ? Absolument.

— Combien de temps as-tu fait la queue pour ça ?

— Je n'ai pas à faire la queue pour du chocolat, Scot, je suis le chef, il faut bien que ça serve à quelque chose. Tu en veux un ? Nick, serais-tu assez aimable pour aller chercher une tasse de cacao pour notre ami ? Je pourrais discuter un peu avec lui pendant ce temps, comme ça tu ne seras pas impliqué.

— Pas de souci, dit Nick. Je vais non seulement chercher du chocolat mais s'il y a la moindre question, je suis aussi parti faire un tour.

— Parfait.

Scot attendit que Nick ait disparu pour demander :

— La pression est si forte que ça, chez vous ?

— On a passé un sale quart d'heure, c'est vrai. Mais j'ai suivi exactement ce que tu m'avais dit.

— Ce que j'avais dit ?

— De tout te coller sur le dos.

— Merci bien ! Excuse-moi si je manque de gratitude.

— Nick a besoin de ce boulot plus encore que moi, Scot. C'est la raison pour laquelle je te parle encore et lui non. Je suppose que tu n'es pas venu ici pour une tasse de chocolat ?

— Non.

— Si je peux faire quelque chose, du moment que ça n'implique plus un hélicoptère…

— Tu as un accès à Internet, ici ?

— Évidemment. Assieds-toi là, dit Vance en désignant la chaise près de lui.

— Je vais avoir besoin de l'utiliser tout seul.

Il vit Vance hésiter.

— Je peux te donner une demi-heure, conclut-il. Mais je dois rester dans le bureau d'à-côté en cas d'appel.

— Merci, Vance. Merci beaucoup. Juste une derrière chose.

— Quoi ?

— Ferme la porte derrière toi en sortant.

26

Bien qu'il fit bonne figure, Harvath n'était pas seulement épuisé, la fatigue avait aussi réveillé les douleurs de son dos, qui ne s'étaient pas vraiment calmées. L'épuisement et la souffrance s'abattirent sur lui après sa visite à Vance.

Ce dernier l'avait fait raccompagner en moto des neiges jusqu'au chalet, où sa chambre l'attendait. Le chauffeur avait dû contourner l'entrée principale pour éviter les journalistes.

Scot pénétra dans le chalet avec l'intention de dormir un peu lorsqu'il vit plusieurs agents écraser leurs cigarettes au sol, écourtant manifestement leur pause. Quelque chose se passait. Il accéléra le pas, pénétra à leur suite dans la salle des télécommunications où la plupart des hommes se trouvaient massés autour d'un large écran de télévision branché sur C.N.N. Scot sentit son estomac se nouer, il émit un bref gémissement.

Le souffle des hommes semblait suspendu aux paroles de la journaliste, sise au pied d'une colline enneigée, des équipements de skis et matériel de sauvetage en arrière plan. Puis l'image changea. On était maintenant à l'intérieur du Silver Lake Lodge et Jody Burnis parlait à un homme de dos, dont le visage était partiellement caché par la caméra. Malheureusement, aucun des hommes connaissant Scot ne pouvait se tromper sur l'identité de l'individu. La voix de la journaliste retentit dans la pièce :

« Selon des sources proches des Services secrets, l'avalanche qui a fait plus de trente victimes, dont six vacanciers, serait d'origine criminelle. Elle aurait été créée dans le but de faire diversion et de faciliter l'enlèvement du Président des États-Unis. Ni les Services secrets ni la Maison-Blanche ni le F.B.I. n'ont confirmé ou démenti cette information. Nous vous tiendrons bien sûr informés d'heure en heure… »

Scot sentit la bile monter dans sa gorge. La journaliste l'avait utilisé, mais dans quel but ? Pourquoi lui ? Si elle voulait montrer les images d'une prétendue interview avec les Services, pourquoi ne pas s'en être pris à un type de base ? À moins qu'elle n'ait sincèrement espéré qu'il serait une source ? Peut-être n'avait-elle décidé de le griller que pour se venger de son attitude ?

Il passa dans la cuisine, se servit une tasse de café. Deux des agents l'avaient suivi. L'expression de leurs visages n'appelait aucune parole. Scot n'était pas décidé à laisser croire une seconde qu'il avait coopéré.

— Ce n'est pas la peine de me regarder comme ça, dit-il. Cette histoire est bidon. C'est une manipulation.

— Hé, Harvath, fit l'un des agents. Du calme. On est juste venus prendre un café, c'est tout.

Scot secoua la tête, affichant une expression de dégoût ostensible. Il prit sa tasse, sortit et se dirigea vers le centre de commandement. Avant de monter se reposer, persuadé qu'il n'aurait pas besoin de plus de deux heures de récupération pour être sur pied, il voulait s'assurer de la prochaine relève sur le terrain et des heures d'allées et venues des navettes. Mais lorsqu'il pénétra dans la pièce, certain que la journée ne pouvait être pire que ce qu'il avait déjà subi, il vit Lawlor le fixer et comprit qu'il pêchait par optimisme.

Lawlor était flanqué de deux hommes épais, probablement du F.B.I. Son visage indiquait à la fois la fureur glacée et l'explosion imminente.

— Tu as vu le reportage, apparemment, commença Scot en s'approchant.

Il essayait de se montrer prudent. La dernière chose dont il avait besoin était un lynchage en règle devant tout le monde par le directeur adjoint du bureau.

— Le monde entier l'a vu aboya, Lawlor.

— Je peux expliquer…

— Agent Harvath, dit Lawlor passant au vouvoiement formel, vous avez été prévenu de ce qui se passerait si vous salopiez une fois de plus cette enquête. Vous n'avez pas tenu compte des avertissements qui vous ont été formulés. L'heure n'est plus aux explications.

— Je n'ai rien…

— Taisez-vous. Nous considérons que vous avez franchi la limite, agent Harvath. Et vos supérieurs également.

— Mes supérieurs ?

— Vous êtes rappelé à Washington. Décision effective depuis deux minutes.

— Je n'arrive pas à le croire, dit Scot qui commençait à perdre patience. Vous me faites virer pour quelque chose qui…

— Croyez-le ou non, c'est un fait. Les agents Patrasso et Sprecher ici présents vont vous escorter à l'hôtel où vous ramasserez vos affaires. Vous serez ensuite dirigé sur l'aéroport de Salt Lake. Un ticket vous attend au comptoir Delta. Les agents s'assureront que vous êtes dans l'avion. Sitôt qu'il aura décollé, vous aurez cessé d'exister pour moi.

— Mais je dois passer un scanner avec le docteur Trawick demain après-midi, tenta Scot sans trop d'espoir.

— Le docteur Trawick peut aller se faire foutre. Si vous êtes assez en forme pour assommer un agent, pour descendre en rappel et voyager en hélicoptère, sans parler de donner des interviews, vous n'avez pas besoin d'un putain de scanner.

— Mais je n'ai pas donné d'interview !

— Je me fous de ce que vous donnez ou non ! Je ne veux pas le savoir ! Vous suivez Patrasso et Sprecher jusqu'à votre chambre, vous bouclez votre sac, vous montez dans l'avion ! Et je me lave les mains de ce qui vous arrive ensuite ! Dehors ! Maintenant !

Sur quoi, Lawlor tourna les talons et s'éloigna.

Un seul regard aux deux agents qui restaient figés devant lui indiqua à Scot qu'ils n'étaient pas là pour plaisanter. Ils avaient l'envergure physique pour être pris au sérieux. Et Scot était, par ailleurs, trop épuisé pour résister.

Quel est le nom de ton hôtel ? lui avait demandé la veille Trawick pour tester sa mémoire. L'enseigne, à présent sous ses yeux, n'éveillait aucun souvenir.

Patrasso et Stretcher l'accompagnèrent jusqu'à sa chambre. Il fit son sac. Ils le conduisirent à l'aéroport.

Le vol pour Washington fut le plus rapide de sa vie. En dépit de sa situation, vaincu par la fatigue, il dormit durant tout le trajet.

27

La corde à linge lui sciait les poignets, plus douloureusement encore lorsqu'il s'agitait pour se libérer. Reste calme, pensa-t-il, respire. Le bâillon sentait l'encaustique et une forte odeur de rouille montait du sol souillé sur lequel il reposait. Il réprimait une envie de vomir et craignait que sa propre bile ne l'étouffe. Il devait exister un moyen de sortir d'ici et de cette situation – pieds et poing liés, dans une position si inconfortable qu'il en devenait fou.

Il n'avait pas tout de suite vu la seringue hypodermique dans les mains de Snyder, et lorsqu'enfin il l'avait repérée, c'était déjà trop tard. Snyder avait utilisé la seule arme à sa disposition pour venir à bout d'un ennemi plus costaud et plus grand que lui.

André ne pouvait le savoir, mais c'était là sa chance. Le sénateur avait trop à faire et les événements s'enchaînaient trop vite depuis les quatorze dernières heures pour qu'il s'embarrasse d'un meurtre et de ses conséquences. Et il lui fallait aussi découvrir ce que le jeune homme savait avant de l'éliminer.

Snyder se sentait épié par son amant depuis déjà plusieurs semaines. Il n'y avait rien eu de tangible, juste une intuition pour le danger à laquelle il avait appris à se fier. Il avait tenté de se rassurer, de se dire qu'avec l'âge il devenait paranoïaque, mais c'était tout le contraire – l'âge aidant, son sens intuitif se faisait plus aiguisé. Le matin même, dans le taxi qui le menait chez Rolander, il avait su avec une certitude quasi totale qu'il était suivi. Et à Georgetown, si l'entrée principale de sa maison était entièrement sèche, on ne pouvait en dire autant de l'entrée de service, humide et parsemée de flaques que l'on avait cherché à sécher – et ce *on* ne pouvait qu'être André Martin.

Qu'il ait écouté sa conversation au téléphone ne faisait pas non plus de doute dans l'esprit du sénateur, pas après qu'il eut distinctement perçu le second déclic au moment où il raccrochait l'appareil.

D'une fausse bouteille de champagne dans son frigidaire, il avait extrait la seringue et sa drogue, avait ouvert le rideau de douche et, l'épaisse vapeur aidant, André n'avait pas eu la moindre chance.

Avant que le produit ne fasse effet, le jeune homme avait tenté de se justifier, non sans une certaine intelligence, il fallait bien le reconnaître.

— Je t'ai espionné parce que je te trouvais distant depuis quelques temps, lui avait-il dit. Tu semblais préoccupé par quelque chose, ou bien par quelqu'un d'autre.

Ses yeux exprimaient la terreur et, en dépit du produit qui commençait à faire son effet, il cherchait à conserver toute sa lucidité. Il savait de quoi Snyder était capable.

— J'ai cru que tu voyais quelqu'un d'autre, répéta-t-il. Je suis jaloux de nature, qu'est-ce que tu veux. Je t'ai vu quitter la maison au beau milieu de la nuit.

— Ce que je fais et qui je vois, mon petit André, dit Snyder en lui soulevant la tête, c'est mon affaire. Je suis sénateur des États-Unis d'Amérique. Et même si tu avais des doutes, tu aurais pu commencer par me poser la question plutôt que de m'espionner.

— Je voulais être sûr. Je ne voulais pas t'accuser à tort.

— Vraiment ? Quelle délicatesse. Et écouter mes conversations téléphoniques, c'était aussi pour m'épargner ?

André, allongé au sol, se mit à rire tandis qu'un peu de salive coulait de sa lèvre pendante. Le sénateur le gifla pour tenter de capter son attention.

— Réponds ! cria-t-il sans obtenir autre chose qu'un murmure incohérent suivi d'un nouveau rire. Il le gifla une seconde fois. Manifestement, il avait mal calculé la dose. Non que ce fut un problème. Il attendrait. D'ici la fin de la journée sa victime serait prête à tout lui dire. De cela, il était certain.

— Un petit connard sous la douche, voilà tout, marmonnait André la tête sur le menton, riant et bavant de manière incontrôlable. Un petit connard avec une petite bite.

Snyder le frappa sur le côté de la tête pour faire cesser le rire et André Martin sombra dans l'inconscience.

28

Scot, qui avait initialement prévu de rentrer par l'avion présidentiel, ne s'était pas soucié une seconde de la façon dont il ferait le trajet depuis l'aéroport jusque chez lui. À l'aller, comme d'habitude, l'un des novices des Services l'avait conduit en voiture jusqu'à Washington National et maintenant, en dépit de la nouvelle situation, il s'attendait presque à voir quelqu'un le prendre en charge à sa descente d'avion. Mais personne ne l'attendait. Son téléphone et son biper, bien que branchés, restaient muets. Il était seul.

Ses sacs à l'épaule, Scot s'avança jusqu'à la file des taxis. Il dut faire la queue avant qu'une voiture ne le charge et ne démarre vers le quartier d'Alexandria où se trouvait son appartement.

Il s'arrêta sur le chemin chez Big Tony, la meilleure pizzeria d'Alexandria, où il s'acheta de quoi manger ainsi qu'un pack de bière. L'odeur envahit le taxi pour le restant du chemin. Devant son immeuble, il demanda une note de frais, consigna mentalement d'y ajouter le prix de son repas. Même un condamné avait droit à un dernier dîner avant l'exécution.

Tout en se débattant avec ses sacs, le carton de sa pizza et la bière, il parvint à appuyer sur le bouton de la porte en verre et la poussa d'un coup de hanche. Le gardien avait conservé son courrier en son absence, mais il était trop tard et il était trop chargé pour le ramasser, aussi décida-t-il de monter tout de suite jusque chez lui. Les factures attendraient jusqu'au lendemain.

Au troisième, Harvath tourna à gauche vers la porte de son appartement, dont il entreprit d'examiner avec soin l'extrémité supérieure droite. Nul n'avait forcé les lieux, constata-t-il satisfait. Il leva une jambe, posa pizza et bière en équilibre sur son genou, retira le cheveu coincé dans l'embrasure de sa main libre et ouvrit la porte.

Il vérifia le répondeur – pas de message. Un calme étrange s'abattit sur lui. Il plaça ses sacs dans l'armoire de sa chambre et revint s'allonger sur le divan, la télécommande entre les mains. Il ouvrit une bière, saisit un morceau de pizza. Toutes les chaînes retransmettaient à présent le reportage de Jody Burnis, y ajoutant des commentaires de leur cru. La nouvelle de l'enlèvement du Président, qui n'avait pas été confirmée, provenait d'une source fiable au sein des Services secrets : telle était la ligne générale. Scot reposa sa pizza à peine entamée. Il n'avait plus faim.

Il posa le pack de bière au sol près de lui et se brancha sur la chaîne Nature – la seule, à sa connaissance, qui ne parlait pas du Président. Il ouvrit une nouvelle bière et, l'esprit vide, s'abîma dans la contemplation d'une compétition de ski à Innsbruck. Il jeta l'une après l'autre devant lui ses chaussures sur le tapis et se laissa sombrer.

À sept heures le lendemain matin, il fut réveillé par la gardienne qui frappait à la porte avec son courrier. Harvath mit le café en marche, prit une douche, ne se rasa pas. Il s'habilla, puis entreprit de se faire chauffer les deux gaufres qui traînaient au congélateur. N'ayant plus de sirop d'érable, il les recouvrit d'un mélange de beurre et de miel.

En tant que membre de l'équipe présidentielle, il bénéficiait de certains privilèges, comme un budget d'habillement afin de paraître à son avantage sur les écrans de télévision, et aussi un accès direct à quelques-uns des spécialistes médicaux les plus recherchés de la région de Washington. Parmi eux, la doctoresse Sarah Helsabeck accepta de le recevoir immédiatement.

Il passa la majeure partie de la matinée à se faire palper, tester, scanner, questionner.

— Je serais assez curieuse d'avoir la marque du poids lourd qui vous a roulé sur le corps, remarqua la doctoresse après s'être extasiée sur les bleus qui lui couvraient le dos comme sur le fait qu'Harvath n'avait rien de cassé ni aucun dommage interne.

— Tout va bien alors, conclut-il.

— Je ne sais pas, répondit-elle. Je me fais du souci pour vos coups à la tête. Les radios ne montrent aucun saignement, mais ça ne me rassure pas.

— Pourquoi ça ?

— Votre mémoire est affaiblie, ainsi que votre capacité de concentration et vos réflexes. C'est particulièrement flagrant lorsqu'on compare vos résultats avec ceux des tests établis lors de votre entrée dans le service.

— Ce qui veut dire ?

— Ce qui veut dire que vous souffrez probablement de commotion cérébrale susceptible de provoquer une légère amnésie. Vous n'avez pas oublié qui vous êtes, mais votre mémoire récente est affectée.

— Récente jusqu'où ?

— Vous pouvez avoir des difficultés à vous souvenir des événements survenus le mois dernier.

— Et ça va durer longtemps ?

— Probablement, oui. Il se peut que vous ayez oublié des gens que vous avez rencontrés récemment. Il y a peut-être des factures, des dépôts d'argent dont vous ne vous souvenez pas. Ce genre de choses. Vous risquez aussi de constater une difficulté à vous concentrer, de vous endormir plus souvent. Vos capacités réflexives sont faibles, les migraines vont continuer, peut-être accompagnées de nausées. Sur le plan psychologique, les patients souffrant de commotion cérébrale accusent aussi une tendance accrue à l'irritabilité, à la colère, à un manque de contrôle de soi.

Scot ne dit rien. Il se demanda si ce n'était pas cela qui l'avait poussé à frapper l'agent Zuschnitt.

— C'est tout ?

— Plus ou moins. Gardez en tête, si je puis dire, que tous ces symptômes s'accroissent avec la fatigue physique. Votre cerveau a été brouillé, votre corps meurtri, vous devez leur donner le temps de récupérer.

Elle le congédia en lui tendant les coordonnées d'un chiropracteur.

L'après-midi était bruineux. Trouver un taxi sous la pluie à Washington tient de l'exploit et Scot mit près de vingt minutes avant de monter dans une voiture. Il donna l'adresse d'un *deli* non loin de chez lui. Il fit le reste du trajet à pied, les bras chargés de nourriture. Il ne comprenait pas pourquoi sa hiérarchie n'avait pas encore donné signe de vie. Lawlor avait probablement tapé un tel scandale qu'ils devaient faire la queue, là-bas, à qui l'engueulerait le premier.

Cependant, c'était aussi bien. Il ne se sentait pas capable de les affronter. Tout ce qu'il voulait, à ce stade, c'était renter chez lui, ranger ses achats et croquer son sandwich pastrami-choucroute.

Après le repas, il songea un instant à joindre Palmer au centre de commandement, avant de renoncer. De nouveau, il s'étendit sur son divan, ferma les yeux pour se reposer et, avant même de s'en rendre compte, il avait de nouveau plongé dans un profond sommeil.

Quelque part au fond de l'inconscient résonnait un bruit sourd, comme un marteau-piqueur sur du ciment humide auquel se joignit bientôt un piaillement criard suraigu. Il restait allongé, les yeux fermés, suspendu entre la veille et le sommeil tandis que son esprit assemblait peu à peu les signaux pour enfin leur donner sens, si bien qu'il se sentit bientôt rappelé à la surface du monde.

Son biper, son téléphone cellulaire et son téléphone fixe vibraient tous en même temps. Il attrapa le dernier, qui se trouvait à portée, et dit :

— Harvath.

— Harvath, Shaw, fit une voix à l'autre bout tandis que Scot se redressait brutalement et réduisait les autres appareils au silence. Shaw était le responsable des opérations des Services pour la Maison-Blanche.

— Oui monsieur, dit-il non moins mécaniquement.

— Le directeur voudrait vous voir. En combien de temps pouvez-vous être ici ?

— Le temps de passer sous la douche, disons vingt minutes.

— Ok, une voiture vous prendra en bas.

Vingt minutes plus tard exactement, rasé de près, en costume et survêtu d'un trench-coat, il était en bas de son immeuble.

Il avait plu toute la journée, le bitume était couvert de flaques, il faisait froid. De la buée sortait de sa bouche.

Il vit deux phares tourner le coin de la rue et un véhicule ralentir dans sa direction. Scot s'était attendu à une voiture officielle aux enseignes de la Maison-Blanche au lieu de quoi, ce qui s'approchait de lui était une longue limousine noire blindée. Elle s'arrêta à sa hauteur. La vitre descendit dans un bruit feutré.

— Montez, dit Stan Jameson, le directeur des Services secrets.

La porte s'ouvrit et Scot s'exécuta. Il n'avait rencontré le directeur que deux fois auparavant et constata que l'homme, entre temps, avait considérablement vieilli. Le job usait tout le monde.

Le moteur rugit brutalement tandis que la voiture prit la direction de D.C.

— Quelles journées d'enfer non ? dit le directeur.

— Oui monsieur. Certainement.

Un homme en uniforme, aux épaules larges et à la mâchoire carrée, se tenait à la droite de Jameson.

— Agent Scot Harvath, voici le général Paul Venrick, commandant du commandement uni des opérations spéciales.

— Heureux de vous rencontrer, mon général, dit Scot en lui serrant la main.

— Moi de même, agent Harvath.

— Nous avons peu de temps, j'irai droit au but, dit le directeur. Le général et moi avons pris connaissance de votre rapport. Il y manque quelque chose, n'est-ce pas ?

— Monsieur, dit Scot tout en se demandant pourquoi le directeur ne le limogeait pas purement et simplement, si vous faites référence à l'histoire de C.N.N., j'ai été rappelé avant de pouvoir...

— Mon garçon, je ne parierai pas un kopeck sur ce que peut raconter un journaliste, quelles que soient les circonstances. Je me fous de savoir si vous lui avez parlé ou pas, même si j'ai tendance à croire que non.

Scot n'eut pas le temps de répondre.

— Laissons de côté pour le moment, si vous le voulez bien, la question de savoir d'où vient la fuite, continua le directeur. Ce qui m'intéresse pour l'instant, c'est votre version intégrale des événements et votre interprétation.

Scot raconta son histoire tandis que la voiture blindée parcourait les rues délavées de Washington. Il laissa de côté, autant que possible, sa descente du pic et sa fouille de la ferme Maddux. Lorsqu'il eut fini, le général se pencha vers une mallette qui se trouvait à ses pieds et en sortit un dossier.

— Agent Harvath, dit-il, avez-vous entendu parler du F.C.R. ?

— Le Fatah Conseil Révolutionnaire ? Oui, c'est l'organisation d'Abou Nidal. Khalil al-Banna de son vrai nom. Entré en dissidence avec Arafat dans les années soixante-dix parce qu'il le trouvait trop modéré. À cette époque le F.C.R. était lié à Septembre Noir, on lui doit près de neuf cents victimes, y compris des membres de l'O.L.P. Il est impliqué dans l'attentat de la rue des Rosiers, à Paris, en 1982, et dans les attaques contre les bureaux de la compagnie El Al à Rome et à Vienne en 1985. Mais le groupe est pratiquement dissous aujourd'hui. Nidal s'est tiré une balle dans la bouche le 19 août 2002 en Irak, alors qu'il allait être arrêté.

— C'est ce que l'on croyait aussi. Jusqu'à ceci, dit le général tout en lui tendant une copie d'un article du *Herald Tribune*. Le 14 janvier dernier, la police autrichienne a annoncé l'arrestation d'un membre du F.C.R., une femme du nom de Halima Nimer. Elle s'apprêtait à retirer sept millions et demi de dollars d'une banque viennoise.

— On sait d'où venait une somme pareille ?

— Le F.C.R. n'a jamais été en panne de financement. Pendant des années, l'Irak et la Lybie étaient ses principaux bailleurs de fonds. Sept millions de dollars ne représentent sans doute guère que la partie émergée de l'iceberg.

Scot prit le temps de réfléchir.

— Quel rapport avec la situation actuelle ? demanda-t-il.

Ce fut au tour du directeur de parler.

— Nous avons reçu une demande de rançon pour le Président, dit-il en s'éclaircissant la voix.

— En provenance du F.C.R. ? dit Scot incrédule. Vous êtes sûr ?

— Absolument certain. La demande était en cours avant la diffusion du reportage de C.N.N., alors que la nouvelle de l'enlèvement n'avait pas encore filtré. Ça ne laisse pas le moindre doute.

— *En cours* ? Que voulez-vous dire par *en cours* ? Le regard de Scot passait du directeur au général.

— Un courrier est arrivé ce matin sur mon bureau par valise diplomatique express, reprit le directeur. Un courrier muni des codes d'accès nécessaires pour me parvenir directement. Le bureau de Salt Lake et son agent spécial étaient indiqués comme expéditeurs. Voici des copies de ce qu'il contenait.

Il sortit trois feuilles de la chemise cartonnée posée sur ses genoux et les tendit à Scot.

— La première page, comme vous voyez, est un polaroïd du Président. On le voit mal sur cette photocopie mais ses yeux sont vitreux et, apparemment, il est inconscient. Vous remarquerez aussi qu'il ne porte pas de gants. Le journal placé entre ses mains est un exemplaire de *Salt Lake Tribune.*

Scot acquiesça.

— Page deux, poursuivit le directeur, une photocopie du même journal. Le labo du F.B.I. a vérifié qu'il s'agissait bien des empreintes du Président. Aucune autre n'a été repérée jusqu'à présent. Page trois enfin, la lettre des kidnappeurs eux-mêmes. Sans empreinte non plus, bien sûr.

Le regard effaré de Scot tomba sur l'en-tête du papier puis remonta jusqu'au directeur.

— Oui, confirma ce dernier. Le papier vient de l'hôtel Best Western à Park City, celui-là même qui héberge aussi la moitié de nos hommes. On est en train de vérifier. De son côté, le F.B.I. essaie de remonter le trajet de la valise diplomatique. Sans trop d'espoir, à mon avis. Lisez le texte, maintenant.

Harvath obtempéra.

Monsieur Jameson, directeur des Services secrets,

La honte de votre pays repose sur vos épaules en ce jour de victoire. Voici le prix que paye l'Amérique pour ses mensonges, ses trahisons et l'injustice propagée dans le monde. Ce jour est un grand jour pour l'Islam et marque le début de la chute du Grand Satan.

Scot releva les yeux, rendit le papier au directeur.

— Que disent les analyses graphologiques ?

— Rien de concluant. La C.I.A. au Moyen-Orient ne reconnaît pas la phraséologie habituelle. On ne sait pas non plus si l'auteur est un homme ou une femme. Certaines rondeurs dans les lettres indiqueraient une femme, mais la syntaxe fait pencher pour un homme. On est en train de vérifier avec les bases de données des différentes menaces reçues au cours des quinze dernières années. Nous avons aussi sollicité l'aide du Mossad, qui connaît bien Abou Nidal et le F.C.R.

— Je ne vois toujours pas pourquoi vous liez ça au F.C.R., dit Scot. Ça pourrait être n'importe qui.

En réponse, le directeur sortit de sa poche un petit magnétophone :

— Comme je vous l'ai dit, nous avons reçu *des* demandes. Cet appel est arrivé au F.B.I. ce matin vers onze heures trente. Là encore sur une ligne directe. L'une des voix a été maquillée. Je crois que vous reconnaîtrez l'autre.

Jameson appuya sur *play* et, après quelques secondes, la voix de Gary Lawlor se fit entendre.

— Lawlor.

— Le directeur adjoint Lawlor ? fit la voix encryptée.

— C'est ce que je viens de dire. Qui parle ?

Un bruissement se fit entendre, qu'Harvath interpréta comme un mouvement de Lawlor pour tracer l'appel.

— Qui nous sommes n'importe pas, monsieur Lawlor. Qui nous avons est ce qui compte. Vous savez qui est en notre possession, monsieur Lawlor ? Vous avez eu vent de l'enveloppe envoyée à votre directeur ?

— Je parle à toutes sortes de cinglés depuis ce matin, vous savez. Si vous en veniez au but ?

— Nous voulons un signe de bonne foi de votre part avant de commencer à négocier la libération de votre Président.

— Quel genre de signe ?

— Les États-Unis d'Amérique détiennent deux martyrs de l'Islam, Fawad Asa et Ali Amhed Raqim. Premièrement, nous exigeons leur libération et leur envol pour Tripoli. Nous exigeons, deuxièmement, que le gouvernement égyptien libère immédiatement les avoirs bancaires de l'organisation Abou Nidal qui ont été gelés dans ce pays à hauteur de quatre millions de dollars. Nous vous recontacterons une fois ces conditions remplies.

— Ça risque de prendre un certain temps. Nous n'avons aucune autorité sur le gouvernement égyptien. Quelle preuve avons-nous que le Président est vivant ?

— Aucune.

Il y eut le déclic d'interruption de la communication, puis le silence. Dans la voiture, Scot fixait tour à tour les deux hommes.

— Alors c'est ça l'histoire ? Le F.C.R. nous fait chanter pour que nous les aidions à reconstituer leur organisation ? Est-ce que nous allons céder ?

— Pas selon le vice-Président Adam Marshfield, dit le directeur. C'est lui qui dirige en ce moment. Depuis la demande officielle de rançon, le cabinet présidentiel s'est réuni, conformément à l'article vingt-cinq de la Constitution, pour appointer Marshfield. C'est maintenant notre Président intérimaire. Ce qui fait aussi de lui le commandant en chef des forces armées.

— Shaw doit passer un sacré moment en sa compagnie, dit Scot.

Marshfield était perçu par le grand public comme un politicien avisé, et c'est parce qu'il était populaire que Jack Rutledge l'avait nommé au poste de vice-président. Mais ceux qui le connaissaient, et connaissaient les coulisses de la politique washingtonienne, savaient tout de son narcissisme comme de sa capacité à manipuler son entourage et les médias.

— Monsieur, demanda Scot, comment pensez-vous que les kidnappeurs ont obtenu vos codes d'accès et la ligne directe de Lawlor ?

— À votre avis ?

— Une source à l'intérieur des Services, dit Scot sur le ton de l'évidence. Et cette même source leur a sans doute fourni nos fréquences de communication dans la montagne.

Le directeur hocha lentement la tête.

— C'est ce que je pense aussi, dit le général. J'ai consulté votre dossier agent Harvath. Très impressionnant. Je connais vos états de service du temps des SEAL et j'imagine à quel point vous devez être affecté par la perte de vos hommes.

— Merci monsieur, dit Scot. Ça me va droit au cœur.

— Quel est votre sentiment sur cette affaire ?

— Eh bien mon général, au début, quand on a trouvé le cadavre d'un homme du Moyen-Orient sur place, j'ai pensé qu'un groupe issu de cette région n'aurait jamais pu parvenir à s'infiltrer jusque dans les montagnes de l'Utah sans être repéré.

— Pourquoi ça ?

— Mon général, durant tout mon séjour sur place, je n'ai vu en tout et pour tout que trois afro-américains, et ils étaient tous membres des Services. L'Utah est l'un des états les plus blancs de ce pays. Des hommes du Moyen-Orient se feraient immédiatement repérer.

— Mais il y en avait au moins un. Nous avons son cadavre.

— J'y crois encore moins. Surtout avec un fusil Skorpion entre les mains. Nous avons un sniper, un tireur professionnel équipé d'une arme défensive qui est tout sauf efficace dans ces circonstances mais dont la présence nous aide à nous orienter vers le Moyen-Orient. Ça ressemble, selon moi, à une tentative de manipulation.

— Qu'est-ce que l'arme vient faire là-dedans, puisque nous avons son corps, demanda le général.

— Peut-être rien. Mais pourquoi l'avoir laissé sur place ? Ils devaient savoir que nous serions capables de l'identifier.

— Pas sûr, intervint le directeur. Il était enfoui sous l'avalanche. Nous n'avons trouvé son corps que par hasard.

— C'est vrai, admit Scot. Mais vous me demandez mon sentiment, je vous le donne.

— Supposons pour un instant que le F.C.R. ait décidé de frapper un grand coup pour renaître de ses cendres, dit le général. Quelque chose de plus fort que le onze septembre.

— Je n'y crois pas. Une opération de cette envergure inclurait des années de préparation, une formation au ski et à l'alpinisme digne des champions olympiques, sans parler de l'entraînement militaire en conditions hivernales. Vous imaginez ce que ça représente ? Et nous avons le système de brouillage coréen, les fuites en provenance des Services... Non. Nous avons affaire à quelque chose de complètement inconnu, de complètement étranger au Moyen-Orient. Et d'infiniment plus efficace.

— Dans ce cas, pourquoi un message de ce genre ? Pourquoi demander la libération de militants islamistes et la récupération de l'argent gelé par l'Égypte ?

— Ça n'a aucun sens, reconnut Scot. Je ne sais pas. Rien n'est logique dans cette histoire, et c'est ce qui me rend le plus nerveux.

Le général acquiesça.

— Qu'en pensez-vous, Stan ?

Le directeur avait rangé les photocopies et se massait les tempes.

— Oui. Je ne sais pas. La précision, la préparation de tout ceci – c'est ce qui est vraiment effrayant. Je commence à me demander si l'opération de ce soir est une si bonne idée.

— Quelle opération ? demanda Scot.

— Le F.B.I. est parvenu à tracer l'appel téléphonique. Le vice-président a donné son feu vert à une équipe des opérations spéciales pour tenter une libération.

— Mais ils ne peuvent pas avoir déjà les informations nécessaires, dit Scot. Ils ne savent pas du tout où ils vont mettre les pieds.

— C'est bien ce qui m'inquiète. Et l'opération commence dans deux heures.

29

La salle des opérations de la Maison-Blanche bruissait de l'activité dirigée essentiellement par le chef de cabinet du vice-président, Edward DaFina.

Harvath, qui avait été admis au briefing avec le général, passa les deux heures à écouter les discussions sur le degré de fiabilité des informations reçues, les techniques d'infiltration, d'extraction et de camouflage des hommes du commandement uni des opérations spéciales, lesquels se trouvaient soutenus, en l'occurrence, par les services de renseignements israéliens.

Les avancées récentes dans le domaine de la sécurité et des communications au sein de la Maison-Blanche avaient pratiquement transformé la salle des opérations en centre de commandement opérationnel d'où la mission serait supervisée. Marshfield se trouverait donc en position de chef absolu, assis en bout de table, au vu de tous, dans l'épais fauteuil de cuir du Président kidnappé, ce qui ne serait pas pour lui déplaire.

Les directeurs de la C.I.A., du F.B.I. et des Services secrets n'avaient accepté une telle organisation qu'avec réticence – et avec l'assurance que le quartier général de la C.I.A. ainsi que celui de la N.S.A. resteraient en contact direct permanent avec la salle des opérations. Aux yeux des experts des services, le système de secours de la Maison-Blanche, censé pallier à une éventuelle déficience des communications satellites, n'était en effet pas entièrement fiable.

Harvath entra dans la salle à la suite du général Venrick et jeta un regard circulaire sur les personnes présentes. En plus des directeurs d'agences, de leurs aides et de plusieurs membres du gouvernement et de l'armée qu'il ne connaissait pas, il aperçut quelques unes des huiles du commandement uni des opérations spéciales, qu'il salua d'un geste de la tête.

Autour de la longue table en bois, il y avait aussi Gary Lawlor et une seconde personne. Une voix dit :

— Qu'est-ce qu'il fout ici ?

Scot crut une seconde que la réflexion venait de Lawlor. Puis il aperçut un groupe d'hommes debout à qui le général disait :

— L'agent Harvath peut être un atout pour cette opération et je lui ai demandé de se joindre à nous.

— Pour autant que je sache, Harvath n'est au service que de lui-même. Du moins quand il ne se loue pas à C.N.N.

L'homme qui parlait fit un pas de côté et Scot l'identifia enfin. Edward DaFina.

— Vous ne le savez pas plus que moi DaFina, intervint Jameson. L'affaire C.N.N. est en cours d'investigation.

— Corrigez-moi si je me trompe, mais les Services secrets ont bel et bien réussi à perdre le Président, non ? N'est-ce pas pour ça que nous sommes là ?

— Monsieur le chef de cabinet, intervint Scot. Je connaissais personnellement chacun des hommes qui sont morts en essayant de protéger le Président et sa fille. Et il s'en est fallu de peu que je n'y reste moi-même. Je crois que vous n'avez pas la moindre idée de ce que nous avons subi, ou même de ce que nous devons affronter tous les jours. Je vous suggère donc de cesser vos commentaires désobligeants et d'en venir au fait. Si vous avez quelque chose à dire.

Gary Lawlor, de son côté, suivait la conversation. Il secoua la tête. Voyant Harvath entrer en compagnie du chef des Services secrets et du général Venrick, il n'en avait pas cru ses yeux – le gamin avait autant de vies qu'un chat. Quelqu'un, d'une manière ou d'une autre, avait décidé de lui donner une chance de plus et il s'efforçait déjà de la bousiller. À ce stade, Lawlor n'avait aucune intention d'aider son ancien protégé.

— Ce que j'ai à dire, agent Harvath, rétorquait pendant ce temps DaFina, c'est que vous et votre agence aviez une mission à remplir et que vous avez échoué. Et cela, misérablement. Quant à vous, personnellement, pour aggraver les choses, vous avez mis à sac trois précieuses scènes de crime. Jusqu'à ce qu'on me prouve le contraire, vous avez aussi communiqué à la presse.

— Rien de tout ceci n'a à voir avec ce pour quoi nous sommes ici, intervint le général, et chacun se tourna vers lui. Nous avons demandé à l'agent Harvath de se joindre à nous en raison de sa grande expérience dans le domaine de la lutte contre le terrorisme. Et avec l'espoir qu'étant l'un des seuls survivants du kidnapping, il pourrait nous aider à jeter un peu de lumière sur tout ceci et sur ce que nous allons tenter de faire.

— Mais nous n'allons pas tenter, général, dit DaFina. Nous allons le faire. Je suis surpris que vous ayez si peu de foi en notre succès. D'autant que vous avez été associé à toutes les prises de décision, je vous le rappelle.

— Effectivement, mais...

— Vous avez vous-même exigé l'action la plus rapide.

— À condition d'avoir des informations fiables, oui.

— Fiables ? Nous avons la preuve que le Président est détenu par un groupe exigeant la libération de militants islamistes en relation avec le F.C.R. Nous avons la traçabilité de l'appel demandant la rançon par le F.B.I. et sa location précise. Qu'est-ce qu'il vous faut de plus ?

Ce fut Scot qui répondit :

— Comment savons-nous que le Président se trouve là où a été passé le coup de fil ?

— Le Mossad a des informations en provenance du Liban, et les Syriens...

— Les Syriens ? C'était au tour du chef de la C.I.A. d'intervenir. Vous avez contacté les Syriens sans nous consulter ?

— Le vice-président Marshfield a personnellement appelé le président syrien, et d'autre part...

— Vous ne savez pas ce que vous faites, dit l'homme de la C.I.A. et Scot renchérit :

— S'agit-il d'une opération de sauvetage ou d'une opération de communication au bénéfice du vice-président ? Ou encore d'un coup politique syrio-israélo-américain ? Vous comptez tirer un maximum de profit de tout ça, non ?

— Vous êtes fou, répondit DaFina le fixant avec un regard incrédule. On dirait que vous ne voulez pas voir le Président libéré.

— Je veux voir le Président libéré, mais sans sacrifier de vies supplémentaires chez nous si on peut l'éviter.

— Un objectif fort louable, fit une voix venant de la porte.

Tous se tournèrent vers Adam Marshfield qui entrait dans la pièce.

— Bonsoir à tous, ajouta-t-il.

Un chœur lui répondit. Chacun prit place autour de la table tandis que le vice-président s'asseyait au bout.

— Messieurs-dames, ne perdons pas un temps précieux. Le général Venrick, commandant du commandement uni des opérations spéciales est maintenant en charge. Général ?

Le général se leva.

— Merci, monsieur le vice-président. Comme vous le savez tous, les éléments en notre possession indiquent que le Président serait détenu par l'organisation d'Abou Nidal, le F.C.R., qui se dit prêt à le relâcher contre la libération de deux militants islamistes et la réouverture de comptes bancaires gelés en Égypte. Nos tentatives d'obtenir des informations complémentaires sur ce groupe ont malheureusement échoué. Ce que nous savons, c'est que l'appel des kidnappeurs, reçu par le F.B.I., a pu être tracé jusqu'à un immeuble, aux environs de Saïda, sur la côte sud du Liban. Les renseignements en provenance des israéliens confirment que cet immeuble appartiendrait au F.C.R. Mais le Mossad n'a pas donné de précision à ce sujet, ce qui est troublant.

— Troublant ? répéta le vice-président en levant les sourcils.

— Oui, monsieur. La surveillance satellite, la seule que nous soyons parvenus à mettre en place jusqu'à présent, n'a pas été sans problèmes techniques. Le Mossad, de son côté a des agents dans Saïda même et aux alentours mais le temps a manqué pour conduire l'enquête à son terme.

— Général, je ne comprends pas. Vous avez vous-même insisté pour intervenir aussi vite que possible, n'est-ce pas ?

A la question posée par le vice-président, DaFina se renversa dans sa chaise avec un air de profonde satisfaction.

— Oui monsieur, dit le général.

Êtes-vous en train de vous raviser ?

— Monsieur, je crois qu'agir alors que nous sommes en possession d'informations qui n'ont pas été vérifiées, peut avoir des conséquences dramatiques. Nous exposons non seulement les vies de nos hommes, mais aussi possiblement celle du Président lui-même. Pour autant qu'il soit dans l'immeuble.

— Parce que vous pensez qu'il n'y est pas ? Pourquoi ne pas me l'avoir dit plus tôt ?

— J'ai tenté de le faire, monsieur. J'en ai été empêché par votre chef de cabinet, monsieur DaFina, ici présent.

Marshfield posa les yeux sur DaFina.

— Est-ce vrai ?

— Monsieur le vice-président, les quarante-huit dernières heures ont été un enfer pour tout le monde. Si le général avait un problème, je ne vois pas pourquoi il n'est pas venu directement à la Maison-Blanche le partager avec vous.

— Monsieur le vice-président, reprit le général, même la meilleure technologie n'a pas pu nous renseigner sur ce qui se trouve ou ne se trouve pas, dans cet immeuble.

— Et cela vous préoccupe parce que...

— Parce que nos hommes vont agir à l'aveugle.

— On tourne en rond, dit DaFina.

Le vice-président l'interrompit d'un geste de la main.

— Général reprit-il, êtes-vous en possession d'informations indiquant que le Président pourrait *ne pas* se trouver dans l'immeuble ?

— Non monsieur. Le fait est que nous ne sommes sûrs de rien. Et après plusieurs discussions avec l'agent Harvath...

— L'agent Harvath ? L'agent Harvath est-il membre du commandement uni des opérations spéciales ?

— Non monsieur. Mais son expérience dans le contre-terrorisme y compris au sein du commandement uni des opérations spéciales...

À nouveau le vice-président leva la main, cette fois pour réduire le général au silence.

— Agent Harvath, y a-t-il quelque chose que vous voudriez dire ? Je suis sûr que cela nous éclairerait tous, étant donné ce que nous savons déjà.

Harvath, ignorant le sarcasme, se leva tandis que le général se rasseyait.

— Merci monsieur le vice-président, dit-il. Je dois vous dire que je suis en plein accord avec le général.

— Et pourquoi cela ?

— Il y a des éléments dans cette histoire qui n'ont aucun sens. Nous croyons faire des progrès mais la vérité est que les kidnappeurs nous devancent à chaque fois. Ils ont anticipé jusqu'à présent chacun de nos pas. Par ailleurs, ils ont montré une telle sophistication et une telle préparation que je serais très surpris qu'ils se laissent repérer de cette manière.

Il vit Lawlor incliner imperceptiblement la tête.

— Et vous avez partagé vos vues avec le général Venrick ? demanda le vice-président.

— Oui, à l'exception de la traçabilité de l'appel. Je n'ai songé à cela qu'en arrivant ici.

— Agent Harvath, je repose la question : avez-vous des éléments indiquant que le Président puisse ne pas se trouver dans cet immeuble ?

— Non monsieur.

— Et avez-vous songé aux conséquences si nous passons à côté de l'opportunité d'en finir ce soir avec cette affaire, si demain le Président est déplacé dans un autre lieu, si les kidnappeurs ne nous recontactent pas ?

— Non monsieur.

— Et même si nous ne trouvons pas le Président ce soir, avez-vous songé aux informations que nous sommes susceptibles de récolter si nous pouvons arrêter certains membres du F.C.R. en lien avec les kidnappeurs ?

— Non monsieur.

— Il semble, agent Harvath, qu'il y ait un certain nombre de choses auxquelles vous n'avez pas songé. Je propose donc que nous procédions comme prévu.

Scot étouffa une réponse qui ne pouvait lui attirer que plus d'ennuis et saisit la carafe d'eau sur la table pour se remplir un verre. Il avala deux cachets de Tylenol. La nuit s'annonçait fort longue.

30

L'air humide et chaud de la nuit pesait sur la côte libanaise. La mission, baptisée « Retour rapide », avait bien commencé. Juste après deux heures du matin, l'équipe des Opérations Spéciales composée d'hommes des SEAL détachés d'une base de l'OTAN dans le golfe Persique, avait embarqué sur un petit bateau de pêcheurs.

À Washington, à l'abri dans la salle de contrôle, Scot Harvath savait tout des sentiments qui agitaient les hommes qu'il pouvait voir sur l'écran. Son propre cœur battait la chamade, et il sentit monter l'adrénaline en entendant la voix du chef d'équipe donner le signal, portée par le satellite depuis l'autre bout du monde.

— Jonah, ici Ishmael. Ça ne mord pas. On avance.

— Rien dans les filets pour l'instant, fut la réponse du commandement uni des opérations spéciales. Bonne pêche.

Harvath le savait d'expérience : n'importe où maintenant à cent ou deux cents mètres au large, selon les conditions, les hommes allaient silencieusement glisser dans l'eau. À l'aide de leur couteau, ils perceraient le canot gonflable en sorte que son moteur hors-bord l'entraîne par le fond sans laisser de trace.

Tous les regards étaient fixés sur la série d'écrans stratégiquement dispersés sur les murs de la salle de contrôle. Des écrans individuels étaient, en plus, disposés autour de la table devant chaque siège. Provenant du centre de commandement, des informations sur la mission sortaient des haut-parleurs installés au plafond, prêtes à être interrompues à la moindre intervention des hommes sur le terrain.

Scot nota de surcroît les ordinateurs portables posés sur les genoux du général et du directeur de la C.I.A.. Ils étaient connectés aux lignes de communication de la Maison-Blanche. Chacun d'eux restait en contact permanent avec ses bureaux et ses sources d'information.

Harvath fixait intensément les écrans sur le mur, considérablement plus larges que le petit moniteur placé devant lui.

Chacun des hommes était muni d'une caméra à fibre optique équipée pour la prise de vue nocturne qui transmettait l'intégrale de son champ de vision au centre de commandement. Le plus grand des écrans montrait quant à lui les images collectées par un réseau satellite-espion de la N.S.A. que l'on surnommait le Chaperon. C'était un système de reconnaissance hautement sophistiqué conçu pour récolter le maximum de données et aider aux opérations clandestines nocturnes. Ses capacités dépassaient tous les autres systèmes existants. L'image principale montrait la plage vers laquelle nageaient les membres du commando. Dans l'angle bas, à droite, l'écran envoyait ce qu'Harvath supposait être l'objectif de l'opération – l'immeuble du F.C.R..

Une fois sur la terre ferme, le commando devrait marcher un peu plus d'un kilomètre jusqu'à un camion et deux conducteurs qui les attendraient et les conduiraient à quelques blocs de leur cible.

Dans la salle de contrôle où nul ne parlait, on n'entendait que les données tombant des haut-parleurs et les bips intermittents des satellites qui donnaient à la pièce une atmosphère proche d'une salle de contrôle de la NA.S.A., comme s'ils attendaient le retour d'une capsule spatiale.

Sur les écrans, le commando traçait maintenant son chemin depuis la plage vers le camion, et le temps semblait suspendu.

Un autre moniteur, dans un coin de la pièce, montrait l'intérieur du centre de commandement du commandement uni des opérations spéciales, où des rangées entières de techniciens étaient disposées en gradin comme dans un amphithéâtre, face à un mur d'écrans ; les plus importants assis au dernier rang, tout près des chefs du commandement uni des opérations spéciales.

Les lunettes de vision nocturne dont chaque membre du commando était équipé étaient de petits ordinateurs, dont le terminal apparaissait dans un coin des verres sous la forme d'un petit écran. Le chef de groupe pouvait voir à volonté le champ de vision de chacun de ses hommes tel qu'il était reproduit par les caméras à fibre optique, et qui servait aussi à la transmission d'informations comme des cartes directionnelles ou des images en provenance du Chaperon.

Harvath observait les visages concentrés des hommes des SEAL. Le niveau de précision était incroyable. Ça n'avait rien de comparable avec ce qu'il avait lui-même connu et qui pourtant, à l'époque, lui avait semblé digne de la science-fiction.

« Une minute », fit la voix dans le haut-parleur tandis que la petite image indiquant l'objectif sur l'écran du Chaperon envahissait tout l'écran et que la précédente était réduite à une vignette.

Ils virent le camion déboucher sur une rue de buildings décrépits entourés par le désert, puis ralentir.

— Jonah, ici Ishmael. On arrive en vue de la baleine. *Over.*

— Bien compris. *Roger.*

Le chef du commando donna l'ordre. Un par un les SEAL sautèrent du camion, roulèrent sur eux-mêmes et disparurent à couvert.

Le son du camion s'évanouit bientôt, faisant place dans la rue à un silence absolu. Des patrouilles de défense civile et policière faisaient des rondes sporadiques dans le quartier. Le commando prit le temps d'étudier la zone par caméra interposée avant de bouger. Puis, leurs MP10 silencieux prêts à l'action, chaque membre ayant l'objectif en tête, les points de fuite ayant été repérés, deux retraites possibles, ils se mirent en route dans la rue défoncée et jonchée de décombres.

Ils avançaient prudemment, se figeaient au moindre son. Arrivés tout près de leur objectif ils s'apprêtèrent, comme prévu, à se séparer. À la demande insistante du général Venrick, les Israéliens ne devaient servir que d'aide d'appoint et de reconnaissance, l'assaut ne devant être donné que par le commando lui-même.

— Ishmael, ici Jonah. Nous sommes prêts à entrer dans la baleine. Pouvez-vous nous donner un rapport de situation ? *Over.*

— *Roger*, Jonah. Tout est clair pour Chaperon.

Harvath pensa *trop clair* mais ne dit rien. Si le F.C.R. cachait le Président dans cet immeuble, la logique aurait voulu qu'il soit lourdement gardé. À moins qu'ils n'aient pas voulu attirer l'attention ? Étrangement, les satellites avaient pu montrer des gens entrant et sortant de l'immeuble, mais ils avaient été incapables de percer ces murs de briques et de terre qui ne résistaient pas normalement à une technologie pareille. L'immeuble semblait avoir été protégé par des matériaux particuliers.

— Jonah, dit soudain le général comme s'il avait suivi les pensées de Harvath, ici Le Vieux. Êtes-vous en position de donner des précisions sur la peau de la baleine ? A-t-elle quelque chose de spécifique ?

— Négatif, fut la réponse. Elle a l'air comme les autres.

— Jonah, vous pouvez jeter votre pain à l'eau.

— Bien compris.

D'un geste, le chef du commando donna l'ordre à deux de ses hommes qui se précipitèrent aussitôt à l'arrière de l'immeuble. Deux autres se plaquèrent contre les murs de la maison adjacente. Non moins rapidement, les quatre membres restant se positionnèrent devant la porte de l'habitation qui faisait face à la cible.

La porte était ouverte, telle que les Israéliens l'avaient laissée. Ils entrèrent l'arme au poing, balayèrent rapidement le rez-de-chaussée, puis le premier étage. Ils cheminèrent ensuite vers le toit. Avec lenteur, le leader du commando souleva la trappe et se hissa dehors. Comme il n'y avait pas de danger immédiat, il prit le temps de changer ses lunettes contre une paire plus puissante qu'il sortit de son sac. Tout semblait calme. Il quitta son abri et rampa jusqu'à l'angle sud-est du toit.

De là, il posa ses lunettes sur le parapet en les dirigeant vers l'objectif. L'image parvint au commandant en second qui fit le signe que tout était clair.

L'homme qui s'identifiait comme Jonah récupéra les lunettes, se glissa vers le coin du toit, se hissa doucement au-dessus du parapet. L'immeuble semblait parfaitement calme. Les hommes du F.C.R. étaient soit ultra-confiants, soit ultra-stupides.

Il rampa de nouveau vers la trappe, remit en place ses lunettes de vision nocturne et signala au sniper du commando que tout était en ordre. Ce dernier, un homme de vingt-cinq ans, redoutablement musclé et précis, sortit de la trappe, roula sur le toit et prépara son arme.

C'était un Walther WA2000 silencieux, équipé de balles .300 Winchester Magnum. Sa prise était celle d'un pistolet, l'arrière dessiné sur mesure, et il était pourvu de coussinets pour la mise en joue. Avec un tel engin, même sans la lunette Leupold nocturne et le laser de portée dont il était équipé, il n'y avait pas grand-chose que le tireur puisse manquer. Un canon spécial, cannelé de manière à réduire les vibrations, était fixé sur l'arme, facilitant la rotation de la balle vers sa cible.

Jonah et les deux hommes qui l'accompagnaient devaient procéder à l'assaut frontal. Ils sortirent de la maison où le sniper avait été installé et tracèrent leur chemin dans la rue déserte.

Les éléments-clés de la mission étaient rapidité, surprise, et force écrasante. Tout en approchant de l'immeuble, Jonah ajusta la vision de ses lunettes pour observer le toit. Il nota à chaque coin des couches de ce qui ressemblait à du plomb recouvert d'un mélange de plâtre et de terre. Il scanna le périmètre, ne vit rien de notable, pas même un chien.

— Ishmael, ici Jonah.

Sa voix était un murmure parfaitement rendu par le micro.

— Tout est *très* calme. Distinguez-vous le moindre mouvement ?

— Négatif, Jonah. *Go* quand vous voulez.

Deux membres du commando franchirent la cour cintrée, escaladèrent le mur commun pour rejoindre le toit adjacent sans être repéré.

— Alpha, dit le sniper, ici Chien de Garde. Je vous ai dans ma ligne de mire. Tout est clair.

— Ok, répondit Alpha.

Maintenant qu'Alpha était en position, Jonah dit dans le micro :

— Alpha, la peau de la baleine risque d'être plus dure que prévue. Vérifiez. J'ai besoin d'une estimation aussi vite que possible.

— *Roger* Jonah.

Avec précaution, testant à chaque pas les points faibles du toit fragile sur lequel ils marchaient, les deux hommes franchirent l'espace qui les séparait de l'objectif.

— Jonah, ici Alpha dit la voix au bout d'un instant. Il semble que l'entrée du toit soit en métal assez épais mais les charnières sont à l'extérieur. Je crois qu'avec un peu de colle, on pourrait y faire une brèche.

La *colle* était le nom de code d'une pâte acide en tube fabriquée spécialement pour les commandos en prévision de ce genre de situation. Presque aucun métal n'y résistait plus de quelques secondes.

— Ok. Alpha on y va dans une seconde, dit Jonah. Bravo, êtes-vous en position ?

— *Roger*. Prêt à bouger.

Jonah et ses hommes se glissèrent sous les fenêtres de la maison jusqu'à la vieille porte en bois.

— Chien de garde ? Vous tenez la porte au cas où.

— Je vous couvre.

— Alpha ?

— On y est presque.

— Ok. Attention. On agit comme prévu. Rapide et brutal. Tout le monde ok ?

— Bravo *Roger*.

— Alpha *Roger*… On est prêts pour la fête. À votre signal Jonah. *Over*.

Dans la salle de contrôle les hommes retinrent leur souffle.

— Ok. À mon commandement. Tireurs, prenez vos positions. Lanceurs, préparez les grenades aveuglantes. À cinq… quatre… trois… deux… un. Maintenant !

Avec une synchronisation parfaite, chacun des hommes du commando atteignit son point d'entrée. Ils lancèrent les grenades et, immédiatement après, s'engouffrèrent dans l'immeuble.

Ce qu'ils ne virent jamais fut l'explosion blanche qui apparut alors sur les écrans de Chaperon, à l'instant où la rue toute entière et la maison dans laquelle ils venaient d'entrer, étaient réduits en cendres.

31

À la seconde précise où le satellite Chaperon montrait l'explosion, les images envoyées par les caméras de nuit des SEAL disparurent des moniteurs. *Off line* apparut sur les écrans noirs.

Il y eut un instant de choc et de silence. Puis, rapidement, une activité frénétique.

Scot regardait les hommes aller et venir, hurler au téléphone, raccrocher et composer aussitôt un autre numéro dans l'espoir de comprendre ce qui venait de se produire.

— ... Nous avons pu nous rendre compte de ça ici, disait près de lui le général Venrick. Apparemment de très forte ampleur, oui... Au moins un ou deux pâtés de maisons surveillés par Chaperon... Pouvez-vous confirmer la situation du commando ?... Et les Israéliens ?... Bon Dieu... Un seul... Essayez d'avoir confirmation... Bien sûr... Contactez-les et revenez vers moi aussitôt que possible. Et analysez les images. Je veux les dernières minutes au ralenti. Négatif. On ne bouge pas avant d'en savoir plus.

En raccrochant, il échangea avec Scot un regard écœuré. Tous deux avaient eu raison dès le début et le savaient.

Les images au ralenti arrivèrent bientôt sur les écrans depuis le centre du commandement uni des opérations spéciales. De temps à autre, tout en visionnant, le général passait ses instructions par la ligne intérieure, demandant l'arrêt sur certaines, en repassant d'autres plusieurs fois de suite. Dans les semaines et les mois qui allaient suivre, une équipe d'experts militaires les disséquerait grain à grain pour tenter de déterminer le nombre exact de détonations, leur localisation et le type d'explosif utilisé. Pour le moment, il ne s'agissait que d'essayer de reconstituer la séquence de la façon la plus précise possible.

On voyait clairement que chacune des équipes d'assaut avait eu le temps de franchir son point d'entrée, de lancer ses grenades aveuglantes. Les hommes avançaient vite, sécurisant les pièces une à une à leur niveau. D'étranges silhouettes de ce qui ressemblait à des hommes endormis apparaissaient alors au sol. Le commando s'approchait d'eux pour leur passer des menottes anti-émeute et c'est à ce moment précis que se produisait l'éclair blanc qui interrompait tout. Quant à la caméra du sniper posté sur le toit mitoyen, elle n'était d'aucune aide ou presque. Pour s'assurer d'une large vision, il avait manifestement posé ses lunettes sur le dessus de son paquetage. Le film durait quelques secondes supplémentaires avant de s'interrompre également. Quel que soit l'explosif utilisé, il avait dû être extrêmement puissant.

Nul n'avait noté, au milieu du chaos, la sonnerie de la ligne présidentielle. DaFina décrocha et d'un « stop » tonitruant intima le silence général. Tout le monde se figea. Le visage de DaFina était couleur de cendres.

— Comment avez-vous eu ce numéro ? l'entendit-on demander.

Lawlor savait exactement qui se trouvait à l'autre bout du fil. Il saisit le téléphone devant lui, composa un numéro, donna, sitôt qu'on eut décroché, son nom, son mot de passe, et tout de suite l'ordre de tracer l'appel.

— Impossible, dit son interlocuteur.

— Comment ça impossible, vous plaisantez ? C'est une question de sécurité nationale.

— Gary, murmura Sorce, le directeur du F.B.I. en lui saisissant le bras, on ne peut retracer aucun appel en provenance ou vers le centre de commandement. C'est impossible. Toute la pièce est étanche pour des raisons de sécurité.

Lawlor le fixa sans rien dire.

— Il veut être mis sur haut-parleur, disait pendant ce temps DaFina à la cantonade. Comment est-ce que je fais ça ?

Deux boutons enclenchés plus tard, la voix électronique déjà familière à Lawlor résonna dans toute la pièce :

— Bonsoir messieurs. Je suppose que votre vice-président est présent ?

DaFina glissa le téléphone vers Marshfield :

— C'est lui qui vous parle, dit ce dernier. Qui est à l'appareil ?

— Je crois que vous savez très bien qui vous parle. Avez-vous apprécié le spectacle, monsieur ?

— Où est le Président ? demanda Marshfield.

— En lieu sûr et en sécurité.

— Comment le savons-nous ?

— Je crois que nous vous avons donné toutes les garanties nécessaires prouvant que nous le détenons et que nous vous sommes supérieurs y compris sur un plan militaire. Vous devriez nous faire confiance à ce stade.

— Que voulez-vous de nous ?

— Tout d'abord être pris au sérieux. Vous avez compris que je savais que mon appel était tracé lorsque j'ai appelé le F.B.I.. Vous ne devez pas me sous-estimer. Ce faisant, vous m'obligez à vous prouver de nouveau les choses et vous en payez un prix élevé. Il est temps pour vous de coopérer.

— Que voulez-vous ? répéta le vice-président. Tous les yeux étaient maintenant fixés sur lui.

— Je veux que mes hommes soient immédiatement relâchés.

— Les U.S.A s'opposent par principe à toute négociation avec un mouvement terroriste. Les hommes dont vous parlez ont le sang d'Américains innocents sur les mains.

— Il n'y a pas d'Américains innocents, rétorqua la voix. Combien d'innocents sont tués chaque jour au Moyen-Orient à cause de la politique américaine ?

Plusieurs personnes dans la salle faisaient signe au vice-président de se taire. Il les ignora :

— Je vais vous proposer quelque chose, dit-il...

— Vous n'êtes pas en position pour ça, dit la voix. C'est nous qui vous proposons un marché si vous voulez revoir votre président. Libérez nos deux hommes et parvenez à convaincre l'Égypte de débloquer l'argent qui nous appartient. Immédiatement !

Sur quoi la ligne fut interrompue.

Lawlor coula un regard vers son patron :

— Un sacré négociateur, persifla-t-il.

Le directeur du F.B.I. ne répondit pas. Tout le monde dans la pièce, il le savait, pensait la même chose.

32

À présent, la salle de commandement se vidait lentement, les techniciens étaient visiblement en état de choc, aussi découragés par la perte du commando que par l'attitude du vice-président.

Et bientôt il ne resta plus autour de la table que les directeurs du F.B.I., de la C.I.A., Gary Lawlor et Scot, que Jameson avait discrètement retenu.

— Il semble que votre instinct ait été juste, lui dit ce dernier.

— Non que ça ait servi à grand-chose, répliqua Scot. Les hommes sont morts.

— Ce que j'aimerais savoir, disait Lawlor, c'est comment ces types ont si facilement accès à nous.

Le verrou de la pièce claqua, suivit du chuintement de la porte capitonnée, et DaFina entra de nouveau, cette fois pour récupérer un dossier qu'il avait oublié. Tout le monde se tut.

— Qu'est-ce qui se passe, lâcha-t-il en regardant les hommes muets et immobiles autour de la table, vous n'avez rien à faire ?

Vaile fut le plus rapide à répondre :

— DaFina, mon vieux, ce que nous avons à faire et comment on le fait, ce n'est pas de votre ressort.

Même Harvath était surpris. Vaile passait pour l'un des directeurs les plus diplomates de toute l'administration.

— Je serais étonné que le vice-président le voit ainsi, répliqua DaFina. Quant à vous, Harvath, poursuivit-il en se tournant vers lui, je n'en ai pas encore fini. Est-il exact que l'agent

Harvath a dérangé, possiblement contaminé, trois scènes de crime et qu'il a assailli un agent fédéral ?

— On est en train de vérifier ça, répondit Lawlor dont l'antipathie pour DaFina semblait même dépasser son hostilité pour Scot.

— Comment ça, vérifier ? Ce n'est pas vous qui avez fait rappeler Harvath ? Monsieur Jameson, pourquoi cet homme n'a-t-il pas été suspendu jusqu'à la fin de l'enquête ?

— Parce que je ne l'ai pas encore entièrement débriefé, répondit Jameson. C'est une affaire interne au Service et qui doit être traitée comme telle. Je ne crois pas que nous ayons besoin du chef de cabinet du vice-président pour nous expliquer comment nous y prendre.

— Monsieur Jameson, que cela vous plaise ou non, le vice-président Marshfield est aux affaires, répliqua DaFina. Il le sera jusqu'au retour du Président, et si le Président ne devait pas revenir, ce que nul ne souhaite, il le sera jusqu'à la fin de son mandat. Votre position comme chef des Services secrets est déjà sévèrement fragilisée, je n'ai pas besoin de vous le rappeler.

Il y eut un silence.

— Je veux que cet homme, reprit DaFina en désignant Harvath, soit relevé de ses fonctions immédiatement et cela jusqu'au résultat définitif de l'enquête interne. Je ne veux pas le voir aux alentour de la Maison-Blanche – ni nulle part ailleurs. Est-ce que je me fais comprendre ?

— Je vais étudier la question, dit Jameson. Mais que les choses soient bien claires en attendant, monsieur le chef de cabinet. En l'absence d'une crise constitutionnelle catastrophique qui vous ferait occuper le bureau ovale, je suis toujours directeur des Services secrets. Je n'ai pas d'ordre à recevoir de vous.

— Monsieur Jameson, je peux vous assurer que lorsque je parle, je parle au nom du vice-président qui est actuellement votre commandant en chef et, à ce titre, a toute latitude pour vous donner un ordre. L'agent Harvath doit être suspendu, fin de la discussion.

— Je crois que vous avez des soucis plus importants que moi en ce moment, intervint Scot qui tenait à ne pas laisser DaFina avoir le dernier mot.

— Pas possible ? dit le chef de cabinet.

Scot choisit d'ignorer le sarcasme :

— Oui. Tout d'abord, il y a une fuite au sein du Service. Quelqu'un placé à un échelon suffisamment élevé pour pouvoir transmettre les numéros de téléphone et les codes d'accès. D'autre part...

— Laisse tomber Scot, intervint Lawlor.

— Non non non, dit DaFina. Avec tout le respect que je vous dois, agent Lawlor. Puisque ce sont les derniers mots que l'agent Harvath prononcera jamais comme membre actif des Services secrets, je tiens à les entendre.

Il fit le tour de la table de manière à se trouver juste devant Scot.

— Alors ? Allez-y, agent Harvath. Quoi d'autre ? Je ne crois pas que vous puissiez vous nuire plus que vous ne l'avez déjà fait.

DaFina restait debout face à lui. C'était une position si calculée pour l'humilier que Scot, qui avait prévu de formuler les choses de manière diplomatique, sentit monter la colère et dut serrer les dents pour ne pas exploser.

Il avait tourné son fauteuil pour lui faire face et choisit de se renfoncer dans le dossier, adoptant aussi une position aussi peu menaçante que possible.

— Monsieur DaFina, commença-t-il.

— Monsieur le chef de cabinet DaFina si vous voulez bien, Harvath. Vous savez, je commence à y voir clair avec vous. Vos antécédents chez les SEAL, ça en impressionne peut-être certains dans cette pièce, mais pas moi. Vous avez magistralement foiré au poste de chef d'équipe de reconnaissance. Tout le service a foiré. Et le fait d'avoir sauvé la fille du Président ne vous excuse pas, c'était votre job. Du moins, une part du job. Pour le reste, le Président est en danger et je n'ai pas besoin de chercher loin pour trouver le responsable. Alors si vous avez quelque chose à dire, dites-le parce que votre carrière est finie !

DaFina avait posé le doigt sur l'épaule d'Harvath en prononçant la dernière phrase. Avant même de le savoir, Scot s'en saisit, se retrouva debout devant lui et, dans le même mouvement, tordit le doigt d'un coup sec. Le bras tout entier plia, Scot le courba dans le dos de DaFina, élevant sa main jusqu'à l'arrière de sa nuque puis, l'ayant immobilisé, il se pencha vers lui et murmura à son oreille :

— D'abord, ta mère aurait dû t'apprendre qu'on ne pointe pas les gens du doigt comme ça. Spécialement pas les gens des SEAL. Deuxièmement, j'aimerais savoir quel jeu vous jouez toi et ton patron. Pas de négociations avec les terroristes ? À qui vous faites croire ça ?

Pour toute réponse, DaFina gémit de douleur.

— Le coup de fil aux Syriens ne trompe personne. Ton patron va faire un maximum son beurre de cette histoire. Et pour peu que le Président ne s'en sorte pas, les sondages lui donneront 100 % d'opinions favorables sitôt qu'il enverra des bombes pour venger l'Amérique, peu importe sur qui. Toute cette histoire pue, DaFina.

Scot relâcha sa pression d'un coup. Il marcha vers la porte. Du coin de l'œil, il aperçut le bras de DaFina revenant vers lui main ouverte. Il esquiva de justesse la gifle et, en retour, balança un uppercut qui atteignit DaFina en pleine mâchoire. Il y eut un craquement. Le sang jaillit de sa bouche tandis que ses dents se refermaient violemment sur ses lèvres.

DaFina recula, la main sur son visage. Jameson attendit une seconde avant de sortir un mouchoir et le tendre dans sa direction. DaFina vit le sang et sa fureur éclata réellement.

— Vous avez vu ? cria-t-il alentour. Vous avez vu ce qu'il m'a fait ? Regardez ça ! Qu'est-ce que je vais dire à l'extérieur ?

— Dites que vous avez glissé, intervint le chef du F.B.I. Sorce avec une ironie placide. C'est ce qu'on disait à Chicago quand un suspect était un peu secoué.

DaFina ramassa son dossier, marcha vers la porte et, parvenu à une distance respectable, il se retourna une dernière fois :

— Ce n'est pas fini, Harvath ! Ce n'est pas fini ! J'aurai votre peau !

33

André n'aurait su dire combien de temps il était resté allongé nu et ligoté sur le sol de la cave de Snyder. Il ne connaissait plus que deux choses : la douleur dans son corps et le froid qui le faisait trembler.

Il avait la chance d'être en bonne condition physique. Il avait toujours pratiqué la gymnastique et la musculation et depuis deux ans suivait des cours de yoga – des cours dont il n'avait jamais imaginé qu'ils lui sauveraient un jour la vie.

L'entrelacement des cordes qui lui liaient pieds et poings et s'enfonçaient profondément dans sa chair aurait immobilisé n'importe qui, mais pas André. Concentré sur son souffle, il s'efforçait de ne pas laisser la douleur, la peur et le désir de vomir le submerger en dépit du bâillon qui l'étranglait. Ses bras étaient si serrés derrière son dos que chaque mouvement le blessait. Il avait passé des heures à se débattre et à envisager ce qui l'attendait au retour de Snyder.

À présent, allongé, presque calme, il commençait de réaliser qu'il n'avait besoin ni de ses bras ni de ses jambes pour bouger. À la façon d'un ver, soulevant la poitrine vers la droite puis soulevant les hanches il commença à se traîner et ramper.

Il lui fallut presque trois heures pour traverser ainsi la cave et parvenir à proximité du lave-linge et du séchoir, situés à l'autre bout. Il s'arrêtait régulièrement pour reprendre sa respiration, rendue difficile par le bâillon et par la forte odeur de vernis à chaussures qui remplissait ses narines chaque fois qu'il cherchait son souffle.

Il roula sur le côté, de façon à ce que la corde autour de ses poignets et de ses chevilles se trouve face à la tige de métal du vieux lavabo installé entre les deux machines, et qui représentait sa seule chance. Il commença à osciller d'avant en arrière pour amener la corde en position. Tout le processus était horriblement lent.

Une sensation d'humidité chaude, épaisse, se répandait sur ses mains et il comprit qu'il saignait. Cela ne l'arrêta pas. Le sénateur pouvait rentrer à n'importe quel instant pour l'achever. Poussé par un instinct de survie animal, il oscilla plus durement, sciant littéralement ses poignets et ses chevilles contre le métal. Il pensait aux loups pris au piège des trappeurs qui se coupent la patte pour survivre.

Enfin, il y eut un claquement sourd et la tension sur ses membres se relâcha légèrement. La corde s'effilochait. Il ferma les yeux et se remit à osciller plus fiévreusement encore tout en poussant vers l'extérieur avec ses pieds et ses mains. Un autre craquement. La corde se déchira. André bascula tout son corps et enfin, il sentit qu'il se libérait. Ses pieds retombèrent en arrière, ses bras le long de son corps. La circulation paralysée, il resta allongé quelques minutes sans bouger, pleurant de fatigue et de soulagement. Son seul mouvement fut de retirer le bâillon – pour constater avec colère que Snyder avait bel et bien utilisé de la cire à chaussures. Mais il était libre, il avait gagné, du moins jusque-là.

Il reprit ses forces, roula douloureusement sur le dos. Il leva les poignets à hauteur de son visage pour examiner les entailles sanglantes de sa peau brûlée. Il contracta les muscles de son estomac, se redressa et posa les yeux sur ses chevilles qui ne valaient guère mieux. Toute la partie gauche de son corps semblait avoir été traînée pendant plus de trois kilomètres sur un mélange de gravier et de verre brisé.

Il parvint en position assise, roula ses épaules d'avant en arrière et fit quelques moulinets douloureux des poignets pour aider la circulation sanguine. Il se débarrassa du reste de corde qui pendait, tout en bénissant mentalement la Lumière de l'Être du centre de yoga pour sa nouvelle souplesse.

Il se leva. Il tourna le robinet et attendit quelques secondes que l'eau brunâtre s'éclaircisse avant d'y plonger les poignets. L'eau le brûla brièvement avant de répandre ses bienfaits. Mais il n'avait pas vraiment le temps d'en profiter.

La plupart des habitations clinquantes de Georgetown possédaient une descente directe pour le linge sale aboutissant directement à la cave et celle de Snyder ne faisait pas exception. André s'approcha du panier à linge et fouilla pour y retrouver les velours côtelés et les sweaters à col montant qu'il y avait jeté la veille et se trouvaient mêlés au linge de Snyder.

Il finissait de s'habiller quand ses yeux tombèrent sur les restes de la corde tâchés de son sang. Durant les heures qu'il avait passé nu grelotant et terrorisé sur le sol moisi de la cave, il s'était demandé qui croirait jamais son histoire s'il se décidait, en dépit de l'immense pouvoir de Snyder, à porter plainte contre lui. Il saisit la corde et, aussi profondément qu'il put, la glissa sous le séchoir : il lui faudrait une preuve.

Puis incapable de contrôler plus longtemps son désir de fuite, il traversa rapidement la cave en direction de la petite porte de service derrière laquelle un court escalier menait au jardin. Il saisit le métal froid de la poignée, tourna – fermée ! Elle était verrouillée par une double serrure. Il sentit une rafale de nausée remonter de son estomac. Du calme, se disait-il, il doit bien y avoir un moyen. Toutes les vitres des fenêtres, dans la cave, étaient également protégées par un épais grillage qui les rendait infranchissables.

Il leva les yeux en désespoir de cause. Et eut un choc en voyant sur le coin droit du chambranle, un clou rouillé auquel pendait une clé. Faites que ce soit la bonne, pensa-t-il. Il la saisit et, les mains tremblantes, l'inséra dans la serrure. Il tourna vers la gauche sans parvenir à la faire bouger. Le mouvement vers la droite aboutit au même résultat. « Merde ! » dit-il à voix haute. Il prit une longue inspiration pour tenter de se calmer et fit un second essai, cette fois en appuyant plus fort, tout en prenant soin de ne pas la casser. Il fit une troisième tentative, cette fois en tirant légèrement vers lui tandis qu'il tournait et, enfin, il sentit la serrure céder. La porte s'ouvrit dans un flot d'air humide tandis qu'il se ruait dehors.

Une pluie tenace tombait toujours et une large flaque d'eau barrait le passage devant l'escalier. Il repéra parmi des outils de jardinage une paire de bottes en caoutchouc, probablement celles de Snyder. Elles étaient bien trop petites mais il n'hésita pas. Saisissant une paire de cisailles, il découpa grossièrement l'extrémité de chacune d'elle pour les enfiler rapidement avant de monter précautionneusement les marches.

Dans le jardin, il faisait froid, l'air était lourd de brume et de pluie. Il n'avait aucune idée de l'heure, avançait en utilisant la pénombre et les arbres pour se dissimuler. La fontaine de pierre en style rococo lui servit de marchepied pour se hisser sur le mur et, dans la dernière poussée, la tête d'un chérubin se détacha, tombant à l'eau, éclaboussant bruyamment tout autour.

Il atterrit sans effort dans le jardin voisin. Sans plus attendre, il prit ses jambes à son cou.

34

Il était près de dix heures lorsqu'ils arrivèrent à la hauteur de l'immeuble de Scot. Jameson avait attendu de se trouver seul avec lui pour lui faire part de ses reproches et Scot, dans la limousine, les avait reçus sans discuter. Il était prêt à l'admettre, certaines de ses réactions commençaient à le surprendre lui-même.

Jameson lui ordonna de se trouver le lendemain matin au Treasurry Building[1] pour un débriefing complet en présence du ministre – un homme dur crut bon de préciser Jameson, avec qui faire l'imbécile ne serait pas de mise.

Scot le remercia, referma la porte de la limousine derrière lui, remonta le col de son trench-coat pour se protéger de la pluie et franchit les quelques mètres le séparant de l'entrée de l'immeuble. Il ne prit pas la peine de prendre son courrier, monta lentement les escaliers. Sa migraine ne l'avait pas quitté. Devant sa porte, comme de coutume, il vérifia que le cheveu brun était à sa place. C'était le cas. Il le retira, sortit les clés de sa poche, entra chez lui.

L'appartement semblait exactement le même. Pourquoi il s'attendait à autre chose, il n'aurait su le dire. Il lui arrivait, parfois, de méditer sur la perspective agréable de quelqu'un qui l'attendrait. Mais son mode de vie n'avait jamais facilité les relations à long terme. Au temps des SEAL, on pouvait à tout moment l'appeler sans avertissement pour des missions de plusieurs mois à l'autre bout du monde, et il avait oublié le

1. Le Treasury Building est l'une des annexes de la Maison-Blanche. *(NDT)*

nombre des hommes des forces spéciales qui avaient souffert de divorces pénibles. L'attitude la plus simple pour Scot avait consisté, jusque-là, à ne pas s'engager dans la moindre relation sérieuse – et à signifier son refus à celles qui, fort nombreuses au cours des ans, s'étaient proposées de le faire. Il n'avait par ailleurs jamais eu de problème pour trouver la compagnie d'une femme lorsqu'il le souhaitait. Cela facilitait les choses.

Ainsi avait-il mené une existence erratique, qui s'était quelque peu calmée après son entrée dans les Services secrets, même s'il continuait de vivre seul.

Il pendit son trench-coat dans l'armoire, retira son costume, enfila un survêtement bleu marine aux enseignes de la Navy, une paire de Nike, et se rendit au sous-sol, là où il s'entraînait.

L'immeuble, peu reluisant, avait connu plus d'un cambriolage et la propriétaire trop heureuse de louer un appartement à un agent des Services n'avait fait aucune difficulté lorsque Scot lui avait demandé d'aménager un coin de la cave en salle de sport.

Il s'y prit lentement, commença par vingt minutes d'étirements légers. Encore courbaturé, il essayait de s'assouplir. Les exercices lui permettaient à la fois d'évaluer les chocs subis par son corps au cours des derniers jours et la vitesse avec laquelle il récupérait. Ses muscles le brûlaient. Il se souvint du conseil de Helsabeck – ne pas exacerber ses symptômes par un excès d'effort – et choisit d'alléger de 60 % les poids qu'il soulevait habituellement. L'exercice était un bon antidote physique et moral qui l'aidait à mettre à distance ses problèmes professionnels ainsi que sa migraine.

Il passa les quarante-cinq dernières minutes sur le tapis de course, l'esprit perdu dans une sorte d'euphorie, vierge de toute pensée. De retour dans son appartement, il nota la lumière clignotante du répondeur. Il se dirigeait vers l'appareil quand le téléphone se mit à sonner.

— Scot, enfin, Dieu merci ! fit une voix féminine manifestement tendue. Ça fait une heure que j'essaie de te joindre.

— Natalie ?

Natalie Sperando était l'assistante du secrétaire particulier de la Maison-Blanche chargé de l'organisation des déplacements du

Président Rutledge. Le règlement du Service interdisait strictement les relations sentimentales entre les agents et le personnel exécutif, en particulier présidentiel, mais ne disait rien, cependant, des relations amicales comme celles qu'avaient nouée Scot et Natalie au fil des ans.

— Scot, j'ai besoin de ton aide.

— Que se passe-t-il ? Tu vas bien ?

— Pas au téléphone, il faut qu'on se voie. C'est sérieux.

— Laisse moi le temps de prendre une douche et…

— Maintenant Scot, tout de suite. S'il te plaît.

— Nat, donne-moi au moins une idée de ce qui se passe…

— Ça concerne un ami de mon frère. Scot, je t'en prie. Viens simplement.

— Où es-tu ?

Il prit juste le temps d'enfiler un jean et un t-shirt. Il jeta un œil à son SIG rangé dans le holster. Là où il se rendait, pensait-il, il n'aurait pas besoin d'arme.

Le taxi le déposa à Dupont Circle, devant la station de métro. Il descendit Massachussets avenue, tourna à la 17e Rue jusqu'à un pub haut de gamme, JR's.

La clientèle de JR's était majoritairement composée d'homosexuels qui se baptisaient eux-mêmes les « guppies » pour *gays urbains professionnels*. Le bar était en bois verni, les vitres teintées. En dehors de l'absence de toute présence féminine, rien ne le distinguait de n'importe quel autre débit de boisson de Washington DC. Scot se fraya un chemin parmi les clients jusqu'à Natalie, qui l'attendait au fond de la salle, sur une banquette, en compagnie d'un homme qu'il ne reconnut pas.

— Scot, merci d'être là ! dit-elle en se levant pour le saluer.

— Pas de problème, Nat. Dis-moi simplement ce que nous faisons ici à minuit et demi, et tout ira bien.

— C'est ma faute, j'en ai peur, dit l'homme. Il était pâle et semblait fatigué. Ses poignets, lorsqu'il tendit la main, apparurent grossièrement bandés. Un peu de sang passait au travers du pansement.

— Martin, dit-il. André Martin. Nous nous sommes rencontrés il y a environ un mois, je visitais la Maison-Blanche, je venais voir Natalie.

— Désolé, dit Scot. J'ai une bonne mémoire des visages en général. Que puis-je pour vous ?

Un serveur se présenta à cet instant pour prendre leur commande. André commanda un autre bourbon, Natalie déclina, indiquant son verre de vin rouge encore à demi plein devant elle et Scot commanda une Heineken.

Le garçon s'éloigna. André souleva son verre, ingurgita le petit fond d'alcool brun qui restait. Sa main tremblait.

— André, commença Natalie, est un des amis de Steven, il...

— Je vais expliquer moi-même, intervint André. Agent Harvath, avez-vous entendu parler du meurtre de l'assistant du sénateur Snyder, Mitchell Conti il y a de ça presque un an ?

— Ça me dit quelque chose. Un tir depuis une voiture, c'est ça ? Le gamin était assez populaire au Sénat si je me souviens bien.

— Oui. Les journaux ont parlé d'une balle perdue mais je n'y ai jamais cru.

— Pourquoi pas ? On est à Washington. Ce genre de choses arrive.

— Et si je vous disais que Mitch était aussi l'amant du sénateur Snyder ?

Scot le fixa, incrédule. Il jeta un regard à Natalie qui, à sa plus grande stupeur encore, acquiesça.

— Monsieur Martin, dit-il. Même à supposer que cela soit vrai, comment seriez-vous en position de détenir une information pareille ? Et quel rapport avec sa mort ? Quel rapport avec moi ?

— Si vous me donnez une seconde, je vais vous expliquer.

Scot se renfonça dans son fauteuil, le temps que le garçon dépose devant eux les boissons.

— Mitch et moi étions amants, reprit André. Nous vivions ensemble. Je l'ai quitté à cause de son histoire avec Snyder.

— Je peux vous citer au moins cinq noms de femmes qui ont été les maîtresses de Snyder au cours des deux dernières années, rétorqua Scot. Il passe partout pour un homme à femmes.

— Mitch aussi.

Il s'interrompit pour boire une gorgée d'alcool et, après avoir regardé avec précaution autour de lui, entreprit de raconter à Scot l'histoire de Mitch et de l'éventuel chantage.

— Peu de temps après, conclut-il, Mitch est mort dans des circonstances non éclaircies. La police n'a fait aucune enquête sérieuse, aussi ai-je décidé de m'en mêler.

Super, ne put s'empêcher de penser Scot. Un vrai Dick Tracy.

— J'ai enquêté sur le Sénateur Snyder, poursuivait André. Je me suis arrangé pour le rencontrer, de fil en aiguilles gagner sa confiance et…

— Ok, monsieur Martin. Ok. Cette histoire n'est pas pour moi. Vous m'avez l'air d'un type sympathique et intelligent. Si vous avez la moindre information impliquant le sénateur dans la mort de votre ami, je vous suggère d'aller à la police. Que faites-vous dans la vie ?

— Je suis avocat.

— Avocat. Je n'ai donc pas besoin de vous prévenir des conséquences si vous vous trompez…

— Agent Harvath, j'ai suivi Snyder jusque chez le sénateur Rolander. Ce que j'ai trouvé a à voir avec la disparition du Président.

— C'est la raison pour laquelle je t'ai appelé, Scot, dit Natalie.

35

— Je ne sais pas, dit Scot quand André eut achevé son histoire. Je ne mets pas en doute que Snyder soit un sinistre malade mais de là à penser qu'il vous aurait tué pour avoir entendu une conversation téléphonique. Après tout, vous n'avez aucune preuve…

— Justement. Je n'ai pas de preuve, mais le peu que je sais a suffi pour qu'il veuille m'éliminer. Snyder ignore ce que je sais ou non. La seule chose qu'il sache, c'est ce que je lui ai dit.

— Je ne vous suis pas.

— En un sens, je crois qu'il a surtout voulu m'effrayer. Et il m'a laissé dans cette cave le temps de réfléchir, avec l'idée de revenir m'interroger. Il voulait apprendre ce que je ne lui avais pas dit.

— Je vois.

— Vous êtes convaincu maintenant ?

— Suffisamment pour savoir que Natalie a eu raison de m'appeler.

— Je savais que tu nous aiderais, dit Natalie.

— *Nous* ? Hors de question. Je vais aider André et lui seul. Tu vas rester aussi loin que possible de cette histoire, c'est trop dangereux.

— Scot, je ne t'ai pas appelé pour que tu commences à donner des ordres. André ne sait pas vers qui se tourner. Quant à la police, c'est hors de question.

— J'ai bien compris. Mais les Services vont s'en occuper.

— Les Services ? Ça m'étonnerait. Si j'en crois les rumeurs, il y a tellement de fuites chez vous que le vice-président parle de vous remplacer par des gardes du corps privés.

— Tout d'abord, commença Scot dont le sang commençait à s'échauffer à nouveau, personne ne va nous remplacer. Le vice-président est totalement dépassé. Quant aux fuites, on s'en occupe. Ce n'est pas une raison pour ne pas assurer à André une protection rapprochée jusqu'à la fin de cette histoire. Ça va juste prendre un peu de temps.

— Du temps ? Je croyais que j'étais en danger…

— J'ai besoin de deux heures pour tout mettre au point. D'ici là, il faut qu'on vous trouve une planque sûre.

— Il y a mon appartement, suggéra Natalie.

— Je ne veux pas que tu sois impliquée.

— Scot, André a été extrêmement généreux avec mon frère ces dernières années. Je ne vais certainement pas le laisser tomber maintenant.

— Ok, se résigna Scot. Dans ce cas, je ne veux pas que tu rentres chez toi. Si Snyder cherche André et s'il a eu vent de vos relations, il est capable de vous traquer. Tu as combien sur toi ?

— Cent dollars à peu près.

Harvath sortit son portefeuille et posa deux billets sur la table.

— Maintenant, trois cents. Vous allez prendre un taxi jusqu'à Alexandria. Vous descendrez au Radison Old Town sur Fairfax et vous prendrez une chambre au nom de Cashman. Vous payerez en liquide. Vous trouverez un prétexte pour ne pas donner de carte d'identité, vous direz qu'on vous a volé vos portefeuilles et vos cartes de crédit, ou quelque chose dans le genre. Une fois sur place, vous n'appellerez personne. Je vous contacterai. Ok ?

— Je suis convaincue que mon appartement est sûr.

— Nat, fais ce que je te dis. Allez là-bas et restez tranquille. Je vous y rejoindrai dès que possible. Je ne pense pas qu'il y ait de danger immédiat, mais il est inutile de courir le moindre risque.

— Une dernière chose, dit André alors qu'ils se levaient pour se séparer.

— Oui ?

— Il y a de ça un mois environ, Snyder est parti en voyage de façon inopinée, théoriquement en France à un sommet de la banque mondiale. Il m'a rapporté un vin spécial en provenance d'Afrique du Sud, l'un des favoris de Napoléon Bonaparte.

— Et ?

— Scot, je suis avocat d'affaires, je sais quand ont lieu les sommets de la banque mondiale. Il n'y avait rien de tel à ce moment-là.

— Vous avez peut-être mal compris.

— Il avait une étiquette des trains suisses encore accrochée à l'un de ses sacs à son retour. Par ailleurs cherchant à en savoir plus sur ce fameux vin, j'ai découvert, par hasard, qu'il est interdit sur le territoire européen pour des raisons de taux de sucre. Il n'a donc pas pu l'acheter en France. La Suisse, en revanche, ne fait pas partie de l'Union Européenne. Qu'est-il est allé faire en Suisse qui était si secret ?

Scot secoua la tête.

— Je n'en sais rien, André, peut-être rien du tout. Vous devez partir à présent.

— Et il y a aussi Star Gazer, continuait André sans bouger.

— Star Gazer, qui est-ce ?

— Je n'en sais rien. J'ai entendu le sénateur mentionner au téléphone qu'il ne ferait rien sans Star Gazer. J'ignore à quoi il faisait allusion. Est-ce que ça a le moindre sens, à votre avis ?

— Rien de tout ceci n'a le moindre sens. Il faut que vous y alliez maintenant.

— Une dernière chose, dit André.

— Oui ?

Il tendit la main et Scot vit luire dans sa paume la clé d'une consigne.

— J'ai mis quelques papiers en sûreté, au cas où il m'arriverait quelque chose.

— Il ne vous arrivera rien.

— Prenez quand même. C'est un double de la clé. La consigne se trouve à l'Union Station.

Harvath prit la clé puis les poussa dehors. Cinq minutes plus tard, après avoir laissé vingt dollars pour les boissons à la table, il sortit à son tour. Un sentiment familier commença de l'étreindre alors qu'il s'enfonçait dans la nuit obscure de DC. Il sut qu'il avait commis une erreur en laissant son arme chez lui.

36

Scot ne réfléchissait jamais si bien qu'en marchant. Quittant JR's, il avait décidé, malgré la pluie, de rentrer chez lui à pied pour faire le point.

En dépit de la confiance qu'il avait affichée devant André et Natalie, il n'avait aucune idée de la façon d'agir. Sa crédibilité à Washington n'était pas exactement au mieux depuis quelques jours, et il savait qu'il lui faudrait faire preuve de la plus grande prudence dans le choix de ceux avec qui il partagerait ce qu'il venait d'apprendre. La perspective qu'un sénateur, peut-être même deux, soient impliqués dans l'enlèvement du Président des États-Unis, était tout simplement invraisemblable.

Il prit sur la 17e Rue au sud, passa Faragut Square, puis prit à gauche sur H Street. Il longea Lafayette Square jusqu'à la 15e Rue, tout en repassant dans sa tête tout ce qu'il venait d'apprendre. Star Gazer ? À qui ou à quoi le nom faisait-il référence, pour autant qu'il eut le moindre sens ?

Ainsi qu'il s'en était fait la remarque la veille seulement – cela paraissait vieux d'un siècle –, sa seule chance de sauver sa carrière résidait dans sa capacité d'apporter quelque chose de déterminant pour résoudre l'enquête. Grâce à Natalie Sperando, ce quelque chose était peut-être maintenant entre ses mains. Mais si nul ne croyait l'histoire fantastique d'André, s'il ne trouvait pas un moyen de la vérifier, cela ne lui servirait à rien. Aux yeux de tous, il apparaîtrait comme un type aux abois prêt à n'importe quelle énormité pour sauver sa peau.

Et cependant, même au risque d'une impasse, il avait fait le serment de venir en aide à André. Il avait fait une promesse similaire au cadavre de Sam Harper.

Il traversa New York Avenue, héla un taxi juste en face de l'église presbytérienne et donna au chauffeur une adresse à Arlington. Les chances que l'homme auquel il pensait soit encore debout à cette heure étaient très minces, mais il était le seul susceptible de l'aider.

Les lumières du porche étaient éteintes quand il gravit les marches. À la seconde où il sonnerait, il réveillerait quelqu'un de très mauvaise humeur, il le savait. William Shaw n'avait aucune patience. C'était le directeur opérationnel des Services de la Maison-Blanche, le patron direct de Scot, et son nom de code n'avait pas été choisi au hasard. Scot prit une inspiration et appuya sur le bouton lumineux orange qui paraissait planer au-dessus de la façade en brique.

Quelques secondes s'écoulèrent, des lumières parurent aux fenêtres. Enfin le porche au-dessus de lui s'alluma.

— Qui est là ? fit une voix bourrue de l'autre côté de la porte.

— C'est Harvath, Bill. Ouvrez !

Un bruit de chaîne tirée, plusieurs verrous débloqués : la porte s'ouvrit enfin sur un William Shaw ensommeillé, échevelé, non rasé, une main dans la poche de son peignoir éponge sur la crosse de son SIG-Sauer semi-automatique.

— Harvath, vous vous êtes donné pour mission personnelle de figurer en tête de la liste des chieurs olympiques de Washington, ou quoi ?

— C'est important, Bill. Je peux entrer ?

— Vous avez intérêt à être intéressant, mon vieux, dit Shaw sur un ton d'ironie perceptible tout en s'écartant et refermant derrière eux.

L'entrée donnait sur un salon meublé de plusieurs divans de cuir rouge-sang, de livres empilés de bas en haut sur deux cloisons et d'un écran de télévision géant. Des enceintes étaient encastrées dans le plafond. Le manteau de la cheminée était décoré de photos de famille dans des cadres d'argent, et le milieu de la pièce était recouvert d'un vaste tapis oriental coloré et épais.

— Bill, je crois que je tiens quelque chose sur le kidnapping.

— Vous ? Comment est-ce que ce serait possible ? Vous n'êtes même pas censé être en activité, je vous rappelle. De toute façon, le dossier n'est plus entre les mains du service. Point barre.

— Puis-je m'asseoir ? Je crois que vous serez intéressé par ce que j'ai à dire.

Shaw laissa fuser un soupir excédé tout en désignant l'un des divans à Harvath. Il prit place en face de lui.

— J'ai des raisons de penser, commença Scot, que les kidnappeurs ont été aidés ici à un très haut niveau.

— Sans blague, Sherlock. On ne s'en serait jamais douté. Évidemment qu'il y a eu des fuites.

— Non non, je ne parle pas ça. Je parle de gens suffisamment haut placés. Dotés d'assez de pouvoir et d'influence pour avoir facilité les liens entre les kidnappeurs et la source des fuites.

Shaw jetait un œil à sa montre.

— Vous savez Harvath, je dois me lever dans quelques heures. Je n'ai pas besoin de contes pour me rendormir.

— Je parle sérieusement. J'ai des éléments qui tendent à prouver que le sénateur Snyder, peut-être aussi le sénateur Rolander, sont impliqués, à un niveau ou un autre, dans ce qui se passe.

— De quoi vous parlez bon Dieu ? demanda Shaw qui se pencha en avant.

— J'ai vu ce soir un homme qui se présente comme l'ancien amant de Snyder…

— Amant ?

— Oui, j'ai eu la même réaction. Vous vous souvenez du meurtre de l'assistant sénatorial, il y a un an ?

— Et alors ?

— L'homme que j'ai vu ce soir, un certain André Martin, avait une liaison avec lui. D'après lui, la victime travaillait pour Snyder et ils couchaient ensemble.

— L'assistant et le sénateur ?

— Oui. Apparemment, Martin l'a quitté par jalousie. L'assistant a tenté de rompre avec Snyder tout en sauvant son poste, il est possible qu'il y ait eu tentative de chantage sur le sénateur à ce moment-là, je ne sais pas. Peu de temps après en tout cas, l'assistant a été retrouvé mort.

— Harvath, Harvath. C'est un tissu de rumeurs. Un tissu si fin que même vous, vous pouvez voir au travers.

— C'est ce que je pensais aussi. Jusqu'à ce que Martin me dise qu'il est entré en contact avec le sénateur et est devenu à son tour son amant.

— Nous parlons bien de David Snyder ? Le célibataire endurci ? Le séducteur notoire de tout ce qui porte jupon à Washington ?

— Martin est devenu son amant dans le but de prouver qu'il était responsable de la mort de l'assistant. Il l'a épié, a écouté ses conversations, et, il y a quelque jours, il a surpris une conversation téléphonique où il s'est dit un certain nombre de choses.

— Un certain nombre de choses ? Quelles choses ?

— Liées à l'enlèvement du Président. Il a aussi suivi Snyder jusqu'au domicile de Rolander à la suite d'un coup de fil bizarre, au beau milieu de la nuit. Dont un de l'agent du F.B.I. avec qui j'ai eu quelques problèmes, Zuschnitt. Il semble qu'il ait transmis des rapports réguliers à Snyder, et que tous deux soient derrière la fuite à C.N.N.

— Vous n'êtes pas sérieux.

— Si. Martin est pratiquement formel, il a tout entendu depuis une ligne à l'étage. On ne peut pas le prouver pour l'instant mais si je peux mettre à nouveau la main sur Zuschnitt...

— Et concernant le Président ?

Harvath raconta à Shaw tout ce que Martin lui avait dit. Puis il enchaîna sur quelque chose qu'il n'avait encore révélé à personne.

— Vous vous souvenez de la ferme mormone où on a trouvé le couple assassiné ?

— Oui, évidemment.

— J'ai trouvé un indice là-bas.

— Un indice ? Le visage de Shaw devint livide. Quel genre d'indice ?

— C'était un travail de professionnel.

— Comment savez-vous ça ? La femme a été massacrée, apparemment.

— Oui, mais le mari a été exécuté. On a dû commencer par lui. Elle a sans doute tenté de s'enfuir et le type a perdu le contrôle de lui-même. En tout cas, le plus probable, c'est que la ferme a été utilisée comme une sorte de base de relais par les kidnappeurs. Le Président a dû y être amené en motoneige avant d'être transféré dans un véhicule quelconque. J'ai détecté sur place des odeurs de cigarettes, or personne ne fumait, ni le couple ni les officiers de la police locale.

— La fumée de cigarette, c'est ça, votre indice ?

— Non. Entre les meurtres et l'arrivée des kidnappeurs, le tueur s'est assis dans le salon pour regarder la télé. Il a fumé et je crois aussi qu'il a mangé un bout de chocolat.

— Du chocolat ?

Il y eut un instant de silence.

— Merde, Harvath. D'abord c'est le sénateur Snyder qui s'envoie en l'air avec des hommes qu'il torture quand ils écoutent ses conversations et maintenant, le coup de grâce, c'est qu'un tueur mange du chocolat…

— Suisse, dit Scot, imperturbable. Le chocolat était suisse.

— Et alors ? Je suis navré de vous l'apprendre, mais les Suisses sont réputés pour ça. Écoutez mon vieux, vous avez assez d'ennuis en ce moment, je trouve. Dites-moi au moins que vous n'avez rien chapardé dans cette ferme.

— Non, rien, mentit Scot.

— Bien. Alors tout ça est l'affaire du F.B.I., maintenant. À eux de dire si votre morceau de chocolat a le moindre sens. Vous êtes extrêmement stressé Harvath en ce moment, vous savez. Je n'ai pas regardé votre dossier médical. Avez-vous vu Helsabeck ?

— Oui.

— Et ?

— Non non, tout va bien, tout va bien. Ma tête devrait rester un peu embrouillée pour quelques jours encore mais à part ça, rien à signaler.

— Vous prenez quelque chose ?

— Du Tylanol. Pour la migraine. Rien d'autre.

Shaw resta quelques minutes sans rien dire. Ses doigts jouaient avec le cuir du divan, et il semblait réfléchir. Le silence était si total que Scot pouvait entendre le battement de la vieille horloge dans le hall.

— Ok, dit enfin Shaw. On va tout de même autoriser une protection rapprochée de ce monsieur Martin, juste par précaution. Où est-il ?

— Avec Natalie Sperando au Radison Old Town, un hôtel à Alexandria.

— Sperando ?

— C'est elle qui me l'a fait rencontrer. Martin est un ami de son frère.

— Elle est proche de lui ?

— Très, à ce que je crois.

— Ok, donc ils sont au Radison. Le Radison sur Fairfax ?

— Oui.

— Il y a un code entre vous ?

— Ils sont enregistrés au nom de Cashman.

— On va envoyer une voiture. On a une planque dans le coin, un truc discret qui sera bien. Êtes-vous certain qu'ils n'ont parlé à personne d'autre ?

— C'est ce qu'ils m'ont affirmé.

— C'est déjà ça. Ceci étant, je ne sais pas dans quelle mesure ça vous sert, Harvath. Au mieux, ce sera la parole de Martin contre celle de Snyder. Il a été assez malin pour cacher le restant de la corde sous le séchoir. Ce sera un élément. Quant à vous, comme j'ai dit, vous avez assez de problèmes comme ça en ce moment. Vous n'avez parlé de ça à personne, j'espère ?

— À personne.

— Et personne n'a surpris votre conversation dans le bar ?

— Pas que je sache.

— Ok. Je vais vous mettre en face d'un ordinateur et faire du café. Je veux un rapport complet, avec tous les détails sur votre altercation à Park City. Je le veux maintenant, pendant que c'est encore frais dans votre esprit. Je vais chercher l'ordinateur. Vous pouvez utiliser le téléphone pendant ce temps là pour prévenir Sperando qu'une voiture arrive.

Harvath fit ce qu'on lui demandait. Il expliqua à Natalie que lui ou Shaw allait rappeler d'ici peu avec les détails concernant la voiture et la planque où André resterait sous protection durant l'enquête. Tout serait réglé sous peu, dit-il.

37

Tandis que Scot tapait son rapport, Shaw passa dans son cabinet de travail, ferma la porte derrière lui, saisit son téléphone et composa le numéro de McLean.

— Marsha ? demanda-t-il.

— Faux numéro, dit une voix ensommeillée à l'autre bout du fil avant de raccrocher.

Il s'assit, patienta. Près de son bureau, une série d'écrans montrait l'agent Harvath assis devant l'ordinateur. Trois minutes s'écoulèrent puis la ligne privée retentit, et Shaw appuya sur le bouton bien caché qui activait le brouilleur.

— Curieux moment pour appeler, dit-il en décrochant.

— Les communications sont moins chères, fit l'interlocuteur dans le téléphone.

C'étaient les phrases de codes convenues, après quoi la conversation pouvait commencer.

— Sénateur Rolander, il semble que votre collègue, le sénateur Snyder, ait quelque peu manqué de discrétion.

— Manqué de discrétion ? Parlez clair, mon vieux, je ne comprends pas.

— Il semble que Snyder ait laissé quelqu'un écouter ses conversations. Le genre de conversations susceptibles de nous envoyer tous par le fond, si vous voyez ce que je veux dire.

Il y eut un silence.

— Shaw, je me fous de savoir à quel point cette ligne est sécurisée ou non. Je vous demande de choisir vos mots avec toutes les précautions nécessaires. C'est clair ?

— Oui, monsieur.

— Expliquez-moi de quoi il s'agit.

Shaw raconta l'essentiel en cinq minutes.

— Putain d'obsédé sexuel ! jura Rolander pour tout commentaire. Où se trouve l'agent Harvatt en ce moment ?

— Dans mon salon, sous surveillance, j'ai les yeux sur lui à l'instant où je vous parle. Il n'a pas bougé et ne peut nous entendre. Il tape le rapport que je lui ai demandé. Naturellement, ce rapport ne verra jamais la lumière du jour.

Shaw n'ajouta pas que ledit rapport, une fois signé, resterait en sécurité dans son propre coffre – une assurance-vie à son profit, en cas de nécessité.

— Je veux que vous le détruisiez aussitôt rédigé, dit Rolander. Pour combien de temps est-ce qu'il en a ?

— Je dirai deux heures.

— Bien. Gardez-le au chaud jusqu'à ce que je vous rappelle. Ne le laissez filer sous aucun prétexte.

— Oui monsieur. Je ne sais pas si vous réalisez la chance que nous avons qu'il soit venu chez moi.

— Une chance extraordinaire, convint Rolander. Il faut en profiter.

Il nota l'adresse de l'hôtel à Alexandria et raccrocha.

Rolander mit plusieurs minutes avant de localiser Snyder sur son téléphone portable.

— Russel, fit ce dernier, heureux de vous entendre mais je suis extrêmement occupé pour l'instant.

— On a perdu quelque chose, peut-être ? Vous ne seriez pas en train de chercher un petit André en fuite, par hasard ? Allô ? Vous êtes toujours là ?

— Comment savez-vous ? dit enfin Snyder estomaqué.

— Comment je sais ce que je sais est moins important que *ce* que je sais, comme on dit. Vous avez complètement déconné, espèce d'imbécile. Rentrez chez vous et rappelez-moi immédiatement. Je sais où est votre petite pute, mais on a très peu de temps pour agir.

38

Une Chevy noire et massive, aux vitres teintées, roulait sans bruit sur Washington Street à travers Alexandria. La circulation à cette heure de la nuit était quasi nulle et, malgré les vitres fermées, l'odeur du fleuve Potomac tout proche s'infiltrait à l'intérieur du véhicule. Sur Pendelton Street, un signal indiquait Oronco Bay Park et le chauffeur prit à droite. Royal Street était à trois blocs. Tout de suite après venait Fairfaix. Le véhicule tourna à gauche, vers le nord. L'enseigne lumineuse du Radison apparut bientôt. Le chauffeur se gara directement devant l'entrée principale, laissant le moteur allumé.

L'effectif des employés était réduit au minimum. Derrière le comptoir, une séduisante philippine dont le badge indiquait le prénom « Anna » leva la tête et sourit.

L'homme exhiba un portefeuille noir de sa poche intérieure.

— Agent Scot Harvath, Services secrets, dit-il. Je viens prendre monsieur et madame…

Il sortit un carnet de notes, prit le temps de chercher avec ostentation entre les pages.

— Monsieur et madame Cashman. Je crois qu'ils sont descendus chez vous ?

La jeune femme jeta un œil sur la voiture officielle, revint sur l'homme aux yeux bleus debout devant elle et enfin sur l'écran de son ordinateur :

— Oui monsieur, absolument.

— Pouvez-vous me donner le numéro de la chambre ?

— Nous ne sommes pas censés donner ce genre d'information, monsieur.

— Comme je vous l'ai dit, c'est une affaire regardant les Services secrets.

— Je comprends. Je devrai noter cela dans mon rapport, monsieur.

— Aucun problème.

— Voyons... Chambre 257. Payée d'avance, semble-t-il. Est-ce qu'ils quittent l'hôtel ?

— Oui. Je suis venu les prendre et les aider à descendre leurs bagages. Pouvez-vous les prévenir que l'agent Harvath monte les rejoindre ?

— Oui monsieur.

Deux minutes plus tard, il frappait à la porte de la chambre 257.

— Qui est là ? demanda une voix féminine.

— Services secrets madame, je suis venu vous chercher vous et monsieur Martin.

— Le comptoir nous a dit que vous étiez Scot Harvath ? fit la voix.

— C'est lui qui m'envoie, le comptoir a dû se tromper. Scot Harvath m'envoie vous prendre.

Après quelques secondes de silence, la chaîne fut retirée, la porte s'ouvrit. Natalie et André avaient déjà revêtus leurs manteaux et étaient prêts à partir. Ils suivirent l'homme dans l'ascenseur, traversèrent avec lui l'entrée de l'hôtel après qu'il eut posé leur clé magnétique sur le comptoir.

L'homme ouvrit la porte arrière de la voiture. Natalie fut soulagée d'apercevoir un agent assis sur la banquette arrière, un pistolet entre les mains. Ils montèrent, l'homme ferma la porte. Le véhicule, bien qu'encore sous les lumières de l'hôtel, s'obscurcit rapidement du fait des vitres teintées. Un autre homme, que Natalie prit pour un second agent, était assis sur le siège passager.

La voiture tourna, sortit de la voie privée, et prit vers le sud en direction du périphérique. Pour la première fois depuis le début de son calvaire, André émit un soupir de soulagement.

— Vous ne pouvez pas savoir à quel point je suis content de vous voir, dit-il.

— Oh pas autant que nous, dit l'homme qui se tenait aux côté du chauffeur. Natalie ne comprit pas tout de suite l'expression d'horreur qui se dessina sur le visage d'André.

39

Après avoir tapé la version définitive de son rapport, ce qui avait occasionné pas mal de travail car Shaw ne cessait de lui demander des détails supplémentaires, après l'avoir relu et enfin signé, Harvath se sentit épuisé.

Shaw disparut pour une série de coup de fil supplémentaires puis revint une vingtaine de minutes plus tard annoncer que tout était en ordre, Natalie et André, étaient désormais en sécurité. Il serait présent, ajouta-t-il, lors de la séance de débriefing et, au vu du rapport, ne doutait pas que Scot s'en tirerait au mieux. Certaines choses restaient problématiques, comme le fait de frapper un agent du F.B.I., mais, vu les circonstances, Scot avait toutes les chances de conserver son job.

Scot lui-même, quelque peu rassuré par la confiance de son patron, se sentait pour la première fois enclin à l'optimisme. Shaw lui appela un taxi, lui conseilla quelques heures de repos avant les épreuves qui l'attendaient et Scot s'endormit dans la voiture.

Le chauffeur dut le secouer quand le taxi s'arrêta devant son immeuble. Il ouvrit les yeux, jeta un œil au compteur, sortit machinalement son portefeuille de sa poche une poignée de billets qu'il tendit au chauffeur. Il sortit de la voiture en trébuchant, se demanda pourquoi il était si groggy, conclut que sa tête devait lui jouer encore des tours. De nouveau, il passa devant sa boîte aux lettres sans l'ouvrir, grimpa les escaliers, se retrouva devant sa porte, sortit ses clés, non sans jeter machinalement un regard au cheveu qu'il coinçait habituellement dans le coin supérieur du chambranle.

Il n'y était plus.

Automatiquement, son corps se tendit. Il chercha à se remémorer quand il l'avait remis en place pour la dernière fois. Lorsqu'il était sorti retrouver Natalie ? Ou bien avait-il oublié ? Sa tête lui avait-elle jeté un tour ?

Il ouvrit lentement la porte, se glissa chez lui avec précaution, sans allumer, laissant ses yeux s'habituer à l'obscurité. Il y avait de l'eau sur le linoléum de la cuisine, eut-il le temps de noter. Puis sous le coup d'une violente douleur à la base du crâne, tout s'obscurcit. Il s'effondra.

Les choses semblaient floues et bizarres lorsqu'il s'éveilla enfin et ouvrit les yeux. Certains objets dans son champ de vision lui étaient peu familiers. Il referma les yeux intensément et les ouvrit à nouveau. Sa vision s'éclaircit, il comprit qu'il se trouvait sur le sol de sa propre cuisine en train de fixer les pieds de son frigidaire.

Il bougea sa main droite, réalisa qu'il était entouré de flaques d'eau. Ses bacs à glaçon étaient dispersés tout autour de lui, avec une pizza surgelée qui ne devait plus l'être et des glaces à demi fondues. La porte du freezeur était encore ouverte.

Il s'adossa aux placards sous l'évier. Une bosse de la taille d'une noix jouait sous ses doigts à l'arrière de sa tête. Elle ne saignait pas.

Rien de tout ça n'avait de sens. Qui l'avait attaqué et pourquoi ? Un amateur en manque de glace ?

Il laissa passer quelques secondes nauséeuses et douloureuses avant de se redresser dans le hall d'entrée. La porte était fermée, non verrouillée. Il avançait en longeant le mur pour maintenir son équilibre et faillit tomber en atteignant le salon.

La scène était incroyable. Toute la pièce était sens dessus dessous. Ses livres, ses DVD, les coussins du divan, tout avait été éparpillé, visiblement sous le coup d'une recherche maniaque, mais la recherche de quoi ? Encore une fois, cela n'avait aucun sens.

Il fit le tour de l'appartement pour s'assurer que le ou les intrus n'étaient plus là. Il savait qu'il devait immédiatement donner l'alerte mais une nouvelle vague de nausée le submergea bientôt et il décida de se jeter sous la douche pour tenter de récupérer.

Il fit couler l'eau chaude. Il prit un petit miroir dans son kit de voyage et le positionna de façon à voir l'arrière de son crâne dans le reflet de la glace de la salle de bains. Apparemment, la peau n'avait pas été arrachée. Il entra sous la douche, étendit ses mains sur les carreaux devant lui, et laissa le jet faire le reste.

L'eau commençait à être froide lorsqu'il sortit, au bout d'un temps indéterminé. Il se rasa, se sécha les cheveux. Il traversa sa chambre, enfila un costume gris clair, une chemise blanche et mit une cravate bleue. Il avait faim, mais, sachant qu'il lui fallait ne rien déranger dans la cuisine, il se mit en quête d'une boîte de biscuits qui devait se trouver dans un placard de l'entrée. C'est en repassant dans le salon qu'il aperçut le clignotant du répondeur.

Il appuya sur le bouton *liste d'appel*, identifia immédiatement le numéro comme étant celui du bureau principal du service. Le coup de fil avait du arriver pendant qu'il était sous la douche. Il suivit le fil du répondeur jusqu'à la base du téléphone. En usant de l'intercom il parvint à dénicher le combiné, enfoui sous l'un des coussins. Il mit la messagerie en marche. La voix de Jameson se fit entendre :

— Agent Harvath, je n'ai pas la moindre idée de ce qui se passe ni comment les médias ont été au courant si vite mais vous allez devoir vous expliquer et pas qu'un peu. Je vous envoie une voiture. Soyez là.

De quoi s'agissait-il encore ? Scot fouilla dans le foutoir retourné de son appartement pour trouver une télécommande et alluma sa télévision. Une chaîne locale montrait une journaliste debout devant des arbres en compagnie de policiers et de motards. Des ambulances étaient visibles en arrière plan. Il monta le son.

— ... Par deux joggers à l'aube, entendit-il. Les victimes ont apparemment été exécutées à bout portant par une arme de gros calibre.

Sans comprendre, il surfa furieusement sur les chaînes avant de tomber sur une autre image du même lieu.

— ... Oui, Jean, on peut le dire, un nouveau jour tragique pour la Maison-Blanche. À l'enlèvement du Président succède ainsi le meurtre de l'assistante du secrétaire particulier Natalie Sperando, dont le corps a été trouvé ce matin à l'aube avec celui d'un homme encore non identifié. Les deux victimes ont été tuées d'une balle dans la tête avec une arme de gros calibre selon la police, probablement un pistolet. Les autorités se refusent pour le moment à tout commentaire, et aucune piste n'est écartée quant au mobile de cet acte inexpliqué.

Il éteignit la télé. La nausée était de retour, plus forte que jamais. Deux autres personnes lui avaient fait confiance – mortes elles aussi. Mais comment ? Et Natalie – pourquoi ? Un mélange d'incompréhension et de douleur le submergea. Qu'avait-il pu se produire ? Avaient-ils été suivis jusqu'à la planque ? Avec une arme de gros calibre...

Il se rua soudain dans sa chambre, à présent indifférent à la préservation des lieux, et se mit à chercher frénétiquement son arme. Pourquoi ne l'avait-il pas prise hier soir ?

Tout en retournant la pièce déjà en désordre, il perçut comme un bref flash de lumière dans le coin de son œil et l'attribuant tout d'abord à sa tête malade il s'efforça de l'ignorer, se remit à chercher à quatre pattes sur le sol, jetant par-dessus son épaule ses vêtements éparpillés dans une tentative désespérée pour retrouver son SIG. Mais la lumière revint. Alors il leva la tête vers les couleurs rouge, bleue, rouge bleue qui apparaissaient sur le mur et réalisa qu'elles venaient de l'extérieur.

Toujours au sol, il rampa jusqu'à la fenêtre, jeta un œil au travers des stores à demi fermés. Une série de voitures étaient alignées sur toute la rue jusqu'au virage – des Ford sombres conduites par des chauffeurs en costume venues du F.B.I. ou des Services ou des deux, ainsi que des véhicules de police.

Bon Dieu, pensa-t-il. Ils croient que j'ai quelque chose à voir avec ces meurtres. Il comprit intuitivement qu'il ne retrouverait pas son arme. Que, d'une façon ou d'une autre, l'analyse des victimes montrerait que les balles provenaient de son SIG-Sauer.

Il attrapa son jean, transféra le contenu des poches dans son costume, enfila son trench-coat, sortit en fermant le verrou de la porte derrière lui. Il prit à gauche, vers la sortie d'incendie, et commença à descendre, prenant soin de faire le moins de bruit possible.

40

Il habitait un vieil immeuble de Washington aux caves reliées entre elles par une série de passages, et il avait fait faire des doubles des clés qui en fermaient les portes – une précaution qui remontait au temps de son entraînement dans les SEAL. Un SEAL a toujours une issue en réserve, un SEAL est toujours prêt. Il sortit la clé de sa poche, ouvrit rapidement la première porte, referma derrière lui. Il choisit de s'éclairer au moyen de sa lampe de poche. Il traversa ainsi rapidement l'immeuble, sortit par l'allée et, deux blocs plus loin, héla un taxi qui le déposa sur Russel Road, juste avant King Street où il s'enfonça dans le métro.

C'était l'heure de pointe et Harvath se fondait parfaitement dans la foule. La seule question était : où aller ? De King Street il pouvait prendre au choix la ligne bleue ou la jaune... Il acheta un ticket au guichet automatique, une précaution au cas où sa carte de métro permettrait de suivre ses mouvements. Il se décida pour la ligne bleue, en direction d'Addison Road. Il était familier des métros de New York et de Chicago et les lignes aseptisées de Washington l'étonnaient à chaque fois. Ici, personne ne mangeait dans les wagons, les gens prenaient le métro avec sérieux, même les touristes tenaient leur droite sur les escaliers roulants.

Le train entrait dans la station beige, dont les plafonds étaient comme tâchés de pastilles, une technologie permettant en fait de réduire l'écho. Il jeta un regard autour de lui, guettant la présence éventuelle d'un policier sur ses traces mais le chemin semblait sûr et il monta dans la rame.

Il sortit à Foggy Bottom-GWU, ou West End, un quartier à l'ouest de la Maison-Blanche abritant l'université Georges Washington. À mi-chemin vers la 20e Rue, on y trouvait un cyber café-pâtisserie, le Washington Bytes, où Harvath trouvait parfois refuge pour de brefs instants de repos entre les heures de tension du service. Une odeur de café chaud l'atteint à l'instant où il poussait la porte. Il commanda un bagel *cream-chease* et ciboulette, un jus d'orange, s'assit à un coin du comptoir d'où nul ne pouvait le voir depuis l'extérieur. Seuls quelques étudiants se trouvaient dispersés dans la salle.

Tous les ordinateurs étaient équipés d'écouteurs et de logiciels téléphoniques. Il s'assit devant l'un d'eux, dont il débrancha la caméra. Il mordit dans son bagel, prit une longue gorgée de boisson avant de se connecter sur le web, puis composa le numéro de son modem personnel. Il avala deux Tylenol.

La connexion établie, il passa les dix minutes suivantes à mettre au point un système de routage électronique capable de faire transiter sa ligne à travers une série de serveurs internationaux, de sorte que quiconque tenterait de tracer son appel non seulement y passerait du temps, mais n'aboutirait en fin de compte qu'à l'appartement de Harvath.

Il composa le numéro de Bill Shaw. Dès la première sonnerie, une secrétaire répondit. Harvath s'identifia, il y eut une série de clics, une nouvelle sonnerie, et enfin :

— Scot, où êtes vous ? fit la voix de Shaw.

— Je ne veux pas parler de l'endroit où je me trouve, Bill, répondit-il avec calme, tout en vérifiant d'un regard circulaire que personne ne l'écoutait. Qu'est-ce qui s'est passé, bon Dieu ?

— Je n'en sais rien, Scot, il doit y avoir une explication. Nous allons vous écouter, je vous le promets. Mais il faut que vous vous rendiez.

— Que je me rende ? Moi ? Mais de quoi parlez-vous ? Je n'ai rien fait.

— Scot, je suis ici avec le directeur…

— Qu'est-ce qu'il fait dans votre bureau ?

— Il n'y est pas. C'est moi qui suis dans le sien, votre appel a été transféré. Nous avions une réunion ce matin avec vous, vous vous souvenez ?

— Je me souviens parfaitement, mais ce n'est pas pour ça que j'appelle. Je veux comprendre ce qui est arrivé à Natalie et André Martin. Vous m'aviez assuré qu'ils étaient en sécurité.

— En sécurité ? J'ignore de quoi vous parlez.

— La nuit dernière, poursuivit Scot avec le sentiment que sa migraine le rendait dément. Chez vous. Vous m'avez assuré que vous les faisiez prendre et transférer dans une planque.

— Scot, nous avons parlé de bien des choses cette nuit après que vous ayez débarqué chez moi sans prévenir. Nous avons parlé de l'enlèvement, de votre complexe de culpabilité, de votre crainte d'être identifié comme source. Mais certainement pas d'une planque. Je vous ai donné ma parole que je vous aiderai…

— Espèce de fils de pute, dit Scot à voix basse mais distincte.

— Scot, fit une autre voix dans le téléphone, ici Jameson. Je vous ordonne de nous dire où vous vous trouvez que nous puissions venir vous prendre pour un débriefing.

— Concernant quoi ?

— Un SIG-Sauer 357 semi-automatique dont le numéro de série correspond au vôtre a été découvert voici vingt minutes sur la scène du meurtre de Sperando avec vos empreintes dessus. Si vous n'êtes pas coupable, nous vous donnerons l'opportunité de prouver votre innocence.

— *Si* je ne suis pas coupable ? Et comment comptez-vous établir ça au juste ? Vous vous foutez de moi ?

— Scot, intervint Shaw, vous ne savez pas ce que vous dites. Vos blessures vous jouent des tours.

— Ah oui ? Vous croyez que le coup que j'ai pris chez moi ce matin sur la tête a quelque chose à voir là-dedans ? Vous n'êtes pas au courant, je suppose ? Ni de la fouille de mon appartement ni de la disparition de mon arme ? Vous n'avez pas non plus averti Jameson de la possible implication du sénateur Snyder dans l'enlèvement du Président ?

— Bien sûr que si. J'ai fait part de tous les noms que vous avez mentionné jusqu'au jardinier de la Maison-Blanche, Scot. Vous essaimiez les théories de conspiration hier soir, vous savez. Comme s'il en pleuvait. Vous n'étiez pas vous-même. Vous avez besoin d'aide.

Scot resta silencieux.

— Scot ? Jameson, entendit-il. Il faut vous rendre, mon garçon. Dites-nous où vous êtes, qu'on vienne vous chercher. Je vous promets d'écouter tout ce que vous avez à dire avec toute l'attention nécessaire.

— Merci pour l'invitation, mais je vais passer mon tour si vous voulez bien. Quant à l'agent Shaw, prévenez-le que j'ai promis à Sam Harper de régler leur compte à tous les responsables de sa mort, et qu'il est sur la liste.

Il raccrocha sans leur laisser le temps de répondre.

41

Il n'avait plus beaucoup de temps à présent.

Il prit néanmoins deux secondes pour vérifier ses e-mails et tomba sur le message suivant :

Cher monsieur,

Merci pour votre récent intérêt en faveur des chocolats Nestlé. Nous avons le regret de vous informer que notre produit Lieber n'est pas actuellement disponible sur le territoire des États-Unis. Il est exclusivement réservé au marché suisse. Cependant, Nestlé offre au marché américain une vaste gamme de chocolats raffinés...

Il n'acheva pas sa lecture, se déconnecta, se rendit au comptoir pour payer son petit déjeuner et sa communication, et sortit.

Une fois dehors, il inspecta rapidement la rue puis se mit en marche vers la 20e Rue, prit à gauche vers le nord et Dupont Circle. Dix heures à peine s'étaient écoulées depuis son rendez-vous avec Natalie et Martin pratiquement dans le même quartier. À présent, tous deux étaient morts et quelqu'un tentait de lui faire porter le chapeau. La seule raison possible était qu'André avait vu juste sur toute la ligne.

La pluie reprit. Il s'arrêta dans un petit drugstore, le temps d'acheter un parapluie et un affreux couvre-chef en tweed. La météo le servait. Il remonta son col, renfonça son chapeau sur sa tête afin de se dissimuler au mieux sans paraître suspect. Il lui restait sept dollars en poche.

Il avisa un distributeur automatique de l'autre côté de la rue, traversa, glissa sa carte, composa son code. Il sélectionna deux cents dollars et attendit. L'écran mit quelques secondes avant d'afficher la phrase glaciale qui pouvait paraître anodine, *impossible de compléter la transaction/merci de réessayer plus tard.*

Pouvaient-ils avoir gelé son compte aussi vite ? Cela paraissait improbable. Il reprit son chemin vers Dupont Circle. À hauteur de M Street, il héla un taxi. Il guida le chauffeur sur Massachusetts Avenue, puis Embassy Row jusqu'à la maison du vice-président. Enfin convaincu qu'il n'était pas suivi, il donna l'instruction au chauffeur de changer de direction, revint le long de Florida Avenue vers North Capitol et arrêta le taxi à Union Square.

Il tendit sa carte de crédit, se renfonça sur la banquette dents serrées dans l'attente du résultat. La transaction fut acceptée. Ses comptes n'avaient pas été gelés – du moins pas encore.

Union Square était encore bondée bien que l'heure de pointe fut passée. Harvath garda son col remonté, son chapeau baissé jusqu'aux yeux. Il coinça le parapluie sous son bras et se mit à marcher épaules voutées, comme quelqu'un qui luttait contre le froid, mains enfoncées loin dans les poches, la droite jouant avec la clé de consigne qu'André lui avait donné la veille.

— Une copie de mon assurance vie lui, avait-il dit avec un sourire. J'ai toujours aimé les gares. Pas vous Scot ?

Les yeux de Scot scannaient les lieux tandis qu'il avançait, à l'affût une possible surveillance ainsi que deux issues de secours potentielles vers lesquelles il pourrait se précipiter en cas de besoin. Il parvint devant la rangée de casiers colorés. La clé indiquait le numéro 68.

Il arriva à la hauteur du numéro 65 et jeta un œil anodin en direction des écrans indiquant les arrivées et les départs. Personne ne semblait avoir remarqué sa présence. Il fit les trois derniers pas, introduisit sa clé, ouvrit. Une enveloppe kraft reposait à l'intérieur. Il s'en saisit, la glissa dans la poche de son manteau, puis commença, toujours tête basse, scannant toujours autour de lui, à marcher vers la sortie la plus proche.

Un groupe de collégiennes bruyantes munies de sacs à dos et de sacs de couchage, visiblement en route pour des vacances lui coupa la route un instant. Lorsque l'essaim disparut, deux types qu'il n'avait pas repéré jusque-là se tenaient devant lui et le fixaient.

— Monsieur, pouvons-nous parler un moment, dit l'un d'eux.

Aussitôt Scot fit volte-face et se mit à marcher plus vite. Il entendit les deux hommes accélérer derrière lui, puis un faible bruit métallique qu'il identifia comme la lame d'un couteau, cran d'arrêt ou stylet. L'usage d'une telle arme plutôt que d'un canon muni de silencieux indiquait que sa mort devait passer pour un fait-divers.

Il les sentait s'approcher, n'osait se retourner pour les voir. Ils l'avaient contraint à s'avancer pour leur échapper vers la zone la moins peuplée de la gare et les passants étaient à présent trop éloignés pour voir vraiment quoi que ce soit qui put se passer. Plus que probablement, le plan était de le poignarder entre les côtes et de le soutenir jusqu'au banc le plus proche pour l'y laisser mourir en toute discrétion. S'il voulait s'échapper, il allait lui falloir agir vite.

Il accéléra, tentant manifestement d'accroître la distance entre lui et eux, et, à l'instant où les hommes pressaient le pas à leur tour, il parut se tordre la jambe et trébucha. Les deux types se précipitèrent, l'un d'eux l'attrapa tandis que l'autre préparait sa lame.

En un mouvement qui semblait défier la gravité, Harvath suspendit alors sa chute, saisit le poignet du premier de sa main droite et serra son coude de la gauche avec une force extrême. Il poursuivit sa chute, disloquant le bras de l'homme au passage et l'envoyant au sol d'une puissante poussée de la jambe.

Il effectua une classique roulade d'aïkido, se retrouva juste à temps sur les genoux pour parer l'attaque au couteau du second. C'était, réalisa-t-il, un *knucke-knife*, un couteau muni d'un manche en poing américain, une arme extrêmement dangereuse. Il esquiva la lame, mais le coin du manche en métal lui heurta la mâchoire. Un éclair de douleur lui traversa le crâne.

Du coin de l'œil, tandis que son assaillant préparait un nouvel assaut, il nota le type au bras estropié qui s'éloignait en courant vers la sortie. Personne autour d'eux ne semblait réaliser ce qui était en train de se produire. L'autre revenait à la charge, la lame cette fois vers le bas. Scot se prépara à le recevoir. Soudain, trop tard, il vit la seconde lame dans sa main gauche. En un sursaut désespéré il évita le coup de justesse et la lame trancha l'épaule gauche de son trench-coat. La force de sa propre attaque avait déséquilibré l'homme. Avant qu'il put réagir, Scot lança son poing droit dans ses reins. Il entendit le type gémir, le vit pivoter et se remettre en position sur la droite, et il donna un second coup, qui provoqua le même effet. Nouveau grognement. Le type s'apprêtait à frapper une troisième fois quand Scot sauta sur ses pieds et vint se placer derrière lui, le frappant de plusieurs coups rapides et puissants dans le dos. En même temps, il lui jeta dans le creux du genou un coup de pied qui le fit s'effondrer brutalement vers l'avant, sur le sol de pierre poli et, avant qu'il n'ait eu le temps de récupérer, il enchaîna avec deux coups supplémentaires extrêmement douloureux entre les omoplates. L'homme lâcha les couteaux. La lame de gauche tomba au sol. Les doigts de sa main droite restaient prisonniers dans le poing américain.

Harvath posa son pied dessus, releva la tête du type en le tirant par les cheveux.

— Qui êtes vous ? demanda-t-il.

— Va te faire foutre.

Des hommes couraient dans leur direction. Tournant la tête, il vit deux agents de surveillance qui s'approchaient rapidement. Il se redressa, frappa le type au passage et lui cassa quelques côtes.

— Saisissez-vous de lui ! cria-t-il. Je cours après l'autre, il a mon portefeuille !

Sur quoi, il s'engouffra vers la sortie.

Derrière la porte où le premier attaquant avait disparu, tout était calme. Le type n'avait laissé aucune trace. Il s'agissait sans nul doute de professionnels. Qui ? Qui les avait envoyés ? Qui l'avait assommé dans son appartement ? Pourquoi ne l'avaient-ils pas achevé à ce moment-là ?

Sur Second Street, nul parmi la foule où le trafic ne semblait prêter attention à Scot. Il traversa pour s'engager sur Stanton Park. Il avait perdu son parapluie dans l'affrontement, mais il avait sauvé son chapeau et la pluie n'avait pas cessé.

Il dissimulait plus ou moins la déchirure de son trench-coat sous la couture – cela ferait l'affaire. Sa mâchoire, bien que douloureuse, survivrait elle aussi.

Il coupa sur la 4ᵉ Rue, parvint à la bibliothèque Folger Shakespeare. Il lui fallait un endroit où s'arrêter, reprendre souffle et réfléchir, et celui-ci ferait aussi bien l'affaire. Un groupe de touristes s'était massé en haut des escaliers pour se protéger de la pluie. Il se mêla à eux lorsqu'ils entrèrent. Parfaitement fondu dans la masse, il passa la sécurité, se laissa guider jusqu'à une galerie de style Tudor en panneaux de chêne foncé où l'on accédait par des portails élisabéthains taillés. Tandis que le groupe s'éloignait et se perdait en exclamations, Scot s'assit sur un banc, son trench-coat à ses côtés.

Il sortit l'enveloppe kraft de sa poche et l'ouvrit. À l'intérieur se trouvaient plusieurs bandes de papier auxquels il ne put tout d'abord trouver le moindre sens. Puis il comprit. André, apparemment, s'était servi d'un scanner à main. Les bandes de papiers devaient être mises côte à côte pour faire apparaître une pleine page. Comme il n'avait pas de temps pour un puzzle il choisit de les survoler. Le texte ressemblait aux notes d'un journal intime ou d'un carnet de rendez-vous, probablement celui du sénateur Snyder. Mais quelque chose d'autre attira son attention.

Deux bandes de papier placées ensembles paraissaient former ce qui ressemblait au négatif photographique d'une note. Le papier était noir, l'écriture tout blanche – et manifestement identique à celle du journal. Pourquoi André s'était-il donné la peine de faire un négatif d'une note parmi d'autres ? Il lut :

Chère tante Jane,

Ici, tout va pour le mieux. Nous attendons votre visite avec impatience et espérons que tout est prêt de votre côté. L'argent envoyé devrait couvrir vos dépenses et nous présumons que votre voyage sera un franc succès. Vous savez comment nous joindre si vous avez des questions.

Bien à vous,

Edwin.

Il poursuivit sa lecture, tomba sur une autre note, d'une écriture tout à fait différente :

Tante Jane ? Edwin ? Snyder affirme qu'il n'a pas de famille en vie en Europe. Qu'est-il allé faire en Europe ? Y a-t-il un lien avec tante Jane ?

Un autre morceau de papier se trouvait attaché sur lequel une adresse avait été écrite de la main du sénateur, pour une boîte postale à Interlaken, en Suisse.

Quel était le lien ? se répéta Scot. Il fallait qu'il y en ait un. Snyder avait fait tuer Martin en raison de ce qu'il avait découvert. Et maintenant il voulait sa peau à lui, Scot.

En sortant de la bibliothèque, il prit vers le sud. Il trouva un autre distributeur automatique, qui lui renvoya le même message que le précédent. Il allait lui falloir du liquide d'une manière ou d'une autre. Après un regard d'inspection circulaire, il s'enfonça dans la station de métro et prit la rame jusqu'à Waterfront. Il sortit, prit un taxi qui le déposa devant sa banque, sur la 12e Rue, juste au sud de Logan Circle, et laissa au chauffeur ses sept dollars restant.

L'employé de banque, poli et sirupeux, compara sa signature avec celle de sa carte, inspecta ses papiers d'identité et fit signe à Scot de le suivre jusqu'à la salle des coffres. Scot produisit sa clé et, en un mouvement dont la synchronie était faite pour impressionner le client, l'employé tourna la sienne exactement au même instant. On eut dit que les deux hommes se préparaient à lâcher une bombe nucléaire.

Scot retira son coffre. On le conduisit dans une pièce séparée où il resta seul. La porte se ferma derrière lui. Il souleva le couvercle. Tout était en place : pistolet, certificats d'actions et de placements, liquide… Et il se surprit à fixer quelque chose dont il n'aurait jamais imaginé avoir besoin un jour.

42

Tous les sens aux aguets, à l'affût du moindre signe de danger, il sortit de la banque. Autour de lui, les passants allaient et venaient et l'activité semblait parfaitement normale. Sur sa gauche, à un demi bloc, il aperçut un van rouge et blanc à l'enseigne des *Nettoyages de Tapis Ziretta* garé de l'autre côté de la rue, d'où dépassait un long tuyau orange qui traversait le trottoir pour disparaître dans un immeuble adjacent tandis qu'à l'intérieur du véhicule, un générateur invisible émettait un ronflement bruyant et désagréable. Tout cela était très anodin et, bien que ses années d'entraînement lui aient enseigné à ne pas se fier à la normalité, il décida de n'y plus penser. Le van était à sa place, bien plus qu'il ne l'était lui-même et la vie à DC n'allait pas brusquement changer parce que la sienne était bouleversée. Le véritable danger consistait à voir des menaces là où il n'y en avait pas. La paranoïa était, dans sa situation, la pire conseillère.

Même si, bien entendu, elle pouvait aussi l'aider à survivre.

Tout en descendant rapidement la rue, il utilisait des vitrines comme autant de rétroviseurs lui permettant de surveiller ce qui se passait alentour. Le bruit du générateur s'évanouit lentement, bientôt remplacé par une sorte de battement presque cardiaque qu'il ne put tout d'abord identifier, un *Boum-boum, boum* faible qui se mit peu à peu à enfler. Harvath l'entendait moins qu'il ne le sentait au milieu de sa poitrine. Ce n'est qu'au bout de que quelques instants qu'il réalisa que si le bruit devenait plus fort, c'était parce qu'il s'approchait de sa source.

La basse épaisse d'un système stéréo, installé dans une de ces voitures que ses collègues des Services appelaient des *ghettosmobiles,* comprit-il – des voitures aux fenêtres teintées, au châssis bas, aux pneus sortant loin de la jante en flagrante violation du règlement municipal, détail que les occupants négligeaient de façon ostentatoire.

Le bruit était à présent presque à sa hauteur et il lui sembla que la voiture qui venait de tourner et s'approchait de lui, dans son dos, ralentissait. À cet instant, il passa devant une autre vitrine. Le reflet montrait clairement le canon d'un Tec 9 automatique dépassant de la portière.

Il n'eut que le temps de plonger sur le trottoir et de rouler sur lui-même tandis que les balles heurtaient le bitume à l'emplacement exact qu'il venait de quitter et que la vitrine, devant lui, explosait en un déluge de verre brisé.

Il saisit son trench-coat, agrippa le pistolet Glock 9 mm silencieux qui y était fixé avec des caoutchoucs. Il entendit l'une des portes de la voiture s'ouvrir. Le volume augmenta brièvement, la portière claqua. Allongé contre une voiture à l'arrêt, il ne pouvait rien voir.

Il arma son Glock et tira deux balles devant lui à travers un rétroviseur qui explosa en envoyant sur la rue d'autres morceaux de verre.

Un homme cria :

– Attention, il est armé !

Profitant de la diversion, Scot bondit sur ses pieds, courut le long du coffre de la voiture qui lui servait d'abri et risqua une tête pour découvrir ses assaillants.

Il vit un type solide, vêtu d'un treillis noir et d'un passe-montagne qui, au beau milieu de la rue, balayait l'espace du canon de son Tec 9 pour tenter de repérer d'où venaient les tirs. Sans perdre un instant il lui tira deux fois en pleine poitrine et vit l'homme littéralement projeté dans les airs avant de retomber lourdement sur le sol. Il se tourna vers les occupants la voiture, une Nissan grise aux jantes reluisantes. À sa surprise, l'homme qu'il venait d'abattre tourna la tête et braqua son arme sur lui. Scot se replia par réflexe derrière la tôle qui fut déchiquetée immédiatement par les balles. Les vitres volèrent en éclat et le véhicule qui lui servait de refuge s'affaissa, tous pneus crevés.

Le tireur portait un gilet pare-balles. Scot avait affaire à des tueurs expérimentés – des professionnels. Ceux qui l'avaient attaqué à la gare avaient été capables de le suivre jusqu'ici. Les choses s'éclaircissaient. S'il avait une seconde envisagé de se rendre à Jameson avant d'avoir toutes les réponses aux questions qu'il se posait, il savait désormais que cela reviendrait à se livrer à ceux-là mêmes qui voulaient sa peau. Si un responsable du niveau de Shaw était impliqué, n'importe qui pouvait l'être.

Une odeur de cordite flottait dans l'air moite. Il y eut un bruit de bottes foulant du verre cassé, un déclic. Le tireur rechargeait son arme et s'approchait de lui.

Par-dessus la carrosserie qui l'abritait, Scot leva la sienne et se mit à tirer une série de rafales à l'aveugle. Il y eut un cri. Il ne prit pas la peine de regarder, sauta d'un bond de l'endroit où il se trouvait jusque sur le trottoir et, plié en deux, se mit à courir en direction de la banque.

Des pneus crissèrent dans un vacarme d'armes automatiques, il y eut une pluie de verre brisé. Les balles déchiquetaient toutes les voitures derrière lesquelles il tentait de s'abriter. Puis il y eut le bruit mat d'une collision et, soudain, un silence total.

Il se retourna. Un camion d'ameublement avait débouché à l'instant précis où les assaillants faisaient demi-tour, et les deux véhicules s'étaient encastrés. Déjà, dans le lointain, les premières sirènes de police commençaient de se faire entendre.

Il se retourna vers la banque. Quelque chose passa près de son oreille, une pierre épaisse se détacha du mur derrière lui. Quelqu'un d'autre lui tirait dessus ! Qui que ce soit, le tireur se trouvait cette fois non pas derrière, mais en face de lui.

De nouveau, il se jeta au sol, tandis qu'un autre coup le manquait de justesse. La devanture du magasin, sur sa gauche, lui montra un homme armé d'un fusil équipé d'un silencieux, installé à l'arrière de la camionnette de nettoyage.

S'aidant de la vitrine, il leva son arme, tira par deux fois sur le van tout en effectuant une nouvelle roulade entre deux voitures à l'arrêt. Il continuait de surveiller la Nissan accidentée, de crainte d'en voir surgir ses occupants. Le plus probable était cependant qu'ils aient pris la fuite – s'ils étaient du moins encore conscients.

Le tireur, devant lui, avait une vue parfaite sur la rue. Quatre coups de feu en rafale explosèrent les vitres de la voiture qui le protégeait.

Puis il y eut un moment suspendu. Le van ne montrait pas le moindre signe de vie. Scot savait que l'homme entendait comme lui les sirènes approcher. Ni l'un ni l'autre n'avait beaucoup de temps pour agir et se sortir de cette situation, et pour tous deux l'alternative était simple – agir au risque de se faire tuer, ou bien ne rien faire et se laisser arrêter par la police.

Il attendit, le regard braqué sur la vitrine. Sa seule chance résidait dans l'angle de tir. Les coups de feu n'avaient commencé qu'à l'instant où il s'était mis à courir vers la banque. Il observait l'homme assis dans le van, portes ouvertes, son arme pointée dans sa direction.

Tout en s'efforçant de mémoriser la position du van, Scot tourna le canon de son Glock vers la vitrine derrière lui, choisit soigneusement ses points d'impact de manière à briser le verre sans blesser personne et fit feu. La vitrine s'effondra. Immédiatement, il se mit à tirer sans discontinuer en direction du van tout en remontant le trottoir en courant pour s'éloigner de la banque.

Il parvint à se mettre hors de portée. Ce qui l'attendait plus loin, cependant, restait un mystère. Le camion d'ameublement était toujours au milieu de la rue, encastré dans la tôle grise de la Nissan. Il s'avança, jetant de temps à autres des coup d'œil derrière lui pour s'assurer que personne ne le suivait, puis il s'aplatit contre l'arrière du camion et entreprit de se frayer un chemin jusqu'au siège passager. Accroupi à hauteur du pneu avant droit, l'arme au poing, il prit une profonde inspiration, pressa la gâchette. Un bruit se fit entendre derrière lui et il se retourna pour voir la porte passager s'ouvrir lentement sur un Noir aux cheveux gris, au regard terrorisé, qui tentait de descendre.

— Restez où vous êtes, ordonna Harvath. Remontez dans le camion. Fermez la portière et couchez-vous sur le plancher.

L'homme s'exécuta. Scot attendit quelques secondes, puis sauta vers l'avant, le canon du Glock balayant l'espace à la recherche d'un éventuel assaillant. Mais la voiture était vide, le coffre complètement écrasé contre le siège arrière et l'intérieur rempli de bouts de verres et de morceaux de châssis tordu répandus sur le sol alentour. Il n'y avait rien à gagner à rester là, comprit-il, sinon à se faire arrêter.

En passant au crible le contenu de son coffre et, à nouveau l'enveloppe d'André Martin, il lui était apparu que s'il voulait avoir une chance de tirer toute l'affaire au clair, il lui faudrait se rendre lui-même à Interlaken. L'attaque dont il venait d'être victime ne faisait que confirmer son intuition.

À trois blocs de l'embuscade, il arrêta un taxi qui le déposa sur M Street, à hauteur du centre commercial de Georgetown Park. Cette fois, il put payer en liquide. Il fit une série d'achats qu'il régla de même, avec une partie des vingt mille dollars retirés de son coffre qui constituaient sa réserve d'urgence. Utiliser sa carte de crédit était trop dangereux : ses assaillants l'avaient repéré de cette manière. Il fallait la détruire et c'est ce qu'il fit sitôt ses achats effectués. Il la tordit dans tous les sens jusqu'à la casser en plusieurs morceaux, qu'il mit dans sa poche avant de se rendre dans une boutique de sac de voyage. Là, il acheta un KIVA Design convertible en sac à dos, suffisamment large pour contenir les vêtements dont il venait de faire l'acquisition, assez étroit cependant pour tenir en cabine. L'étape suivante fut un magasin Crabtree et Evelyn où une jeune femme du nom de Leslie lui vendit un kit de toilette complet pour hommes ainsi qu'un assortiment de crèmes féminines pour la peau. Il prit quelques billets de son pactole, paya, demanda où se trouvaient les toilettes pour hommes les plus proches.

Une rangée de cabines téléphoniques était disposée près des lavabos. Harvath choisit la plus éloignée, ouvrit l'annuaire des pages jaunes à la recherche du numéro de Swissair. Il sélectionna les réservations business les plus rapides, réserva au nom de Hans Brauner le vol au départ de l'aéroport Dulles à six heures moins vingt de l'après-midi, qui arrivait à Zurich le lendemain matin, à sept heures trente-cinq. Il mémorisa le numéro de confirmation, remercia et raccrocha.

Il entra dans les toilettes, vérifia un à un les cabinets, choisit celui qui se trouvait tout au fond, s'y enferma et plaça les bagages devant lui. La douleur dans sa tête était si vive que son crâne lui semblait sur le point de se briser, et son estomac était soulevé de nausées. Stress et fatigue physique, avait dit Helsabeck, étaient à éviter.

Scot se mit la tête au-dessus de la cuvette et se força à vomir avant de s'essuyer la bouche. Si c'était ce que son corps réclamait, il fallait en finir le plus vite possible. Puis il accrocha son kit de toilette au portemanteau fixé sur la porte, prit la brosse à dent de voyage et le dentifrice, sortit du cabinet pour se laver les dents et s'enferma à nouveau.

Il disposa devant lui, dans des sacs en plastique, des lentilles de contact, un petit tube blanc et ce qui ressemblait à une poignée de cheveux bruns. La transformation serait sobre, conforme à ce que l'expérience lui avait enseigné.

Un déguisement réussi consistait d'une part à effacer tout élément trop identifiable – dans son cas le bleu profond des yeux –, d'autre part, à utiliser les artifices les plus naturels possibles. Plus le déguisement était élaboré, plus on risquait de se faire repérer. Le but n'était pas de ressembler à quelqu'un d'autre ; le but était de *devenir* quelqu'un d'autre.

Les postiches posés, il coiffa ses cheveux vers l'avant, les sépara par une raie au milieu. Une paire de lunettes cerclées de fer, des vêtements neufs couleur de terre, des chaussures de marche foncées et un blazer en daim complétaient l'ensemble, faisant de lui l'homme dont la photo et le nom figuraient sur le faux passeport qu'il avait pris dans son coffre : Hans Brauner, résident à Stuttgart.

Ses connaissances de l'Allemagne remontaient à l'entraînement des SEAL, au cours desquels plusieurs militaires d'élites de ce pays venaient dispenser leur enseignement. Un certain Herman Toffle, en particulier, était devenu populaire auprès des SEAL, à la fois en raison de son courage et de son sens de l'humour. Scot et lui étaient devenus amis. Après que Toffle eut quitté l'armée, il avait ouvert une agence de représentants en vente d'armes et Scot lui avait gratuitement fourni plusieurs contacts aux États-Unis ainsi que ceux d'anciens SEAL dispersés un peu partout dans le monde et recyclés dans la sécurité, conseillers officieux de divers gouvernements dans les achats d'armes lourdes.

C'était pour le remercier que Toffle lui avait offert un faux passeport. Un jour, en Allemagne, Herman l'avait entraîné entre deux exercices dans une sorte de tour du Munich clandestin au terme duquel, après plusieurs étapes arrosées à la bière, ils avaient échoué dans un petit appartement du nord de la ville que Scot avait tout d'abord pris pour un bordel.

Il s'avéra qu'ils se trouvaient chez un fabricant professionnel de faux passeports, l'un des multiples contacts de Herman, un type voûté au crâne dégarni, aux lunettes épaisses, qui lui fut présenté sous le simple nom de Tinkerbell. Tinkerbell le grima ainsi pour la première fois avant de l'asseoir, de le prendre en photo et de lui tendre, deux heures et cinq bières plus tard, un parfait faux passeport. « Dans notre métier, les gens ont besoin d'assurances privées que leurs gouvernements ne sont pas toujours en mesure de fournir », lui avait dit Herman en guise d'explication. Scot comprit que c'était sa façon de le remercier pour les contacts fournis et qu'il avait certainement payé son cadeau une fortune.

Il garda le passeport au coffre, par réflexe plutôt que dans l'idée qu'il en aurait un jour besoin. Le document était tellement noirci de visas de sortie des U.S.A., du Canada, de divers pays d'Europe, d'Asie et d'Amérique du Sud qu'aucun officier d'immigration n'avait la moindre chance de s'y retrouver.

Il acheva de se changer et mit le reste de ses vêtements dans la valise. Le trench-coat et le costume disparurent dans le sac d'achat qu'il jeta dans une benne à ordures à la première allée qu'il trouva derrière le centre commercial. Il essuya les empreintes de son pistolet, et, après l'avoir désassemblé, jeta les pièces dans trois égouts différents. Il avait encore un coup de fil à donner, après quoi, il serait libre.

43

Totalement métamorphosé, confiant dans son passeport et les poches pleines de traveller's chèque au nom de sa nouvelle identité, Scot flânait avec une certaine nonchalance dans l'entrée du Ritz-Carlton tout en tirant ses bagages derrière lui. Une file de taxi attendait près de la porte principale.

Il avisa les cabines téléphoniques, décrocha, glissa la monnaie dans la fente et composa rapidement le numéro.

— Lawlor, dit la voix au bout du fil.

— Gary, c'est Scot.

— Scot, bon Dieu qu'est-ce que c'est que ce bordel ?

— Je m'apprêtais à poser la même question. J'espère que tu sais que je n'ai rien à voir dans les morts de Martin et Sperando. Natalie était une amie personnelle. Pour une raison que j'ignore, Bill Shaw essaie de me piéger.

— Bill essaie de te piéger ? Pourquoi diable est-ce qu'il ferait une chose pareille ?

— Gary, je sais que tu essaies de gagner du temps et de retracer l'appel, mais ok, je vais te répondre. Je crois qu'il a à voir avec l'enlèvement du Président. Lui, le sénateur Snyder et peut-être aussi Rolander. Bien sûr, il essaie de me faire passer pour un paranoïaque.

— Non qu'il ait beaucoup à faire.

— Comment ça ?

— J'ai écouté un enregistrement de ton appel de ce matin, Scot. Tu n'avais pas l'air particulièrement sain d'esprit, si tu veux savoir.

— Ah oui ? Si je suis à ce point dérangé pourquoi a-t-on essayé de me poinçonner tout à l'heure, dans ce cas ?

— Te poinçonner ? Comment ça te poinçonner ?

— Tu sais. Quand on envoie les meilleurs dans le business. Ceux qui ne manquent jamais leurs cibles.

— Es-tu en train de me dire qu'on a essayé de te tuer ?

— Deux fois. Une fois à Union Station et tout de suite après à la sortie de ma banque, sur la 12e Rue. Je crois qu'ils m'ont pisté via ma carte de crédit.

— Scot, si c'est aussi sérieux, rentre. Reviens ici. Je te promets de t'aider.

— Merci Gary, mais non. C'est la seconde fois qu'on me fait cette offre depuis ce matin et pour être franc, je me sens bien plus en sécurité tout seul pour le moment.

— Scot, nous n'envoyons pas de tueurs après nos propres hommes et tu le sais. Dis-moi où tu es, je t'envoie une voiture immédiatement. Je te placerai sous protection…

— C'est exactement ce que m'a dit Shaw à propos de Natalie et Martin.

— D'où connaissais-tu cet André Martin ?

— Natalie me l'a présenté hier soir. Un ami de son frère. Pourquoi ?

— À quand remonte la dernière fois que tu as jeté un œil sur tes relevés bancaires ?

— Le temps presse, Gary, tu le perds en questions absurdes.

— Les Services ont découvert plusieurs virements importants sur ton compte, le mois dernier. Le plus récent date du lendemain de l'enlèvement. L'argent vient des Caraïbes. On a pu le retracer via une série de sociétés écrans jusqu'à un certain André Martin, avocat d'affaires, DC.

— Qu'est-ce que tu racontes ?

— Ce que tout le monde répète. Il semble qu'André Martin ait utilisé Sperando pour arriver jusqu'à toi et passer un marché.

— Passer un marché ? Quel genre de marché ?

— D'après les Services et le procureur, tu es la source interne qui a aidé les kidnappeurs.

— C'est ridicule. C'est dément.

— Vraiment ? Mets-toi une seconde à notre place. Tu étais le chef de l'équipe chargée des repérages pour la sécurité présidentielle. Qui était mieux placé ? Tu es le seul à avoir survécu à l'avalanche. Tu as détruit trois scènes de crime qui sont aujourd'hui illisibles. Tu es le dernier à avoir vu Sperando et Martin vivants. D'après l'employée du Radisson à Alexandria, c'est également toi qui es allé les chercher dans leur chambre. Sa description cadre parfaitement, sans parler de ton arme retrouvée près des corps.

— Quelqu'un a vraiment pensé à tout, hein ? Tu ne trouves pas que ça fait un peu trop ?

— Scot, fuir ne va pas t'aider à arranger les choses.

— Est-ce que tu me crois, Gary ?

— J'ai besoin d'entendre ta version détaillée pour te croire.

— Tu ne vas rien entendre du tout pendant un certain temps. Laisse moi simplement te dire ceci : si quelqu'un a pu élaborer quelque chose d'aussi sophistiqué pour m'éliminer, de quoi est-il encore capable vis-à-vis du Président ? La théorie d'Abou Nidal et du F.C.R. ne mène nulle part. J'en suis convaincu. Il faut chercher ailleurs. C'est ce que je vais faire. Je te donnerai de mes nouvelles.

Il raccrocha. Il traversa le lobby, prévint le portier qu'il se rendait à Union Station. Une fois sur place, il prit un second taxi et fila à l'aéroport.

44

— Ya, z'est un broplem quand vous êtes un businessman, *nicht* ? disait Harvath avec son meilleur accent allemand à l'hôtesse suisse qui contrôlait son passeport.

— Mais c'est charmant, répondit-elle. Votre femme sera ravie.

— Je l'esbére. Je lui ai auzi ajedé quelque chose de speziale.

Il posa sur le comptoir l'assortiment de crèmes pour femmes.

— Vous croyez que za lui fera plaisich ?

— J'en suis persuadée monsieur. Une femme qui vient d'accoucher est toujours sensible aux attentions.

— Je devais être izi trois zemaines encore. Mais elle a accouché en avance…

C'était risqué. Les compagnies surveillent les clients qui payent en liquide, particulièrement pour les vols de dernières minutes, mais il n'avait pas d'autre choix que ce mensonge laborieux.

Il garda le même sourire béat durant tout le temps qu'elle lui posa les questions standard, jusqu'à l'instant où elle lui rendit son passeport, son ticket, et présenta ses meilleurs vœux à son épouse fantôme avant de le diriger vers le salon privé réservé aux business classes. Il avait eu de la chance car à la vérité, son allemand était limité et il aurait eu du mal à suivre plus qu'une conversation rudimentaire.

Il n'avait rien mangé depuis le bagel du matin, n'ayant pas voulu s'attarder au centre commercial, et il profita du bar pour se restaurer avant l'embarquement. Enfin, à l'appel il se leva, prit sa place dans la file des hommes d'affaires. Il avait un journal allemand sous le bras et avançait lentement, remorquant son bagage.

Dans l'avion, il trouva son siège. Il accepta le jus d'orange offert par l'hôtesse et sentit ses muscles se relâcher tandis que l'appareil quittait la porte d'embarquement et roulait sur la piste en attendant son tour. Il demanda qu'on ne le réveille pas pour le repas. Sitôt que l'avion eut prit son envol, il s'endormit.

45

Il s'éveilla juste à temps pour le petit-déjeuner, composé d'une omelette végétarienne, d'un croissant, d'un fruit et d'un café. Il passa une dernière fois aux toilettes afin de vérifier son déguisement, puis, rassuré, reprit sa place près de la fenêtre. Zurich approchait.

Il atteignit le contrôle des passeports. Il était presque huit heures du matin, il n'y avait qu'un seul officier derrière une unique guérite. Un autre avion était arrivé avant le sien. Bien qu'il fut en classe business, il lui fallut attendre avec la foule de passagers fatigués et maussades.

L'officier ne lui posa aucune question. Tout se déroula sans anicroche.

Personne ne semblait l'avoir suivi. Au comptoir d'information, il prit une petite brochure détaillant la liste des magasins de l'aéroport. Il se glissa dans les toilettes des hommes et, comme la première fois, prit le cabinet le plus éloigné de la porte dans lequel il s'enferma. Il changea ses vêtements pour un pantalon cargo, un t-shirt, un sweater dont les rayures brunes et rouge s'étendaient de la poitrine à la manche, et des bottes. Il retira la barbiche, les faux sourcils, les lunettes, conserva les lentilles de contact et posa une casquette bleue en tricot sur sa tête. Pour tout observateur il ressemblait maintenant à n'importe quel jeune homme en vacances.

Il traversa l'aéroport jusqu'au salon de coiffure indiqué sur la brochure. Après avoir eu une discussion fournie avec la coiffeuse sur les meilleures pistes skiables, il observa avec satisfaction dans le miroir le visage d'un homme jeune aux cheveux coupés ras dont la blondeur tirait sur le blanc. Le déguisement était achevé. Il paya en francs suisses, sortit une paire de lunettes de soleil panoramiques de sa poche, la chaussa et s'engagea hors de l'aéroport.

Une ligne de train reliait l'aéroport à Interlaken. Il prit un ticket de seconde classe. Sur le quai, il nota un groupe d'étudiants et s'approcha d'eux pour mieux passer inaperçu. Le train arriva pile à l'heure. Il plaça son sac à dos au-dessus de lui, s'assit aussi près que possible du groupe. Le train fit deux arrêts à Zurich et dans les environs puis commença à prendre de la vitesse et s'enfonça dans la campagne. Une fois le contrôleur passé, Scot ferma de nouveau les yeux. Deux cent trente-neuf kilomètres séparaient Zurich d'Interlaken. Dans l'intervalle, se repassant mentalement ces quatre jours de chaos, peut-être parviendrait-il à leur donner un début de signification.

L'implication de Shaw ne faisait plus aucun doute dans son esprit. Il travaillait avec le sénateur Snyder et tous deux avaient fait tuer Natalie et André Martin. Ils étaient également responsables de la machination dirigée contre lui, ils avaient dérobé son arme et dispersé les indices qui l'accusaient. Mais pourquoi ? Pourquoi et comment un homme qui avait fait toute sa carrière dans les Services pouvait-il être impliqué dans un complot si vaste impliquant la mort de ses propres hommes ?

Et puis il y avait les dépôts d'argent sur son compte à lui, Scot, en provenance des Caraïbes et d'André Martin. Pourquoi prendre la peine de le piéger ainsi et en même temps, vouloir l'éliminer ? Si on voulait le tuer, celui qui avait dérobé son arme dans son appartement aurait eu tout loisir de l'achever lorsqu'il était inconscient… À quoi ce jeu rimait-il ? Où était la cohérence ? Ses adversaires avaient-ils changé de stratégie en voyant qu'il ne se laissait pas capturer ? Comment le sénateur Rolander était-il mêlé à tout ceci et qu'était Star Glazer ? D'autres images, d'autres fragments flottaient dans son esprit sans lien apparent avec ce puzzle. Sa migraine augmentait et il cessa de se perdre en conjectures pour se concentrer sur ce qu'il savait.

L'hypothèse d'hommes du Moyen-Orient ne tenait pas debout, mais cela ne signifiait pas cependant, qu'un groupe moyen-oriental n'était pas capable de financer une telle opération. C'était même tout à fait possible sauf que cela rendait l'implication d'un Bill Shaw ou d'un Snyder encore moins crédible.

Une douleur vive et lancinante irradiait sa tête tandis qu'il s'efforçait de réfléchir et il dut faire un effort pour se concentrer de nouveau.

Ceux qui s'étaient chargés de l'enlèvement étaient des hommes d'expérience, à l'aise dans la neige et la montagne. Ils avaient accès à des explosifs et à une technologie sophistiqués. Ils avaient de l'argent, des contacts internationaux, un remarquable sens tactique, et ils savaient agir sans presque laisser de trace.

Sans presque laisser de trace, se répéta-t-il. Ils en avaient laissé quelques-unes cependant, à la ferme mormone. La fumée de cigarette, le morceau de chocolat suisse. L'adresse d'une boîte postale à Interlaken trouvée dans l'enveloppe de Martin.

Scot ouvrit les yeux sur la montagne majestueuse et blanche qui se trouvait de l'autre côté de la vitre. Un magazine ferroviaire pendait d'un petit crochet au-dessus du siège d'en face. Le titre, en deux langues, disait *« le mont Eiger : pas seulement pour les fous »*. Il s'en saisit et parcourut distraitement l'article consacré à l'un des sommets les plus intimidants du monde et aux alpinistes qui l'avaient défié.

Son attention passait des photos au paysage qui défilait devant la fenêtre et aux idées qui l'agitaient. Quiconque avait kidnappé le Président avait réuni pour cela une invraisemblable équipe de mercenaires montagnards. Pourquoi pas des Suisses ? Tout ce qui s'était passé ces quatre derniers jours, tout ce qu'il avait vu et senti lui soufflait que les hommes venaient d'ici.

46

Il était exactement midi vingt quand le train s'arrêta dans la petite gare d'Interlaken Ost. Il descendit sur le quai, s'enfonça dans le tunnel piéton, et ressortit dans le bâtiment principal qui donnait sur la rue. Il mit son sac à la consigne, s'arrêta au comptoir, saisit l'une des feuilles réservées au commentaire des voyageurs et rédigea une courte note :

Pour boire un verre, rien de tel qu'un double Martini super tassé. Je serai à Interlaken, au meilleur endroit de la ville.

Il glissa le papier dans une enveloppe qu'il ferma et sortit dans le soleil éclatant. À l'extérieur, il trouva, assis parmi un enchevêtrement de sacs à dos et de skis, un groupe de jeunes touristes américains très certainement en route pour Balmer, l'auberge de jeunesse la plus populaire de la ville. Il avisa l'une des gamines, une jolie blonde avec un anneau dans le nez. Il lui expliqua qu'il avait été séparé de son groupe par accident.

— Jackie la propriétaire de l'auberge, nous connaît de l'année dernière, dit-il. Ça t'ennuie de lui passer ce mot ?

— Cool, pas de problème.

Il lui tendit l'enveloppe.

Puis il rentra dans la gare et attendit que le groupe disparaisse avant de se diriger sur la Höheweg, qui faisait office d'artère principale.

Interlaken se trouvait être l'un de ses endroits préférés d'Europe. Comme son nom l'indique, la ville se situe entre deux lacs, le lac de Thun et le lac Brienz, deux plans d'eau d'un bleu profond et clair. La ville, avec ses palaces fin de siècle, conservait encore tout le charme de l'époque où elle était l'un des plus fameuses villes d'eau du continent.

Il passa l'hôtel du Nord, le restaurant des Alpes, parvint au luxueux parc Höhematte et se promit, s'il s'en sortait et ramenait le Président, de revenir un jour pour le festival de jazz qui avait lieu chaque automne.

Le Jungfraustrasse et le café Shuh se trouvaient à l'autre extrémité du parc. Pour peu que Jackie ait reçu son mot, c'est là qu'elle l'attendrait, conformément au code en vigueur entre eux.

Il pénétra dans l'office du tourisme qui se trouvait de l'autre côté de la rue, prétendit se perdre dans la lecture de brochures touristiques et se mit à inspecter la porte principale du café. Au bout de vingt minutes, il vit surgir une masse de cheveux roux et un visage couvert de tâches de rousseur qui ne pouvait appartenir qu'à elle. Il vérifia qu'elle n'était pas suivie, mit les brochures dans sa poche, sortit et traversa la rue.

Jackie Kreppler lui tournait le dos quand il entra. Il se faufila jusqu'à elle, lui couvrit les yeux des mains.

— Une devinette : comment met-on cinquante skieurs de compétition dans une boîte à chaussures ?

— On leur promet un sponsor, répondit immédiatement la jeune femme qui se retourna vers lui en s'écriant : c'est dingue ! Qu'est-ce que tu fais ici, Scot ?

— J'étais dans les parages, je me suis dit, pourquoi pas…

— Laisse-moi te regarder. Super, la coupe. Tu as quitté l'administration, tu te remets au ski, ou quoi ?

— Pas tout à fait, éluda-t-il. Est-ce qu'on peut s'asseoir ?

— Bien sûr.

Jackie se dirigea vers le maître d'hôtel, parlementa quelques secondes en suisse allemand, et ils furent conduits jusqu'à une petite table discrète adossée au mur du fond. Jackie sortit un paquet de cigarettes.

— Oh, fit Scot. L'athlète mondiale est devenue fumeuse.

— Essaie donc de vivre en Europe pendant dix ans, mariée à un fumeur en plus, et d'y échapper. Mais je ne fume que lorsque je bois. Non que ce soit une excuse mais enfin. Qu'est-ce que tu prends ?

— *Ein grosses Bier*, dit Scot.

— *Und einen Kir, bitte.*

Le garçon s'éloigna.

Ils parlèrent quelques instants de tout et de rien, du temps et d'Interlaken. Puis Jackie dit : — ok, ça suffit. Elle prit une longue bouffée de cigarette et lui décocha une rafale de questions.

— Je veux tout savoir. Ce que tu as fait, avec qui tu es sorti et avec qui tu sors. Et d'abord, comment tu peux te payer le luxe de vacances avec la crise actuelle aux États-Unis ?

Scot avant de répondre laissa le garçon s'approcher, déposer les boissons ainsi qu'un bol plein de chips et s'éloigner.

— Par où est-ce que je commence ?

— Je ne sais pas, répondit Jackie, les doigts dans les chips. Par où tu veux.

— J'ai des ennuis sérieux et j'ai besoin d'aide.

— Quel genre d'ennui ?

Il resta silencieux.

— Ça a à voir avec la disparition du Président ? Ne fais pas cette tête, c'est l'affaire du siècle partout dans le monde, tu sais.

La rapidité avec laquelle Jackie additionnait deux et deux lorsqu'il s'agissait de lui le surprenait toujours. Ils n'étaient que des gosses à l'époque où ils sortaient ensemble mais dès cette époque déjà, elle le percevait si bien qu'il lui était arrivé de penser qu'elle était peut-être pour lui la personne idéale. Puis le père de Scot était mort, toute son existence en avait été bouleversée. Durant quelques temps, il avait fait un peu n'importe quoi et, quand il s'était enfin remis, Jackie était passée à autre chose – ou plutôt à quelqu'un d'autre : un skieur suisse qu'elle avait finalement épousé. En dépit de ses meilleures intentions, il semblait que Scot fut condamné à se séparer de ceux qu'il aimait et qui comptaient pour lui. Pendant des années, il avait rendu son travail responsable de son manque de disponibilité. À présent, cependant, un seul regard sur Jackie, encore plus belle et plus resplendissante que dans leur jeunesse, lui prouvait qu'il n'existait qu'une seule raison à son isolement : lui-même.

— Comment va l'auberge de jeunesse ? demanda-t-il. À chaque fois que je tombe sur un guide touristique suisse n'importe où dans le monde, je tombe sur une photo de toi. Et Rolf ?

— Égal à lui-même. Scot, cesse de tourner autour du pot, dis-moi ce qui se passe. Tu étais là au moment du kidnapping ?

— Ça doit rester strictement entre toi et moi.

— Bien sûr. C'est à moi que tu parles, Scot. Jackie. Tu me connais mieux que ça. C'est la raison pour laquelle tu es là, non ?

Il hésitait à l'impliquer. Trop de gens, déjà, étaient morts par sa faute.

— Oui, j'y étais, dit-il avec réticence. Je suis l'un des seuls survivants. La plupart des agents ont péri sous l'avalanche ou d'une balle dans le crâne.

— Mon Dieu !

— Ce n'est pas tout. L'une de mes meilleures amies et l'homme qu'elle m'avait présenté ont été assassinés jeudi soir, après que nous ayons bu un verre ensemble. Je suis considéré comme leur meurtrier.

Le visage de Jackie passa de l'attention concentrée au choc.

— Toi ? parvint-elle à articuler.

— On a trouvé mon arme près de leurs corps. Des sommes d'argent ont été déposées sur mon compte m'impliquant dans ces meurtres et dans l'enlèvement.

— Parce qu'il y a un lien ?

— Pour tout le monde ou presque, je suis le lien. Je me suis fait piéger, Jackie. On me considère comme la source des fuites internes qui ont permis que ça arrive.

— Mais je croyais que les Services t'avaient en haute estime. Tout le monde te pensait au top !

— Je l'étais.

— Et ton patron ? Tes supérieurs ? Ils te connaissent. Ils devraient être capables de te soutenir. Ils te savent certainement innocent.

Elle ignorait à quel point entendre cela lui faisait du bien.

— Mon supérieur immédiat, qui était aussi un ami proche, est mort durant le kidnapping. Et son supérieur à lui est impliqué d'une façon que j'ignore encore, mais à un haut niveau.

— Et au-dessus ?

— Le problème, c'est que les preuves s'accumulent contre moi. Ma hiérarchie me propose de me rendre afin de prouver mon innocence.

— Prouver ton innocence ? Je croyais que l'idée était plutôt de prouver ta culpabilité ?

— Moi aussi.

— Donc, tu as fui en Suisse. Tu essaies d'éviter l'extradition ? Excuse-moi si je m'occupe de ce qui ne me regarde pas, mais je crois te connaître un peu. Est-ce que le fait de fuir n'aggrave pas ton cas ?

— Ça dépend. Les gens qui ont tenté de me piéger semblent avoir changé d'avis à mon sujet. Maintenant, ils essaient de me tuer. Deux fois déjà depuis hier.

— Tu n'es pas blessé, j'espère ? Tu as besoin d'argent ?

— Non, je ne suis pas blessé et non pour l'argent, merci. Il y a quelques indices que j'essaie de remonter ici.

Ils abordaient un terrain miné et Scot dût choisir ses mots avec précaution.

— J'ai besoin de trouver certaines personnes susceptibles de me conduire dans la bonne direction, dit-il. Après ça, si tout se passe bien, et avec un peu de chance, je serai prêt à rentrer à la maison. En attendant, personne ne doit savoir que je suis à Interlaken.

— Bien sûr.

— J'ai aussi besoin d'un service.

— Oui ?

— Il me faudrait un endroit où dormir.

L'expression qui se peignit sur le visage de Jackie était la meilleure réponse.

En dépit de leur amitié et de son désir de l'aider, ce qu'il lui demandait était presque impossible. Malgré tout ce qui les séparait, à commencer par l'océan atlantique, Rolf avait toujours vu en Scot un rival potentiel. Il était jaloux de lui, n'appréciait ni les lettres qu'il envoyait à sa femme ni, a fortiori, ses visites occasionnelles. La dernière s'était particulièrement mal déroulée. Jackie et Rolf s'étaient disputés pendant une semaine après le départ de Scot, et Rolf avait exigé qu'elle cesse tout contact avec lui.

— Je sais que c'est plus son problème que le tien, mais Rolf s'est toujours senti menacé par toi, résuma Jackie.

— On se demande pourquoi. Il est beau, il a une femme superbe, ses affaires marchent et sa carrière politique également. Il est toujours dans la politique, non ?

— Oh oui. Plus que jamais.

— Écoute Jackie, je ne veux pas te causer de problème. Si je savais où aller, je n'hésiterais pas une seconde. J'ai besoin d'un endroit sûr d'où gérer une situation extrêmement difficile. Personne ne viendra me chercher chez vous. Je sais ce que ça te coûte, crois-le.

Jackie faisait tourner le fond de son verre tout en se mordant la lèvre inférieure.

— En un sens, finit-elle par dire, tu as du bol. Heureusement que j'étais là pour recevoir ton mot. *Un double Martini super tassé* ? Tu ne crois pas que Rolf t'aurait identifié tout de suite ?

Le *double Martini super tassé* était l'appellation qu'ils utilisaient autrefois pour une figure de ski artistique exceptionnellement compliquée. Rolf la connaissait vraisemblablement lui aussi.

Scot grimaça, l'air penaud.

— Il est à Berne pour la semaine, poursuivit-elle. Un congrès politique. Je peux te loger dans une des chambres sans que personne ne s'en rende compte. L'auberge est en rénovation pour l'été, les couloirs sont encore pleins de poussière, il faut des jetons pour les douches et il n'y a pas de service de chambre, mais j'imagine que tu ne vas pas faire le difficile.

— Absolument. Merci infiniment.

— Oui. En ce qui concerne la clé, je te la laisserai avec un mot sous l'une des poubelles qui se trouve dans l'allée, derrière le bâtiment principal. Il y a six poubelles, toutes peintes en rouge. L'une est plus petite que les autres. La clé sera là. Tout ce que je te demande, c'est d'utiliser l'escalier arrière et de ne pas attirer l'attention.

— C'est exactement ce que je compte faire.

Elle le regarda une seconde sans rien dire.

— Tu sais que je ne t'aurais pas reconnu avec cette coiffure et les lentilles ?

Ils rirent et Scot saisit sa main. Elle eut un bref mouvement de recul avant d'accepter son geste.

— Tu ne peux pas savoir à quel point j'apprécie, Jackie. Je n'ai personne d'autre vers qui me tourner.

— Essaie seulement de sortir par le haut de cette histoire. Ok ?

— Je m'y emploie.

Elle lui pressa brièvement la main et se leva.

— Tu m'invites ?

— Bien sûr, dit-il. Quand est-ce que je peux venir prendre la clé ?

— D'ici une heure je pense.

Elle lui passa la main dans les cheveux avec un soupir de désapprobation.

— Ah là là ! Toi qui étais si mignon, en blond !

— Merci Jackie, répéta-t-il.

— À plus tard.

Elle saisit son manteau prit son sac et sortit. Scot la regarda passer la porte et s'éloigner sur la Jungfraustrasse. Il finit sa bière.

47

Clé et note se trouvaient, comme prévu, sous la plus petite des six poubelles rouges. Jackie y avait ajouté une carte des lieux indiquant sa chambre, à l'extrême sud du bâtiment. Harvath parvint à se glisser dans l'immeuble sans se faire remarquer.

Les escaliers respiraient le bois frais, et l'auberge elle-même faisait penser à un vieux film champêtre. C'était un chalet suisse typique, aux pignons peints de scènes de la vie paysanne quotidienne, aux fleurs en pots à chaque fenêtre.

Il se faufila jusqu'à sa chambre. Jackie avait fait le lit et déposé à son intention plusieurs bouteilles d'eau minérale, du fromage, deux pommes, du pain, du salami, une cafetière électrique et un paquet de café ainsi que des couverts. Une note posée sur la couverture disait : *Au fait, rien de tout ça n'est gratuit, c'est mis sur ton compte. Bon séjour. J.*

Elle n'avait pas changé, constata-t-il – Dieu merci.

Le plancher, les murs, le plafond doucement incliné étaient tous construits en un beau bois clair. Le double lit avait des draps blancs et un édredon rouge. Un lavabo était installé dans un coin et les toilettes devaient se trouver au fond du couloir, près des douches qu'il avait aperçu en venant. Sur la suggestion de Jackie, il avait changé quelques billets pour des pièces de cinq francs afin de pouvoir en profiter dès le lendemain, et il déposa sa monnaie sur le comptoir, près du lavabo.

Il avait chaud et poussa la fenêtre, qui s'ouvrait vers l'extérieur.

Il retira ses chaussures, s'assit sur le lit, sortit d'un sac en plastique bleu les achats qu'il avait effectué à côté de l'auberge. Par miracle, il était tombé sur un magasin d'armement. Il n'était pas citoyen suisse et la loi lui interdisait d'acheter une arme véritable, mais il s'était rabattu sur une réplique du Glock 17, importée de Tokyo, qui tirait des balles en plastique de six millimètres, et d'allure si réaliste qu'elle était utilisée par plusieurs agences de police au cours des entraînements. Le silencieux en moins, c'était une copie presque parfaite du modèle original qui lui avait, la veille, sauvé la vie. Un jouet sans doute, mais c'était mieux que rien.

Il retira l'arme de sa boîte, l'inspecta avant de glisser une à une les petites balles blanches dans le chargeur. À sa surprise, elles lestaient le pistolet d'un poids proche du modèle réel et, lorsqu'il le prit en main, il se sentit tout de suite moins vulnérable.

Il le posa près de lui. Il saisit le carnet de notes et le stylo laissés par Jackie dans sa chambre, arracha le mot qu'elle avait laissé. Il farfouilla dans l'enveloppe kraft héritée d'André Martin, en sortit le mot adressé à *tante Jane* ainsi que l'adresse à Interlaken, et entreprit d'écrire un texte de son cru. Imiter l'écriture du sénateur Snyder n'était même pas nécessaire ; il tenait à faire savoir que quelqu'un d'autre entrait dans le jeu.

Chère tante Jane, écrivit-il,

Vous avez été bien vilaine. Vous vous êtes approprié quelque chose qui ne vous appartenait pas et nombreux sont ceux qui veulent maintenant le récupérer. Je ne suis pas en colère après vous, mais je crois que mon silence vaut quelque chose. Pourquoi ne pas en discuter ? Je serai au Palais de la Glace à midi, le lendemain du jour où vous recevez ceci.

Dans l'attente d'un dialogue profitable,

Avec mes meilleurs sentiments,

Un ami d'Edwin.

Il se relut plusieurs fois avant de cacheter la lettre, puis il l'adressa à la boîte postale indiquée, timbra et sortit.

Il flâna dans Centralstrasse le nez sur les vitrines, jusqu'à cinq minutes avant la fermeture du bureau de poste. Alors seulement il la glissa dans la fente. De cette manière, le courrier ne parviendrait pas à son destinataire avant le lendemain matin au plus tôt.

Il rentra tout en repassant dans son esprit le plan qu'il avait élaboré. C'était risqué, plein d'incertitudes, mais c'était sa seule carte.

48

La première réaction de Star Gazer lorsqu'il découvrit sur son bureau le doigt humain enrobé de papier ciré, avait été de se précipiter sur sa corbeille à papier pour vomir.

À présent, deux heures plus tard, face aux sénateurs Rolander et Snyder, les portes surveillées par ses gardes du corps, il était prêt à laisser exploser sa colère.

— Toute cette histoire est hors contrôle ! hurlait-il.

— Parlez plus bas s'il vous plaît, dit Snyder. Qu'est-ce qui vous met dans cet état ?

— Ce qui me met dans cet état ? D'abord, les agents des Services systématiquement exécutés, ensuite l'équipe des Opérations Spéciales qui subit le même sort, et maintenant ça. Le doigt du Président dans une enveloppe accompagné d'une demande de rançon de cinquante millions de dollars à déposer sur un compte à Buenos Aires. Si la demande n'est pas satisfaite, ils enverront sa tête !

Rolander resta sans voix.

— Nos amis se font un peu gourmands, on dirait, dit calmement Snyder.

— Ils ne peuvent pas faire une chose pareille, articula enfin Rolander.

— On dirait bien que si. Vous êtes sûr que c'est bien de son doigt qu'il s'agit ? demanda Snyder en se tournant vers le vice-président Marshfield.

— Positif. J'ai reconnu la petite cicatrice en forme de demi-lune à l'articulation, un accident de voile.

— Qu'est-ce que vous en avez fait ?

— Qu'est-ce que vous vouliez que j'en fasse ? s'étrangla Gazer. Je l'ai donné aux Services.

— Bon Dieu ! Et la demande de rançon ? Vous ne l'avez montrée à personne au moins, j'espère ?

— Bien sûr que si ! Tout ça est complètement dément ! Ça n'était absolument pas prévu ! Vous devez tout arrêter !

Marshfield criait, à la limite de l'hystérie.

— Inutile de me rappeler ce qui était prévu. C'est moi qui l'ai organisé, dit Snyder, excédé par Marshfield. Vous avez gagné votre jeu d'échec mondial. Vous avez gagné un financement de campagne impossible à retracer, et vous avez gagné une chance de prouver au monde entier que vous pouvez être Président.

— Mais toute cette opération est en train de s'effondrer ! dit Marshfield.

— Tout ce qui s'effondre en ce moment, monsieur le vice-président, ce sont vos nerfs. Restez ferme devant les caméras, et vous vous en tirerez frais comme une rose. Faites votre boulot et nous ferons le nôtre. Assurez-vous que la coalition présidentielle mise en place pour faire passer la loi sur la réduction des énergies fossiles est hors jeu, et laissez-nous le reste. Et pour l'amour du ciel, bon Dieu, tenez-vous un peu !

— Mais la pression est telle…

— Marshfield, je vais vous dire, et je ne vous le dirai qu'une fois parce que je sais que vous êtes un type intelligent : vous avez vu comme il est facile de faire disparaître un Président, n'est-ce pas ? Imaginez à quel point il est plus facile encore de faire disparaître un vice-président. Et cette fois pour de bon. Alors, en toute amitié, je vous conseille de jouer votre rôle.

Rolander attendit de se retrouver seul en compagnie de Snyder derrière les vitres fumées de la limousine qui les emmenait à travers Washington pour dire ce qu'il pensait :

— Je me fais du souci à son sujet.

— Qui, Marshfield ? Il est sous contrôle, dit Snyder. J'ai quelqu'un qui le surveille en permanence. En ce moment, Marshfield est le cadet de nos soucis. En revanche, je n'aurais jamais dû t'écouter quand tu m'as suggéré de piéger ce type, Harvath. On aurait dû l'éliminer quand on le pouvait, dans son appartement.

— David, ça ne sert à rien de regretter. De toute façon, il est en cavale maintenant et tout le monde à Washington le croit coupable.

— Il en sait beaucoup trop. Il est parvenu à tuer deux de mes hommes à la sortie de la banque et à en blesser trois autres. Harvath est tout sauf quelqu'un à sous estimer.

— Heureusement, je le tiens, maintenant.

— Vraiment ?

— Je ne suis pas pour rien membre de la commission sénatoriale du renseignement, mon vieux. Apparemment, Harvath a passé un coup de fil à Lawlor hier, au F.B.I. pour clamer son innocence. L'appel venait du Ritz. Lawlor a envoyé ses hommes là-bas interroger tout le personnel. Ils n'ont pas trouvé trace de Harvath. Mais le niveau de sécurité du Ritz est maximal et il y a des caméras partout. Il a suffi d'analyser les vidéos. On a repéré son déguisement, il est monté dans un taxi que nous avons retrouvé. Il a pris un vol pour Zurich sous le nom de Hans Brauner.

— Tu es sûr ?

— J'ai vu la vidéo moi-même. Il avait le même déguisement qu'au Ritz.

— Bordel de merde ! Comment a-t-il établi le lien avec la Suisse ? Qu'est-ce qu'on va faire ?

Rolander était en sueur.

— Je suis en train de m'en occuper, dit Synder toujours aussi calmement. Une de mes équipes est en route pour réduire Harvath au silence, définitivement.

— Mais il peut se trouver n'importe où...

— J'ai mis son passeport et ses deux noms sous surveillance. Sa ligne est écoutée et son adresse e-mail piratée. J'ai donné la consigne de ne pas l'appréhender pour l'instant, mais de nous prévenir s'il se montre.

— S'il se montre...

— Ne t'en fais pas, il se montrera.

— Est-ce qu'on ne devrait pas prévenir les Lions de la présence de Harvath en Suisse ?

— Ce serait une erreur. D'abord, je ne crois pas qu'il soit capable de les localiser. Ensuite, nos amis cherchent manifestement à profiter de nous en ce moment. Ils seraient capables de chercher à utiliser Harvath contre nous, si nous leur signalions sa présence.

Rolander réfléchit un moment.

— Quant à cette demande de rançon, dit-il enfin.

— Eh bien ?

— Qu'est-ce qu'on fait à ce sujet ?

— Rien.

— C'est-à-dire ?

— C'est-à-dire rien. C'est un scénario qu'on a déjà passé en revue avec Fawcett. Il pensait que ça pouvait arriver, surtout si l'on considère l'argent qu'il a fallu avancer. Il était légitime d'imaginer que les Lions se feraient gourmands. Son conseil est de ne rien faire.

— Et comment fait-on ça ?

— Simple. Si le Président ne revient pas vivant, Marshfield reste en poste jusqu'à la fin du mandat. Ça laisse le temps de travailler son image et de lui assurer sa réélection. Marshfield a un potentiel pour deux mandats pleins et si nous parvenons à l'exploiter, il sera complètement à nous. Je ne vois pas comment on peut perdre.

49

Harvath ouvrit les yeux et constata qu'il faisait encore nuit. Il détestait le décalage horaire. Il referma les paupières pour s'obliger à se rendormir, mais c'était peine perdue. Il posa les pieds sur le plancher froid, se dirigea à pas feutrés dans le noir jusqu'aux toilettes puis revint dans sa chambre. Il commença ses assouplissements. Les bleus mettraient sans doute des semaines à disparaître mais la raideur musculaire commençait à s'estomper. Sa mobilité revenait. Il entreprit quelques exercices de yoga. Concentré sur sa respiration, il nota que sa tête le faisait encore souffrir.

Il entama une série de pompes, d'extensions et de flexions en s'aidant du pied du lit. Puis, couvert d'un fin duvet de sueur, la respiration courte, l'estomac vaguement nauséeux, il ramassa sa serviette, sa trousse de toilette et sa monnaie, et se dirigea vers les douches.

À son retour, il se prépara un petit déjeuner composé de pain, de fromage, de fruit et de deux cachets de Tylenol, accompagnés d'un café chaud et corsé. Il se lava les dents, revêtit une nouvelle tenue de « jeune vacancier », glissa le faux Glock dans sa ceinture, enfila une veste et sortit de l'auberge.

Il était devant la poste dès l'ouverture des portes, une édition de *USA Today* coincée sous le bras. Il marcha jusqu'au guichet de la poste restante et remarqua au passage, que la même employée officiait.

— Bonjour.

— Bonjour monsieur. Vous venez voir si votre mandat est arrivé ? À quel nom déjà ?

La veille, il avait utilisé le nom de Sampras, « Peter Sampras », un choix stupide mais une fois fait, il n'avait plus pu reculer.

— Ah oui, comme le joueur de tennis, dit la fille.

— Lui-même. Sauf qu'il joue mieux que moi et qu'il est plus riche.

La fille s'éloigna, revint quelques minutes plus tard comme prévu, sans mandat à son nom.

— C'est très emmerdant, dit-il. Tout l'argent de mes vacances est dans ce mandat, je n'ai même pas de quoi m'offrir un petit-déjeuner.

— Vous pouvez attendre sur le banc si vous voulez, lui répondit la fille, ce qui était exactement ce qu'il voulait entendre.

C'était là le plan qu'il avait mis au point pour surveiller les allées et venues sans attirer l'attention. Cela pouvait durer un certain temps. Il n'avait aucun moyen de savoir combien de fois par jour ou par semaine *tante Jane* vérifiait la poste restante. Le risque existait aussi que le courrier envoyé à son adresse soit retourné ailleurs. En ce cas, il allait faire le pied de grue pour rien.

Il remercia l'employée.

— J'ai amené de la lecture, dit-il. Je vais me mettre dans un coin.

Il s'assit de façon à ne pas perdre de vue la boîte restante.

Du temps s'écoula… L'employée compatissante lui tendit une tasse de café fumante. Il revint s'asseoir. À dix heures vingt, un groupe de personnes âgées fit irruption. Plusieurs d'entre eux se dirigèrent vers les boîtes postales et, durant un instant, Scot eut du mal à décider si oui ou non la figure frêle en veste matelassée et chapeau brun qui se tenait devant lui ouvrait ou non la boîte qu'il épiait.

Le groupe de septuagénaire se massait devant lui, bloquant sa vision… Puis dans une brève éclaircie, il aperçut une main gantée refermer une boîte… Sa boîte ! *Tante Jane* venait de retirer sa lettre ! Il avait pris soin de choisir une enveloppe aux couleurs vives et il n'y avait pas le moindre doute sur ce que la main gantée serrait à présent entre ses doigts.

Il se fraya un chemin aussi poliment que possible, dans un fouillis de bâtons de skis et de chaussures de marche et parvint dehors, sur l'escalier de béton, juste à temps pour voir s'éloigner une silhouette en manteau bleu surmontée d'une casquette brune qui tournait le coin de la rue. Il se précipita.

L'homme qui marchait juste devant lui, mince, de taille moyenne, ne jetait pas un regard en arrière. Au bout de quelques mètres cependant, Scot le vit s'arrêter devant une vitrine et comprit – il avait utilisé le même truc à Washington afin de vérifier qu'il n'était pas suivi. Il n'avait pas d'autre choix que de passer son chemin.

À Interlaken les rues sont heureusement étroites et offrent de multiples possibilités de dissimulation. À la première occasion, il se glissa sous une porte cochère et attendit le passage du type.

Cinq minutes s'écoulèrent, puis dix, et enfin un quart d'heure… À l'évidence, soit l'inconnu l'avait repéré, soit il n'avait jamais eu l'intention de se diriger dans cette direction. Scot était furieux de l'avoir perdu. Cela signifiait qu'il lui faudrait se rendre le lendemain au rendez-vous aveugle qu'il avait fixé, sans la moindre idée de ce qu'il cherchait. C'était s'exposer stupidement de la façon la plus dangereuse. Le lieu de rendez-vous qu'il avait choisi était connu sous le nom de Jungfraujoch, une attraction touristique taillée dans un glacier de la Jungfrau, la montagne qui se trouve à droite du mont Eiger. Certes pas le lieu le plus sûr pour un rendez-vous clandestin, mais c'était l'un des rares que Scot avait l'avantage de connaître. Il n'y avait qu'une seule façon de se rendre sur place, le train, et la foule de touristes qui s'y pressait en permanence rendait virtuellement impossible toute tentative d'un sniper pour l'éliminer.

Il sortit de sa cachette et choisit une rue différente pour retourner à son hôtel. En dépit de sa précaution, il ne vit ni ne sentit le regard métallique qui, depuis une autre porte cochère, enregistrait le moindre de ses traits. Une seule chose empêchait l'homme de suivre Harvath : la nécessité de prendre connaissance du contenu de la lettre et de la remettre en place avant que son légitime propriétaire ne vienne la réclamer.

50

À sept heures trente-cinq précises le lendemain, le train se mit en route vers sa première station : Wilderswil. Les montagnes escarpées semblaient s'élever des rails en droite ligne vers le ciel, toutes couvertes de sapins dont le vert cru ressortait violemment sur la blancheur de la neige. À la station de Zweilütschinen, une nouvelle locomotive vint se coller à la moitié arrière du vieux train grinçant qui prit de la vitesse, et poursuivit à l'est vers Grindelwald. La fenêtre à droite de Scot lui donnait sa première vision du fameux trio montagneux : le mont Eiger, le Mönch, et enfin la Jungfrau. Les trois pics étaient couverts de neige et de glace, magnifiques et terribles à la fois.

Grindelwald baignait dans la lumière neuve du matin, avec ses échoppes touristiques tape-à-l'œil et ses magasins de sports installés au rez-de-chaussée de chalets suisses traditionnels, ses touristes levés de bon matins déjà prêts et harnachés, leurs skis négligemment jetés sur l'épaule. Une seconde, Scot envia leur décontraction et la prévisible tranquillité de leurs jours. Lui, par contraste, n'avait aucune idée de ce que lui réservait l'heure à venir.

Il fallut quitter le train pour un tramway. La vue du mont Eiger, depuis Grindelwald, était imprenable. Uniquement composé de voitures de secondes classes divisées en sections fumeurs et non fumeurs, le tramway était peuplé de touristes majoritairement japonais et européens et Scot choisit une section fumeurs, forcément la plus fournie. Il monta à contre-cœur, prit place sur l'un des bancs de bois couleur de miel, et le tramway se mit lentement en marche, se faufilant entre les maisons et les petites fermes des environs de Grindelwald. À Grindelwald Grün, la seconde station, une nouvelle foule de touristes envahit le wagon, presque aussitôt accompagnée par la fumée des cigarettes et Scot, d'autorité, baissa la vitre la plus proche. Heureusement, nul ne protesta. Un Japonais le regarda en riant et lui offrit une cigarette.

Le tram s'arrêta à Kleine Scheidegg. Un changement conduisait directement au sommet de la Jungfrau. Scot accueillit avec soulagement le velours défoncé des sièges qui semblaient le comble du luxe après le tramway. Ils s'enfoncèrent dans la montagne. À 2 800 mètres au-dessus du niveau de la mer, ils s'arrêtèrent gare d'Eigerwand, aux fenêtres taillées directement dans le roc en sorte que les passagers pouvaient admirer le Kleine Scheidegg et la vallée tout en bas. Le second arrêt fut pour la station Eismeer, et Harvath sortit avec les autres, prétendant lui aussi admirer le glacier.

Lorsqu'il revint, son cœur battait la chamade et il avait les mains moites. Il tâta la crosse de son arme en plastique, comme pour se rassurer.

Quelques minutes seulement après le nouveau départ du train, un message enregistré tomba des haut-parleurs en allemand, en français, en espagnol et en italien avant de dire en anglais :

— Terminus Jungfrau. La plus haute gare d'Europe à 3 354 mètres. Veuillez suivre les indications pour les points d'observation et les restaurants. Toute notre équipe vous remercie pour votre visite et vous souhaite une bonne excursion.

Les portes s'ouvrirent, il descendit. À l'évidence, les vœux d'une bonne excursion ne s'adressaient pas à lui.

51

Sa montre indiquait 9 heures 53 précises – incroyable ! pas un seul des trains suisses qu'il avait pris au cours des trois derniers jours n'avait eu la moindre minute de retard. Il avait deux heures devant lui pour repérer les lieux et se préparer à son rendez-vous avec *tante Jane.*

De la gare, il mesura le temps nécessaire pour se rendre au Palais de la Glace, qui se présentait, à trente mètres de profondeur au sein du glacier, comme une sorte de tunnel en forme de fer à cheval. Même le sol était en glace, ce qui obligeait le visiteur à avancer en glissant les pieds, marcher étant physiquement impossible.

Parvenu au plateau extérieur, il fit demi-tour pour inspecter les salles de repos, les boutiques, les restaurants et le hall d'exposition. Il passa les consignes, s'engagea dans le long couloir qui menait au mur d'escalade et aux ordinateurs permettant d'envoyer gratuitement d'e-mails depuis « *le sommet de l'Europe* ». Il s'engagea dans l'ascenseur, probablement le plus rapide de Suisse, qui le déposa successivement aux abords de la zone panoramique Sphinx et de la station météo, puis dans la zone *Aventure* où les touristes s'empressaient avec de grands cris autour d'activités qui allaient de la promenade en traîneau à chien, au ski, à la luge et au snowboard.

Tante Jane arriverait sans doute par le train de 10 heures 53 – tout du moins *elle* n'avait pas eu, comme lui, l'idée d'arriver en avance pour inspecter les lieux. Il guettait machinalement des yeux une veste matelassée, une casquette marron, quelque chose qui pourrait correspondre au type entraperçu la veille mais il eut vite fait de comprendre que c'était malheureusement là l'une des tenues de rigueur. Il croisa au moins trois silhouettes d'allure semblable.

De son côté, il gardait sa casquette de laine enfoncée jusqu'aux oreilles et le col de son manteau relevé. Il flânait entre les échoppes de souvenirs, achetant des cartes postales tout en s'efforçant d'inscrire dans son esprit la topographie des lieux et le moindre recoin qui put servir d'abri en cas de besoin. Le principal avantage stratégique de la Jungfrau était aussi, découvrait-il un peu tard, son principal inconvénient : il n'y avait qu'une seule issue, le train. C'était la raison pour laquelle il l'avait choisi comme lieu de rendez-vous et il commençait à se demander s'il n'avait pas commis là une erreur stupide. Comment s'enfuirait-il si les choses tournaient mal ? Sa tête lui jouait-elle encore des tours ?

À mesure que midi approchait, il réalisa également que ses espoirs pour se perdre dans la foule diminuaient sérieusement – la foule en question, comme il aurait dû le prévoir, disparaissait peu à peu en direction des restaurants. Seuls restaient quelques traînards auxquels allaient s'adjoindre les arrivants du train de 11 heures 53, qui ne suffiraient sans doute pas à lui fournir la couverture nécessaire.

Il s'avança sur le chemin enneigé qui menait à l'une des entrées du Palais de Glace, tandis que son adrénaline commençait à monter. Passé le seuil, le vent qui lui fouettait le visage tomba complètement.

Il avançait lentement, attentif au sol glissant, une main accrochée à la rampe, l'autre dans la poche droite de son manteau serrée sur son arme. Il s'arrêtait, pour donner le change, devant chaque sculpture taillée dans la glace, comme n'importe quel touriste, et progressait de niche en niche avec le sentiment de suivre les stations de croix d'une cathédrale antique.

L'aspect confiné des lieux lui procurait un désagréable sentiment de déjà-vu – c'étaient les souvenirs des heures oppressantes passées sous l'avalanche en compagnie d'Amanda qui lui revenaient et il dut faire un effort sur lui-même pour ne pas de nouveau suffoquer.

Devant lui, le couloir faisait un coude vers la droite lui bouchant la vue. Il conservait un rythme égal d'une étape à l'autre, les sens aux aguets, progressant dans un silence total. Comment il identifierait ceux qu'il cherchait et ce qu'il comptait faire ensuite, il n'en avait pas la moindre idée et préférait ne pas y songer. Il les reconnaîtrait à leurs yeux, se disait-il. Les gens qui tuent ont un regard et une allure différents des autres.

Il avait enlevé son chapeau en entrant dans la galerie et, alors qu'il approchait du coude de glace, un courant d'air glacé lui fouetta les oreilles. Il poursuivit sa progression, se retrouva devant la sculpture d'un ours énorme tenant un saumon entre les dents. Un second coup de vent parcourut le corridor et produisit sur la glace des reflets bleutés. Il se préparait à reprendre la route quand il sentit soudain une pression dans son dos tandis qu'une voix de femme murmurait en anglais, mais avec un fort accent suisse :

— Nous aimons beaucoup les ours ici, en Suisse. C'est une sculpture formidable, n'est-ce pas monsieur Sampras ? Ou devrais-je dire monsieur Harvath ?

Il jura intérieurement, pris par surprise. La femme avait dû attendre qu'il passe, cachée derrière l'une des sculptures. Son corps se tendit pour frapper, elle le sentit et dit :

— Relax, monsieur Harvath. C'est un pistolet que vous sentez là dans votre dos. Sortez vos mains de vos poches. Doucement.

— Comment connaissez-vous mon nom ? demanda-t-il tout en s'exécutant.

— Peu importe. Ce qui compte, c'est…

La femme fut d'un coup interrompue par une pluie de morceaux de glace. Il sembla, l'espace d'une seconde, que la sculpture était en train d'exploser et Scot mit quelques instants avant de réaliser qu'on leur tirait dessus depuis le virage avec un silencieux et que leurs assaillants approchaient rapidement.

Il profita de l'effet de surprise pour balancer son coude droit dans l'estomac de la femme. Il entendit le pistolet tomber, déraper sur le sol tandis qu'elle s'écroulait en arrière dans un gémissement.

L'arme glissa loin de lui, le corps de la femme lui barrant le chemin. Ils échangèrent un bref regard pendant lequel, il eut le temps de noter son extrême beauté. Puis il se mit à courir aussi vite que possible dans le couloir de glace.

Il avançait bizarrement, courant et glissant à la fois, mais sans parvenir à couvrir une réelle distance. Il s'arrêta dans l'une des niches, sortit son pistolet en plastique. Le bruit étouffé d'une autre détonation lui parvint tandis que de nouveaux débris de glace volaient autour de lui. Puis il y eut un autre son, une sorte de grattement de souris, et il comprit que les tireurs équipés de crampons, avançaient.

Le bruit s'arrêta tout près de lui. Ils étaient deux, à l'affût. Personne ne bougea. Harvath n'osait même plus respirer. À un moment, l'un des deux hommes dit : *links ?* à gauche ?

L'autre ne répondit pas.

Le premier répéta sa question : *links, rechts, was ?* – À gauche ? À droite ? Quoi ?

D'un ton agacé le second homme répondit quelque chose que Scot ne comprit pas, qui n'était pas de l'allemand mais qu'il lui sembla vaguement reconnaître et qui sonnait comme *chew tea.*

— *Yah be say !* dit le second.

— *Chutee* ! répéta l'autre.

Cela lui revenait. Il sut pourquoi les sons lui semblaient familiers. Cela remontait au temps où, durant ses nombreux voyages avec l'équipe de ski, il s'était fait un devoir d'apprendre dans autant de langues que possible les multiples façons de dire *ta gueule, va te faire foutre,* et quelques autres expressions argotiques. C'était un exercice idiot et plutôt immature, sans doute, mais il lui trouvait maintenant toute son utilité. Ce qu'il entendait en ce moment n'était autre que du serbe. Des injures en serbe. Pourquoi les tireurs passaient successivement de l'allemand au serbe était au-delà de sa compréhension.

Ils étaient à moins d'un mètre de lui. Sa main se crispa sur le jouet qui lui servait de pistolet. Si l'un des deux types approchait suffisamment, il pouvait tenter de le mettre en joue tout en intimant à l'autre de lâcher son arme. Ça pouvait marcher. Il fallait que ça marche. L'oreille tendue, il guettait leur approche.

Soudain, ils s'arrêtèrent de nouveau. Avaient-ils entendu quelque chose ? L'avaient-ils repéré ? Ça paraissait impossible. Il n'avait pas bougé un orteil et respirait si peu qu'il en avait le vertige. Pourtant, au bruit des pas, il comprit que les deux types commençaient à reculer. À l'évidence ils étaient dérangés, mais par quoi ?

Ils reculaient vite maintenant, et bientôt leurs pas s'évanouirent par là même d'où ils étaient arrivés. Scot, sans plus se poser de questions, sortit de son alcôve et reprit sa course aussi vite que lui permettait le terrain.

Il dérapa, se cogna le genou contre l'une des marches taillées dans la glace qui conduisait à l'ascenseur, se redressa et fit le reste du chemin en glissant. Il allait appuyer sur le bouton d'appel quand il comprit qu'attendre n'était peut-être pas la meilleure idée. Il choisit d'obliquer vers la gauche, traversa le corridor en courant en direction des restaurants et de l'exposition, bénissant le ciel d'avoir enfin quitté la glace. Enfin, il arriva devant le second ascenseur à l'instant où les portes se refermaient. Il s'introduisit de force in extremis dans l'appareil qui ne contenait que quelques touristes éberlués. Il sortit un étage plus bas, entra dans la salle de projection panoramique où il prit un siège sur les côtés, dans le coin le plus discret. Il lui restait quarante minutes à attendre avant le prochain train qui le sortirait de ce piège.

Il avait remit le Glock dans sa ceinture, sous son sweater. Il retira son manteau, le roula et le plaça sous son siège. Puis il enfila à nouveau sa casquette aussi bas que possible, mit ses lunettes panoramiques et quitta la salle de projection.

Il courut vers les escaliers. Il descendit trois étages, passa rapidement un autre hall jusqu'à une boutique de souvenirs où il acheta un anorak rouge et une casquette pourpre estampillée. Ses achats en main, il retourna dans les étages supérieurs et se glissa dans les toilettes pour hommes d'où il ressortit quelques instants plus tard, de nouveau déguisé. Autour de lui, penchés au-dessus des urinoirs, ne se trouvaient guère que des touristes, de jeunes skieurs qui le saluèrent comme l'un des leurs et avec qui il papota une seconde avant de sortir en leur compagnie. Ceux qui étaient à ses trousses, cherchaient un homme seul vêtu d'une casquette bleue n'ayant rien à voir avec la silhouette qu'il était à présent.

Il suivit les jeunes skieurs jusqu'à la sortie du glacier où ils se séparèrent. Il les regarda s'éloigner et resta seul – à nouveau une cible.

Il fallait continuer d'avancer. Au moins trois personnes armées étaient à sa recherche. Il calcula une fois encore le temps qui lui restait jusqu'au départ du train, et décida de couper par la piste du glacier, priant pour qu'une sortie se présente.

52

Il marcha aussi longtemps que possible. S'échapper et passer la nuit dans la montagne lui traversa l'esprit un court instant mais c'était bien sûr impossible, il mourrait de froid. Sur le chemin du retour, il fut rejoint par l'un des groupes de randonneurs qui l'avait doublé le long de la piste et se mêla à eux.

Les tireurs avaient fait feu sans distinction dans le Palais de Glace, manquant au passage de tuer leur équipière, probablement parce qu'aucun touriste ne se trouvait avec eux. Non moins probablement, beaucoup de gens se préparaient à redescendre par le train de 13 heures. Ceux qui le cherchaient seraient à la station. Plus longtemps il attendrait dans les hauteurs, plus mince serait la foule qui lui servait de couverture et, même s'il parvenait à monter dans le train sans encombre, il est fort à parier qu'ils l'y suivraient.

Contrairement à ce qu'il avait espéré, les randonneurs ne redescendirent pas vers la station mais vers les restaurants pour une pause repas. Il surveilla l'entrée pour tenter de repérer un autre groupe auquel se joindre, mais seules des familles entières se présentaient, des parents qui préparaient leur progéniture pour le retour, et la dernière chose qu'il désirait était de mêler des enfants à ses ennuis. Il décida de s'approcher suffisamment des familles tout en restant à distance, en sorte de limiter les dégâts si quelqu'un décidait de lui tirer dessus.

À tort ou à raison, il se sentait tenu en joue en permanence et devait se retenir pour ne pas baisser la tête. Il entra dans le hall du Sphinx où, par chance, l'ascenseur s'ouvrit sur une meute de skieurs qui se dirigea vers le train dans le plus grand désordre. Harvath se joignit à eux.

Sur le quai, mêlé à la foule, il aperçut deux types épais aux allures de bouledogues qui semblaient monter la garde. Il les observa un long moment, avant que leurs épouses ne les rejoignent – fausse alerte. À l'exception de la femme, Harvath n'avait aucune idée de ce à quoi ressemblaient ses assaillants.

Il s'approchait du train tout en scannant la foule. Le groupe dans lequel il s'était fondu se poussait dans les wagons et lui-même n'eut plus qu'à suivre le mouvement : son plan, jusque-là, fonctionnait. Personne n'avait tiré le moindre coup de feu et, pour autant qu'il le sut, personne non plus ne l'avait repéré.

Bien sûr, il lui fallait continuer à penser le contraire. Il lui fallait continuer à se croire observé, et que les tireurs attendaient la moindre occasion pour faire feu. C'était la seule manière de rester aux aguets. Cela arriverait vite, pensait-il, et à courte distance. Certainement, ils créeraient une diversion qui leur permettrait d'agir. La seule garantie de Harvath consistait à coller au groupe le plus longtemps possible. Il se mit à mémoriser chaque visage. Dans dix-neuf minutes, ils arriveraient à Kleine Scheidigg et changeraient de train.

Les quatre minutes de changement furent les plus longues de son existence. Il sentait les tueurs à proximité et savaient qu'ils attentaient leur chance. Le sifflet du train retentit, les touristes gagnèrent leurs places. C'était un compartiment plus grand que le précédent, et des visages qu'il ne connaissait pas s'étaient joints aux autres, mais aucun qui ressemblât à un tueur. Cependant, comment savoir ? Il lui fallait se tenir prêt. Une demi-heure de trajet le séparait de Wengen, où il comptait agir.

53

Le train commença de ralentir tandis que le haut-parleur annonçait Wengen. Dans l'intervalle, il s'était lié avec les touristes qui l'environnaient. Il jeta un œil à sa montre puis à travers la fenêtre afin d'évaluer la distance. Le timing serait décisif pour ce qu'il avait en tête.

— ... Laissez-moi vous donner mon adresse à Washington, disait-il à ses nouveaux amis, si vous passez me voir, je vous emmènerai dans des endroits dont vous n'avez pas idée.

Il se mit à écrire une adresse fictive avec un stylo qu'il avait emprunté à l'un des voyageurs et, à l'instant de le rendre, le laissa tomber comme par accident. Il se baissa pour le ramasser juste à l'instant où le train entrait en gare.

— Une bombe ! hurla-t-il alors. Il y a une bombe sous les sièges ! Il faut sortir d'ici !

Un malaise diffus ébranla le compartiment, mais seules deux ou trois personnes esquissèrent un mouvement. Provoquer la panique s'avérait plus difficile que prévu. Il décida d'employer les grands moyens, sortit son faux Glock et se mit à l'agiter au vu de tous.

— Une bombe ! Une bombe ! cria-t-il à nouveau. Nous allons tous mourir !

Alors seulement les premiers cris se firent entendre. Bientôt, tout le wagon ne fut plus que hurlements et piétinements paniqués vers la sortie. Harvath sauta du train avec les autres et se mit à courir une fois sur le quai, fondu dans la foule. Le chaos régnait. Il jeta un regard derrière lui et son estomac se serra immédiatement à la vue des trois énormes types sur lesquels il n'eut pas le moindre doute.

Tout à son observation, il ne vit pas à temps la femme qui venait de trébucher devant lui. Lorsqu'il l'aperçut, c'était trop tard – il s'étala sur elle de tout son long. Elle était en proie à la panique, incapable de respirer, et griffait la neige en cherchant à se relever. Un homme tomba sur Scot à son tour. La pointe de sa chaussure de ski s'enfonça dans son dos et Scot émit un grognement de douleur. Son plan, semblait-il, avait trop bien fonctionné.

Il se releva précipitamment, libérant la femme qui déguerpit aussitôt. Il s'élança lui aussi, juste à temps pour éviter deux explosions derrière lui. Plus aucun doute n'était permis, les tueurs l'avaient repéré. Il continua sa course.

Sa seule chance à présent était de les distancier ou de les semer dans le village.

La respiration courte, les tueurs sur ses talons, Harvath courut dans la montée qui menait au cœur du village, doublant les skieurs qui encombraient le chemin. Wengen abritait chaque année la plus longue course de ski de piste du monde sur la Lauberhorn – plus de quatre mille mètres de descente que certains affrontaient à cent soixante kilomètres par heure. Il était venu y assister par deux fois déjà et, le village depuis n'avait guère changé. Pas une voiture n'y roulait et il semblait figé dans le temps.

Il tourna sur sa droite. Des éclats de bois jaillirent de la balustrade colorée d'un balcon juste au-dessus de sa tête. Filant toujours, il jeta sa casquette dans une allée étroite entre deux chalets. Puis il plongea derrière un petit mur de bottes de foin qui se trouvait à proximité.

Reprenant son souffle, immobile, à l'écoute de ses poursuivants, il tâchait de reprendre le contrôle de son corps. À quelques mètres de lui, des chèvres de montagne, à qui le foin était sans doute destiné, frottaient leurs têtes contre l'enclos dans un concert de bêlements désaccordés.

Bientôt, un bruit de pas épais lui parvint de la petite rue montante. Les tireurs prenaient leur temps, ils avançaient prudemment.

— Là, à dix heures, dit l'un d'entre eux. Sur le sol, sa casquette. Il est passé par là.

— On va vérifier, dit une autre voix. Prend l'autre côté et préviens si tu vois quelque chose. Souviens-toi qu'il a une arme.

C'était un anglais parfait... Un anglais américain. Ni les mêmes voix ni les mêmes hommes que ceux du Palais de Glace. Le seconde avait cependant quelque chose de familier – Scot reconnut la voix qui avait hurlé *il est armé !* quelques jours plus tôt au sortir de sa banque. C'étaient les types de la camionnette. Que faisaient-ils ici ? Comment avaient-ils retrouvé sa trace ?

Une femme, au moins deux hommes au Palais de la Glace, et maintenant ces trois-là... Quel était le lien ? Travaillaient-ils ensemble ? Les premiers le cherchaient-ils aussi dans le village ?

Il jeta un œil par-dessus le foin. Deux des tueurs s'engageaient dans l'allée où il avait jeté sa casquette, en direction du village, tandis que le troisième poursuivait le chemin initial. La seule option pour Harvath était de s'engager dans l'enclos.

Il remit son arme à sa ceinture.

Il sauta la clôture. Tout de suite, les chèvres avancèrent dans sa direction d'un seul mouvement, bêlant furieusement toutes cloches sonnantes et pour certaines, les cornes en avant. Il traversa le terrain rapidement jusqu'à la balustrade, plaça ses mains dessus et se prépara à sauter. C'est alors qu'il sentit quelque chose déchirer son bras gauche. Tout d'abord il fut convaincu que l'une des chèvres venait de l'encorner mais ce n'était pas cela. Attiré par le bruit et l'agitation, le troisième tueur l'avait rejoint et venait de lui tirer dessus avec un silencieux. La balle avait traversé l'anorak, s'était enfoncée dans sa chair. Scot pouvait maintenant sentir le sang couler le long de son bras.

Avec l'aide de sa main valide, il sauta par-dessus la balustrade atteignit l'autre côté, se laissa rouler au sol avec un gémissement de douleur, se releva et commença à courir le long d'un abri en ruine, en direction d'une zone plus peuplée, droit devant lui. Étouffé par le silencieux, le sifflement des balles l'accompagnait.

Il parvint à l'une des places principales du village. Contre le mur d'un vieux café, plusieurs dizaines de paires de skis étaient alignées. Il s'approcha, en saisit une au hasard et s'engagea dans une allée toute proche à l'ombre d'un chalet. Il défit les skis en hâte. Devant lui, loin à l'horizon, le pic du Schilthorn se découpait sur le ciel bleu intense.

Son bras gauche était entièrement couvert de sang. Enroulant ses deux mains aussi fortement que possible autour de l'un des skis, il le leva contre son épaule droite et se figea, son bras blessé à la torture.

Des pas retentirent enfin de l'autre côté du mur. Il se raidit.

L'arme précéda le tireur à l'entrée du passage. Le type paraissait sentir sa présence toute proche car il avançait prudemment – si prudemment, en fait qu'il semblait presque immobile. Scot, figé, voyait peu à peu dépasser un canon puis une main, un poignet, un avant-bras... Enfin l'épaule apparut à son tour et un torse... *Maintenant !* se dit-il.

De toutes ses forces, il jeta le ski en avant, frappant en pleine poitrine. L'homme s'écroula. Sitôt à terre, il eut un geste pour récupérer son arme mais Scot fut plus rapide et lui balança un coup puissant dans les côtes. Le type gémit. Tout de suite il se reprit, roula sur sa droite pour s'agripper à la jambe de Scot et ramener ses pieds sous lui dans un geste pour se relever. Scot vit un flash argenté passer dans sa main... *un couteau.*

Le type pointait un couteau sur lui.

— Je déteste qu'on me pointe des trucs dessus, dit-il, ce qui eut pour effet de figer le type de surprise qui ne s'attendait visiblement pas à ce que sa cible lui adresse la parole.

Ça ne dura pas. Il lança son bras en avant. Harvath n'eut que le temps de se reculer pour saisir l'un des bâtons de ski alignés contre le mur. À la seconde attaque, il feignit un mouvement vers la gauche puis vira d'un coup sur la droite, et le bâton s'enfonça profondément dans la poitrine de son attaquant.

Le couteau tomba de la main de ce dernier. Des bulles de sang coulèrent de sa bouche.

L'homme, encore sur les genoux, tomba vers l'avant et se trouva immobilisé dans sa chute par le bâton enfoncé dans le sol. Il resta ainsi planté comme une marionnette.

Scot ramassa son pistolet à l'instant où une pluie de balles vint ricocher sur les pavés autour de lui. L'homme avait dû prévenir ses acolytes par radio. Il était impossible de dire à quelle distance ils se trouvaient, mais les balles, elles, étaient suffisamment proches. Se faufilant vers le mur extérieur du chalet, il sauta sur ses pieds et prit ses jambes à son cou.

54

La première chose à faire était d'arrêter le sang. La seconde, sortir de ce patelin.

Le village était situé sur ce que les autochtones appellent *la terrasse ensoleillée* – un plateau montagneux protégé du vent situé à quatre cents mètres au-dessus de la vallée et, qui concentrait sur lui, par beau temps, toute la lumière.

Afin de ne pas laisser de sang sur la piste, Harvath se confectionna un bandage de fortune avec son anorak puis, aussi rapidement et précautionneusement que possible, il se mit en route, se faufilant de chalet en chalet.

Il parvint ainsi à la hauteur d'un restaurant d'où jaillissait un vacarme de musique techno – incontestablement un relais pour les amateurs de luge. Leurs manteaux pendaient dehors, accrochés aux branches nues d'un arbre qui se dressait sur l'un des côtés du bâtiment. Il prit une veste de couleur terne, qui semblait de sa taille, un casque noir parmi ceux qui étaient soigneusement empilés aux pieds du tronc, puis, s'éloignant des lieux, il tira à lui la dernière des luges posée contre le mur.

Il enfila la veste, découvrit une paire de lunettes dans l'une des poches. Ainsi harnaché, il se mit en route vers la cabine du téléphérique.

Il dut bientôt s'arrêter tant la douleur dans son bras était insupportable. Apercevant une pizzeria, il se glissa dans la salle du restaurant puis, de là, descendit jusqu'aux toilettes où il entreprit de défaire son bandage poisseux pour examiner sa blessure. Elle était profonde mais comme il le pensait, sans gravité. Il défit la ceinture de son pantalon. Elle était faite d'un fin cuir tressé qui pouvait s'attacher n'importe où. Il l'entoura fermement à hauteur du biceps et la douleur du garrot manqua de le faire défaillir. Il ferma les yeux, se reprit. Il couvrit son bras de la veste déjà tâchée, en priant pour que le sang ne coule pas vers l'extérieur, se lava les mains et sortit du restaurant comme il y était entré, la luge sous le bras droit, sa veste fermée jusqu'au col, les lunettes sur les yeux et le casque sur la tête.

Ainsi parvint-il au téléphérique. Sur le chemin, il s'était arrêté pour acheter un hot-dog et deux canettes de Red Bull dans l'espoir de récupérer un peu d'énergie mais dépité il dut les glisser dans sa poche après deux bouchées rapides : manger et boire était interdit dans la cabine.

La cabine s'éleva bientôt. Il était en sécurité mais pour combien de temps ?

Une fois parvenu au sommet du Männlichen, il franchit à pied l'espace qui le séparait du téléphérique de Grindelwald, le ramenant au village du même nom d'où il allait prendre le train pour Wilderswil.

Dans la gare, il laissa par précaution passer deux trains, monta dans le troisième. Entre-temps, il s'était glissé dans les lavabos pour desserrer un instant le garrot. Les doigts de sa main gauche étaient inertes depuis une demi-heure.

Le reste du voyage se fit sans encombre. Parvenu à la Centralplatz d'Interlaken, il appela le Balmer d'une cabine téléphonique pour prévenir Jackie qu'il était blessé et avait besoin d'aide. Elle arriva quelque vingt minutes plus tard. Il était appuyé contre un mur, les jambes flageolantes, la nuque écrasée par la luge, l'estomac gargouillant – au bord de l'évanouissement.

55

Étendu sur son lit, il aperçut Jackie entrer avec la trousse de secours qu'il avait demandé. À la vue de son bras couvert de sang séché, elle n'avait pu retenir un cri.

— Merde ! Ne me dis pas que tu t'es coupé en te rasant.

— Si justement.

— Tu veux que je t'aide ou pas ? Si oui, dis-moi ce qui s'est passé.

— Je me suis fait tirer dessus.

— Je croyais que personne ne te savait ici ?

— Jackie, je suis un peu dans les vapes pour l'instant. Si tu veux bien remettre les questions à plus tard.

— Ok, ok. Dis-moi ce que je dois faire, je ne suis pas infirmière, dit-elle en exhibant une bouteille d'eau oxygénée, de la gaze et des bandages.

— Il faut d'abord retirer l'anorak. Prends les ciseaux et commence à découper le sweater en partant du poignet jusqu'au garrot. Ensuite, fais la même chose avec la chemise.

Il la guidait ainsi et la rassurait tandis qu'elle suivait ses instructions tout en lui jetant de temps à autre des regards hésitants et inquiets.

— Maintenant s'il te plaît, passe-moi cette serviette là-bas, que je l'utilise comme compresse… On va desserrer le garrot et il se peut que le sang jaillisse. Ce sera spectaculaire mais pas grave. D'accord ? Je ne veux pas te voir tourner de l'œil.

Elle secoua la tête. Quelques mèches rousses tombèrent sur ses yeux qu'elle rejeta au passage.

— Ok. Maintenant prends dans le kit la seringue en demi-lune et le fil de soie noir. Tu les vois ?

— Oui. Je suppose que ça s'enfile comme du fil à coudre classique ?

— Exactement. Je n'ai pas le temps de t'apprendre à faire des nœuds chirurgicaux. Dès que je vais relâcher le garrot, il va falloir que tu ailles aussi vite que possible. Je maintiendrai la compresse sur la plaie, puis je l'enlèverai et tu verseras une bonne moitié de la bouteille d'eau oxygénée dessus. D'accord ? Mets-en déjà un peu sur l'aiguille.

— Ça va te faire mal.

— Prête ?

Sitôt qu'elle acquiesça, il libéra le garrot. Il suivait ses gestes qui manquaient d'assurance et l'encourageait de la voix. Il y avait moins de sang qu'il ne l'avait craint. Elle versa l'eau oxygénée. Il éprouva tout de suite une intense brûlure acide tandis que le sang et la chair déchirée de bras se mettaient à bouillonner et blanchir. Jackie, livide, continuait de verser à grands flots le liquide qui se répandait maintenant jusque sur l'estomac et le pantalon de Scot, et même jusque sur le lit. Il serrait les maxillaires avec une telle force pour ne pas hurler qu'il lui semblait à deux doigts de se briser les dents.

— Maintenant, il va falloir me recoudre, parvint-il à dire lorsqu'elle reposa la bouteille sur la table de nuit.

— Oh, Scot !

— Tout ce que tu as à faire, c'est prendre l'aiguille et me l'enfoncer en commençant par le haut.

— Je ne vais jamais y arriver !

— Bien sûr que si, dit-il en s'efforçant de garder son calme. Je vais te guider. Allez ! Du courage !

Quinze minutes plus tard, tous deux contemplaient les points de suture aussi parfaits et propres que possible.

— Tu as manqué ta vocation, dit Scot, tu aurais dû être chirurgienne.

— Très drôle. Reste tranquille une seconde s'il te plaît, que je te mette un bandage.

Cette fois, ce fut son tour d'accepter ses instructions sans rechigner.

— Voilà, fit-elle quand ce fut fini. Tu as faim ? Je peux préparer une soupe, si tu veux.

— Jackie, c'est adorable. Tu as déjà tellement fait que je ne sais plus comment te remercier, et je ne parle pas seulement des soins mais de tout ça, dit-il en désignant la chambre d'un geste.

— Épargne-moi, Scot. Comme je t'ai dit, j'ai tout mis sur ta note.

Il sourit.

— J'en suis sûr. Mais j'ai encore une chose à te demander.

— Oh, bien sûr. Quoi donc ? Une opération de l'appendicite peut-être ?

— Non, juste ta voiture. Je voudrais te l'emprunter.

— Si tu veux. Mais il faut que je te prévienne, c'est une voiture normale. Pas de vitres fumées pas de blindage. Je dis ça au cas où tu ne serais pas habitué.

— J'ai ma dose pour le moment en matière de balles, rassure-toi. Je n'en ai besoin que pour la soirée.

— Ah non ça c'est hors de question. Tout costaud que tu te crois, tu étais à peine capable de monter les escaliers il y a une heure de ça. J'ai pratiquement dû te porter. Tu n'es pas du tout en état de conduire.

— Ok. Écoute. Voilà ce qu'on va faire. Prépare ta soupe. On mange tranquillement, je fais une sieste et ensuite seulement je prends la route.

Elle s'assit sur le bord du lit sans rien dire et le fixa à demi incrédule, l'air de réfléchir.

— Je ne te le demanderais pas, si ce n'était pas important.

— Je veux savoir ce qui se passe, Scot.

— Si je le savais…

— Tu veux dire que tu n'as aucune idée de qui a essayé de te tuer aujourd'hui ni de la manière dont ils t'ont trouvé ?

— Aucune, confirma-t-il, ce qui n'était qu'un demi-mensonge car une hypothèse avait commencé de se former dans son esprit, mais il n'était sûr de rien.

— Scot, quelle que soit la situation dans laquelle tu t'es mis aux États-Unis, ça te suit jusqu'ici. Il te faut de l'aide. Je connais quelqu'un pour cela.

— Non, non, et non, Jackie. Pas d'aide. Je suis sérieux. Je peux parfaitement me débrouiller seul.

Il s'éveilla plusieurs heures plus tard, surpris d'avoir réellement dormi. Dans l'intervalle, Jackie était apparemment venue pour débarrasser son plateau, sans même qu'il s'en rende compte. Un sommeil si profond était assez rare chez lui – rare et dangereux. Il consulta sa montre. Il était temps de se mettre en chemin. Une longue route l'attendait.

Son bras qui ne saignait plus le faisait toujours souffrir, de même que sa constante migraine. Avec ce qui restait d'eau minérale, il avala deux nouveaux cachets de Tylenol. Extirpant de son kit de voyage tout le matériel nécessaire, il entreprit de fixer à nouveau les faux sourcils, sa barbiche et les lentilles de contact puis il enfila les lunettes. Il examina le contraste inévitable entre les postiches brunes et ses cheveux blonds tirant sur le blanc. Il faisait assez froid, heureusement, pour qu'il puisse porter un couvre-chef sans attirer l'attention.

Une demi-heure plus tard, il quittait le Balmer pour la pâtisserie. La voiture se trouvait exactement à l'emplacement indiqué. Un *post-it* sur le changement de vitesse disait seulement : *Fais attention à toi* et une fois de plus, en le découvrant, Scot se maudit d'avoir laissé Jackie s'éloigner des années auparavant. Il démarra, puis se fondit dans la circulation d'un samedi soir à Interlaken.

56

Le trajet vers Munich fut long, sans événement notable. À la frontière, des gendarmes assoupis le saluèrent d'un geste lorsqu'il montra son passeport.

Il suivit les indications vers München Flughafen, l'aéroport de la ville au parking longue durée, où il gara la voiture avant de prendre le train pour le court trajet le séparant du *Hauptbahnhof*, la gare centrale. Il arriva tard. Le hall était encore en pleine activité. Il y avait les inévitables sans domicile fixe en quête de monnaie et, à l'écart des voyageurs, un groupe d'étudiants à demi ivres attendant leurs trains avec des packs de bière entamés.

Il trouva un taxi et donna une adresse sur Pfisterstrasse, non loin de la Max Joseph Platz.

Il était plus d'une heure lorsqu'il arriva à destination. Les volets de bois du Kuntscafé semblaient entièrement clos. Le chauffeur fit un commentaire dont Scot ne tint pas compte. Il sortit. À l'intérieur, une lumière brillait encore. Des accords de piano se firent entendre tandis que s'élevait, assourdie par les murs et l'épaisseur de la nuit, une agréable voix de ténor.

La musique l'accompagna tandis qu'il faisait le tour du petit établissement, tout en retirant son déguisement qu'il glissa dans l'une de ses poches. Les ordures s'empilaient haut dans l'allée et il lui fallut contourner un empilement de caisses de bouteilles vides avant de repérer la porte de service.

Il l'ouvrit, se retrouva dans les cuisines. Deux employés râblés le fixèrent avec surprise. Mais avant qu'ils puissent ouvrir la bouche, Fredrick, le cuisinier de Herman, l'aperçut dans l'embrasure et un sourire éclaira son visage.

Harvath n'eut que le temps de poser un doigt sur ses lèvres. Fredrick répondit les deux pouces en l'air pointés vers l'avant du café où Herman au piano, chantait toujours, le dos tourné vers Scot qui émergea depuis le rideau perlé séparant les cuisines de la salle principale.

Herman plaqua les derniers accords. Le petit groupe devant lui applaudit avec enthousiasme. Scot, lui, attendit que le silence fut revenu pour applaudir à son tour :

— Formidable, dit-il. Tout simplement formidable.

Herman se retourna d'un bond. Avec une vitesse surprenante pour son gabarit, il fit le tour du piano jusqu'à Harvath :

— Bon Dieu, rugit-il. Tout d'abord je vais virer le cuisinier, ensuite je vais faire mettre un verrou à cette putain de porte !

Sa boiterie ne semblait pas l'affaiblir le moins du monde. Scot vit les deux énormes mains de son ami s'approcher de lui. Avant qu'il eut pu esquisser un mouvement de recul, Herman l'avait violemment embrassé sur la joue et soulevé dans une gigantesque étreinte, écrasant son épaule blessée. Il ne put retenir une grimace de douleur.

— Qu'est-ce qui t'arrive ? demanda Herman en le reposant. Tu es blessé ? Ton coiffeur t'a massacré quand tu as refusé de le payer pour cette coupe de cheveux épouvantable ?

— Désolé d'interrompre ta fête. Il y a un coin où on peut parler tranquillement ?

— Ce n'est pas une fête ça, ce n'est rien, tout le monde est sur le départ. Le bar est fermé ! ajouta-t-il en allemand dans un cri énorme.

Peu après que le cuisinier leur eut préparé deux *Würstel* avec pommes de terre et *sauerkraut*, le personnel fut à son tour renvoyé dans ses quartiers, et les deux amis restèrent seuls.

— Je suis heureux de te voir, dit Herman en posant deux grandes bouteilles de bière sur la table. Comment vas-tu ? Bien ? Regarde-moi ! Je suis en meilleure forme que la plupart des hommes de mon âge. Je tiens un bar et l'alcool et la nourriture ne m'ont pas entamé d'un iota ! Je n'ai pris que deux kilos ! Trois, au max. Pourquoi on n'appellerait pas Diana ? Elle doit dormir à cette heure mais je suis sûre qu'elle se lèvera rien que pour te sauter au cou, malgré ta coupe.

— Tu as l'air en pleine forme, oui, dit Scot en arrêtant son geste de la main. Diana aussi, j'en suis sûr. Mais il faudra que tu la salues pour moi. Je ne vais pas la voir.

— Comment ça ? dit Herman qui remit le téléphone portable dans sa poche.

— J'ai besoin de te parler seul à seul. Et je ne peux pas rester longtemps. Je suis venu te demander des informations et un service.

— Tu as un problème ?

Le visage d'Herman était instantanément passé de la joie au sérieux le plus absolu.

— Un paquet de problèmes, si tu veux savoir, dit Scot qui entreprit de raconter toute l'histoire.

Durant tout son récit, Herman l'écouta intensément, sans l'interrompre, se contentant de ponctuer son intérêt de bouchées piquées dans son assiette. Lorsqu'il eut fini, il prit le temps d'une lente gorgée de bière, s'essuya les lèvres avec le dos de sa main.

— Qu'est-ce qu'il te faut ? dit-il enfin.

— Des informations. Deux groupes distincts ont tenté d'avoir ma peau hier. Des Américains et les autres. Je crois que j'ai une idée assez précise de l'identité des premiers. Pour les seconds… Je sais qu'ils parlaient allemand.

— Allemand allemand ?

— Suisse allemand. Du moins c'est ce qu'il m'a semblé. Mais je n'ai entendu que deux mots. Ça et du serbe.

Herman se renversa sur sa chaise. Il donnait l'impression de fixer le plafond, d'étudier les carreaux disposés entre les poutres de bois écaillées par l'âge.

— À quel point es-tu sûr que les services de renseignements se trompent sur le Fatah ?

— Je ne peux pas être sûr. Ce dont je suis sûr, c'est que quels que soient les auteurs de l'enlèvement, il leur a fallu une aide au sein de l'administration.

— Et tu es certain d'être sur la bonne piste ?

— Non, comment le saurais-je ? Je sais que quelqu'un le croit. Suffisamment pour tenter de m'abattre.

Herman acquiesça.

— Qui, à ton avis ? demanda Scot.

— Certainement des montagnards, comme tu le penses. Ils pourraient venir d'Allemagne, de France, d'Italie, d'Autriche ou… Si vraiment tu les as entendus parler serbe…

— Et bien ?

— Et bien ça réduit considérablement les hypothèses.

57

— Qu'est-ce qui s'est passé, bordel ? hurlait le sénateur Snyder dans le téléphone sécurisé de son bureau tandis que Rolander le fixait en silence.

— Nous sommes parvenus jusqu'à la cible mais avons été empêchés par une seconde équipe, fit la voix dans l'appareil.

— Une seconde équipe ? Quelle seconde équipe ?

— Nous l'ignorons. Ils sont intervenus avant nous, nous avons dû nous replier.

— Qu'est-ce qui est arrivé ? demanda Rolander.

— La fille les a conduit sur lui comme on l'avait prévu, dit Snyder coupant le haut-parleur, mais quelqu'un d'autre a été plus rapide.

— Merde ! Ça veut dire qu'ils l'ont repéré.

— Ils ont repéré quelque chose, dit Snyder qui revint au téléphone : et ensuite ?

— La cible a échappé aux tireurs. Nous l'avons suivi. Il est parvenu à fuir à nouveau.

— À fuir ? Je n'ai peut-être pas été clair. Vous et vos associés n'êtes pas payés en cas de fuite. Vous êtes payés pour l'éliminer. Je n'arrive pas à y croire ! C'est la troisième fois ! Vous savez où il se trouve au moins ?

— On y travaille, monsieur.

— Et la fille ?

— Disparue. Nous avons dû nous concentrer sur la cible. La fille, elle, ne devrait pas être trop difficile à retrouver.

— Il y a intérêt. Et ne le ratez pas la prochaine fois ! Vous allez m'éliminer ce fils de pute une bonne fois pour toutes !

L'interlocuteur à l'autre bout du fil n'eut pas le temps de répondre. Snyder avait déjà raccroché violemment.

58

Ils conduisaient en silence vers l'aéroport de Munich, rythmé par l'essuie-glace unique qui balayait le pare-brise et nettoyait la neige tombante. Scot réfléchissait aux informations fournies par Herman.

Les forces de l'OTAN amenées en Europe pour maintenir la paix au Kosovo avaient été divisées entre différents secteurs correspondant aux différents pays – France, Allemagne, Italie… Les passions sur le terrain étaient encore vives. Les Serbes avaient établis des listes d'Albanais à exécuter en priorité, et les Albanais avaient fait de même. La plupart impliquaient des citoyens ordinaires mais aussi parfois, des militaires de haut rang, des politiciens, des hommes d'affaires.

Le marché, ainsi créé, avait attiré plusieurs tueurs à gage ayant à leur actif, en plus du meurtre de masse, le viol et la torture de victimes de tout sexe et de tout âge. Seul le prix importait. Aucun système de sécurité n'était censé leur résister, aucune tâche impossible. Ces tueurs, avait dit Herman, étaient suisses. Les soldats de l'OTAN servaient d'intermédiaires avec les contractants.

— Tout comme à Berlin après la Seconde Guerre mondiale, avait dit Herman, le Kosovo a été divisé en secteurs contrôlés par les pays engagés. Les Suisses n'avaient de problème avec aucune des langues. Leurs contacts étaient les seconds des différents commandements militaires. Ils prenaient des commissions sur les contrats. Si un Albanais, un Serbe ou quiconque dans leur secteur voulait quelque chose, ils le lui obtenaient. Il faut te souvenir qu'ils risquaient leurs vies chaque jour dans un pays dont ils n'avaient pratiquement jamais entendu parler depuis l'école. Beaucoup de gens s'enrichissaient, pourquoi pas eux ? Et si des salauds s'éliminent entre eux au passage, qui peut se plaindre ?

— Donc les tueurs étaient un groupe suisse. D'où précisément ? S'agissait-il de militaires ? De policiers ?

— Aucune idée.

— Comment étaient-ils contactés ?

— Par la poste restante. On ne sait qu'une chose. Ils étaient surnommés les Lions.

— Pourquoi les Lions ?

— Apparemment le nom qu'ils s'étaient donnés, j'ignore la raison. Mais le murmurer suffisait à inspirer la terreur dans les rues. Ils ne sont plus supposés être actifs en Yougoslavie ni nulle part ailleurs. Pour ce qu'on en sait, ils pourraient aussi bien être morts.

— Morts ? Herman, si ces types sont ceux que je cherche, ils ne le sont pas encore mais je peux t'assurer que c'est pour bientôt.

59

Le retour fut éreintant. Herman le déposa au parking où il récupéra la voiture de Jackie et, vingt minutes peut-être après qu'il eut démarré, une profonde fatigue lui tomba dessus – mélange de stress nerveux et d'épuisement physique accumulé. Il n'eut pas trop des deux Red Bull et des cafés consommés à chaque aire de repos pour le tenir éveillé jusqu'à l'instant où, enfin, il put s'affaler sur son lit à Interlaken.

Il sombra presque immédiatement dans un rêve où il était question de Jackie. Il l'entendait exprimer son inquiétude à son sujet à lui, Scot, mais ne pouvait voir son visage. Elle semblait inquiète, voulait appeler un médecin. *Il y avait du sang*, disait-elle. *Moins qu'avant, mais un peu quand même. Je ne savais pas quoi faire. Oui, bien sûr, je me soucie pour lui.*

La voix se faisait plus forte mais il ne voyait toujours pas son visage. Une lumière apparut. Tout ce qu'il voulait était continuer de dormir. Sans qu'il puisse l'empêcher cependant, ses paupières s'ouvraient et bientôt il commença à distinguer des ombres. Une figure muette se tenait à l'extrémité du lit tandis que la voix de Jackie résonnait toujours. Il ferma les yeux violemment, les rouvrit – et fut terrifié par ce qu'il vit.

C'était elle – la femme du Palais de Glace. Assise au pied de son lit. Était-ce un rêve, une hallucination ? Par pur instinct il roula sur le lit, tandis sa main vers la table de nuit à la recherche du Beretta 9 mm qu'Herman lui avait donné la nuit dernière.

— C'est ça que vous cherchez ? demanda la femme en lui tendant le pistolet. Ou bien ceci, ajouta-t-elle, et il vit apparaître dans sa main l'imitation de son Glock. Il comprit au moins qu'il ne rêvait plus. Rassurez-moi, je vous en prie, ajouta-t-elle. Dites-moi que ce n'était pas un jouet que vous portiez hier, à la Jungfraujoch. Vous baisseriez dans mon estime.

Une main parut à l'angle gauche de son champ de vision. Il lança la sienne, saisit un poignet, tordit.

— Scot ! Arrête, tu me fais mal ! Arrête !

— Jackie ? dit-il au comble de la confusion. Mais qu'est-ce qui se passe ? J'étais sûr que personne ne m'avait suivi, je n'ai jamais voulu t'entraîner là-dedans. Elle ne t'a pas blessé ?

— Du calme, Scot, du calme. C'est Claudia Mueller, c'est une amie.

— Comment ça, une amie ?

— À Rolf et moi. Depuis Berne.

— Que fait-elle là ?

— Je me suis fait du souci à ton sujet, dit Jackie tout en appliquant, cette fois sans rencontrer de résistance, une compresse froide sur le front de Scot. Je sais que tu ne voulais pas que j'appelle un docteur, mais que faire d'autre ? Tu est resté si longtemps endormi. Tu te souviens, je t'ai dit que je connaissais quelqu'un susceptible de t'aider ?

— Et je me souviens t'avoir dit que je ne voulais pas d'aide.

— Mais Claudia peut t'aider. Elle nous a aidé, Rolf et moi.

— C'est une tueuse, je ne comprends rien à ce que tu dis.

— Scot, écoute moi une seconde. Aux dernières élections il y a une des menaces contre Rolf. Claudia travaille au bureau du procureur fédéral. À l'époque, elle a participé à l'enquête. Elle était chargée de notre sécurité. Tu peux lui faire confiance.

Scot fixait Claudia.

— Jackie, c'est à *moi* que tu dois faire confiance. Cette femme n'est absolument pas de notre côté.

— Tu délires. Tu dors encore. Tu dors depuis que je suis venue reprendre ton plateau.

— Je vais parfaitement bien, dit-il en installant dans son dos les deux oreillers pour s'asseoir. Je suis sorti toute la nuit, contrairement à ce que tu crois. Je suis rentré tôt ce matin, j'étais crevé. Je ne t'ai même pas entendue entrer dans la chambre.

— Et c'est hier que vous avez récupéré ceci, je suppose ? intervint Claudia Mueller en montrant le Beretta.

— Une seconde, c'est moi qui pose les questions ici, ok ? dit Scot tandis que Jackie lui tendait un jus d'orange. D'abord, bordel, qui êtes-vous ?

— On vient de vous le dire. Claudia Mueller du bureau du procureur fédéral.

— Et vous vous trouviez par hasard au Palais de Glace en même temps que moi ? Vous avez pointé le canon de votre arme sur moi par hasard, et les deux types qui vous accompagnaient pour me tuer étaient là par pure chance eux aussi ?

— Je n'ai rien à voir avec les types qui nous ont tiré dessus.

— *Nous ?* Parce qu'ils tiraient sur nous ?

— Oui. Je ne sais pas qui ils sont.

— Et qui m'a tiré dessus à Wengen une heure plus tard ?

— Je ne sais qu'une chose : ce ne sont pas les mêmes.

— Comment savez-vous ça ?

— Parce que les autres étaient encore à la Jungfraujoch à ce moment-là. J'y étais. J'essayais de vous retrouver tout en les évitant, ce qui n'avait rien de facile. Je ne sais pas comment vous avez fait pour sortir de là, vous êtes un malin, dans votre genre.

— Hier n'était pas mon meilleur jour sur ce plan.

Il la détaillait tout en parlant. Elle était ravissante mais il ne pouvait chasser de son esprit la première impression qu'il avait eu d'elle, lorsqu'elle lui avait pointé dans le dos le canon de son arme.

— Que faisiez-vous là ? Pourquoi m'avez-vous braqué ?

— Bon, les amis, intervint Jackie en se levant, je n'ai pas que ça à faire. Ne t'inquiète pas, ajouta-t-elle à l'intention de Scot qui s'était tourné vers elle, tu es en parfaite sécurité en sa compagnie. C'est une dure, elle grimpe des montagnes à mains nues quand elle veut se distraire. Vous allez vous entendre. Tu vas voir qu'elle va même changer ton pansement puisque ça a l'air d'être ta conception de la distraction.

Elle tapota les couvertures à l'endroit où elle s'était tenue assise et Claudia se leva, posa les pistolets sur la chaise, s'approcha du lit. Elle prit le rouleau de gaze des mains de Jackie, s'assit à la place laissée libre et entreprit de refaire le pansement de Scot. Jackie referma la porte derrière elle.

— Comme je vous l'ai expliqué, je travaille pour le Bundesanwatschaft, comme on appelle ici le bureau du proc fédéral. Je suivais un suspect depuis une boîte restante à Interlaken…

— Une seconde, une seconde. Vous n'êtes pas *tante Jane* ?

— Je ne le suis pas. Une fois par semaine mon suspect potentiel se rend à son casier de la poste restante relever son courrier. C'est un homme d'habitudes, un vrai suisse, très méthodique. Toujours le même jour, le plus souvent à la même heure. Assez facile à surveiller, donc, je dois dire.

— Comment ça suspect *potentiel* ?

— Disons que je n'ai pas vraiment d'indice probant pour l'instant. Juste une intuition.

— Une intuition ? Et ça vous permet de lire son courrier ? C'est légal, ça en Suisse ?

— Je sais ce que je fais, agent Harvath.

— D'où savez vous qui je suis ?

— En bonne Suisse, moi aussi je suis méthodique, je vais prendre vos questions dans l'ordre. Pour ce qui est de lire le courrier : tout dépend des charges possibles et de l'enquêteur. Quant à votre identité, Jackie m'a tout raconté.

— *Tout ?*

— Elle s'inquiète beaucoup à votre sujet. J'espère que vous n'allez pas l'engueuler. Et elle a bien fait de m'appeler. Je croyais que c'était vous qui aviez amené ces deux types au Palais de Glace. Pour me tuer.

— Pourquoi aurais-je voulu faire une chose pareille ?

— Pourquoi commet-on un meurtre ? Les mobiles doivent être aussi nombreux en Suisse qu'en Amérique. Tout ce que je sais, c'est qu'après avoir pris à la poste restante la lettre dont je suppose que vous êtes l'auteur, je me suis rendue compte que j'étais suivie. Je me suis cachée dans une porte cochère et j'ai attendu. J'ai été plus patiente que vous.

— Au Palais de Glace, vous avez utilisé mon pseudonyme et mon vrai nom. Vous tenez le premier de l'employée de poste ?

— Laquelle se souvenait parfaitement de vous. Elle est bien désolée de ne pas vous revoir. Quant à votre vrai nom, ça a été un peu plus difficile. J'ai capté votre visage sur la vidéo surveillance de la poste. Je savais par l'employée que vous étiez américain. J'ai lancé le moteur de recherche au bureau en commençant par les *watch lists*. Il y avait deux noms récents, l'un allemand, l'autre américain. Le second semblait correspondre. J'ai demandé par e-mail une photo de vérification à l'agence émettrice.

— L'agence émettrice ?

— Chargée de placer votre nom sur la liste. Parfois il s'agit d'Interpol, parfois d'une agence suisse locale ou fédérale, parfois d'un autre pays... Toute une gamme de pays alimente ces listes pour une foule de raisons.

— Je sais, merci. Ce que je veux savoir c'est, quelle agence en l'occurrence, s'est occupée de me mettre sur la liste.

— Le département d'État américain. L'homme qui m'a appelé...

— Parce que quelqu'un vous a appelé ?

— Après que j'ai demandé la photo, oui. Un homme s'est identifié comme appartenant à une division spéciale au département d'État. Il m'a posé un tas de question, sans politesse excessive, d'ailleurs.

— Et vous lui avez dit ?

— Rien. Que l'on avait un paquet d'enquêtes concernant des meurtres de touristes, et que l'on vérifiait tout.

— Rien sur le fait que vous m'aviez aperçu ?

— Rien, non...

Scot acquiesça, soulagé. Puis, après une seconde de réflexion :

— Pourquoi, d'ailleurs ? Pourquoi n'avez-vous rien dit ? Vous m'aviez bel et bien vu.

— Je me suis dit que s'ils vous recherchaient à ce point et que vous étiez lié à mon affaire, il se pouvait que vous m'intéressiez aussi. Dans ce cas, je n'allais certainement pas les laisser passer devant, tout Américains qu'ils sont.

— Je vois. Il y a de fortes chances que vous leur ayez dit quelque chose malgré tout.

— Comment ça ?

— Le nom allemand. Vous vous en souvenez ?

— Quelque chose comme *Brunner*.

— Brauner ?

— Possible. Oui, à la réflexion. Hans Brauner.

Harvath plaça ses mains sur ses tempes et commença à les masser.

— Vous êtes sûre de n'avoir pas été suivie jusqu'ici ?

— Suivie ? Pourquoi ?

— S'il vous plaît...

— Je suis complètement paranoïaque depuis l'incident à la Jungfraujoch. Je ne vois pas comment j'aurais pu être suivie. Allez-vous me dire pourquoi ?

— Une équipe américaine a tenté de me tuer par deux fois déjà il y a quelques jours à Washington. Je crois que ce sont les types qui ont essayé de m'avoir à Wengen.

— Mais comment avez-vous pu les laisser vous suivre jusqu'ici ? Pour un agent américain excusez-moi mais vous vous posez un peu là.

— Madame Mueller, les agents américains savent parfaitement agir en toute discrétion. Quand il n'y a pas un procureur suisse pour manger le morceau.

— C'est-à-dire ?

— Hans Brauner... C'est le nom avec lequel je voyage. Vous avez demandé des renseignements sur les deux noms. Sitôt qu'ils ont fait le rapprochement, ils ont envoyé une équipe ici.

— Mais, et votre lettre ? Une fois refermée, je l'ai replacée dans le casier de la poste restante. C'est peut-être ça qui a attiré les tueurs.

— Non, je ne crois pas, pas à ce stade.

— Pourquoi pas ? Vous avez bien fixé ce rendez-vous au Palais de Glaces. Que savez-vous sur *tante Jane ?*

— Assez pour savoir que nos chemins ne se sont pas croisés par hasard, vous et moi, répondit-il. Il nous faut continuer cette conversation mais pas ici. J'ai déjà mis Jackie suffisamment dans le pétrin et si vous n'êtes pas encore suivie vous le serez demain. Il nous faut un endroit sûr.

Elle se tut un instant, pensive :

— Je crois savoir.

60

L'endroit sûr de Claudia s'avéra être la résidence d'été de son patron, le procureur fédéral Urs Schnell. Une élégante bâtisse qui se trouvait à deux pas – et où ils pénétrèrent sans cérémonie après que Claudia eut défoncé à coups de pied l'une des petites fenêtres à l'arrière de la maison.

— Bien, allons-y, dit Scot en s'emparant d'un stylo et d'un carnet sur le bureau avant de rejoindre Claudia près de la cheminée. Pourquoi ne pas commencer par votre enquête ? Expliquez-moi de qui il s'agit et qui vous suivez.

— Je le ferais bien volontiers, mais ce sont des informations confidentielles. Vous faire confiance à ce stade...

— Claudia, Claudia... Il n'y a pas vingt-quatre heures vous me braquiez le canon de votre arme dans le dos. À présent je suis là, devant vous sans défense... D'accord, reprit-il au regard qu'elle lui jeta, peut-être pas tout à fait sans défense. Mais je suis là. Pour quelle autre raison vous aurais-je suivi et me serais-je enfermé avec vous dans ce nid d'amour désert pour la nuit ? Ne le prenez pas mal, mais même vos charmes, qui sont nombreux, ne peuvent rivaliser avec deux trois petites choses urgentes comme sauver le Président des États-Unis, et ma vie au passage.

— Ok, ok, économisez le baratin, hein.

À mesure que Claudia lui ouvrait les détails de son dossier, Scot prit des notes qu'il destinerait plus tard au feu, une fois qu'ils les auraient tous deux assimilées. Les heures passaient. Ils dînèrent frugalement, de provisions achetées en chemin, accompagnées d'eau minérale et de vin – un Côte de Russin blanc.Un souvenir imprécis surgit dans la mémoire de Scot quand Claudia lança pour plaisanter que les Suisses exportaient plus facilement leurs buveurs que leurs vins mais il ne parvint pas à le replacer dans son contexte et n'insista pas. Il buvait son vin lentement et baissa les yeux sur les notes répandues au sol devant eux.

— Résumons ce que nous savons, reprit-il. Le sénateur Snyder, si l'on en croit les documents fournis par André Martin, a écrit et signé *Edwin* une lettre à quelqu'un qu'il appelle *tante Jane*. Il l'a posté ici, poste restante, à un casier dont le propriétaire ou l'utilisateur est Gerhard Miner, un homme que tu crois lié à un vol de dépôt d'armes aux environs de Bâle.

— Jusque-là tout va bien.

— Du fait de l'implication de Miner dans ce groupe, *Der...*

— *Nebel.* Brouillard en allemand.

— Voilà. Donc, après son entraînement dans les forces spéciales U.S., Miner est rentré en Suisse pour former une unité destinée à tester la sécurité des installations militaires du pays. Il y parvint si bien qu'il se fait un tas d'ennemis et que son unité a été démantelée par crainte d'humilier les hauts dignitaires de l'armée. Il a été muté et est monté en grade dans les sphères du renseignement.

Scot se tut. Le stylo contre le menton, il réfléchissait.

— Je crois comprendre pourquoi tu le suspectes. Les armes volées, telles que tu les décris ressemblent à du matériel militaire standard. Ils ont pu se procurer les systèmes de brouillage ailleurs, la Suisse en est dépourvue. Ce qui manque dans ta liste, ce sont les fusils aveuglants. Que sais-tu là-dessus ?

— Il y en avait deux en provenance de Russie. Flambants neufs. L'armée n'avait même pas eu l'occasion de les tester. Pratiquement des prototypes.

— Vous étiez censés les utiliser dans quel but ?

— À ce stade, je crois que rien n'était vraiment planifié. Il s'agissait surtout de les tester.

— Mais en vue de quoi ?

— La Suisse est un pays pacifique. Nous cherchons à acquérir des armes non létales en vue des futurs sommets économiques et diplomatiques internationaux. Ceux de Seattle nous ont servi de leçon.

— Pourquoi en provenance de Russie ?

— Leurs armes semblent parmi les meilleures en ce qui concerne la répression des civils.

— Je vois. Donc, cette livraison d'armes arrive au dépôt de Bâle où elle est volée avant que vous n'ayez eu le temps de la tester. Comment les voleurs ont-ils eu les informations nécessaires ?

— Des fuites, à ce qu'il semble.

— Miner avait-il accès aux informations ?

— Oui. D'où ma suspicion. Il avait les moyens. Le motif est simple : l'argent. Et l'alibi invérifiable : il se retranche derrière le secret défense.

— Et sa hiérarchie ? Ce type doit bien répondre de ses actes à quelqu'un ?

— Mais personne ne le suspecte ! Et je ne peux pas l'accuser. Donc il est blindé. Qu'est-ce qui t'intéresse tant avec ces fusils aveuglants ?

— Je crois que ce sont les armes qui ont servi à neutraliser la sécurité du Président. Ce que je ne comprends pas, c'est comment l'un des agents s'est malgré tout débrouillé pour tuer un des assaillants.

— Il s'était peut-être protégé.

— C'est ça, ou bien quelqu'un tente de nous entraîner sur une fausse piste.

— Comment ça ?

— Je n'ai toujours pas compris pourquoi les kidnappeurs ont laissé sur place le cadavre de l'un des leurs. Surtout avec une arme qui est pratiquement une signature.

— Une mise en scène dans quel but ?

— Pour nous faire croire qu'un groupe moyen-oriental est impliqué.

— Et la demande de rançon du F.C.R. ?

— Mystère. Tout s'oppose à un groupe moyen-oriental, sauf la demande de rançon.

Il se tut. Il réfléchissait. Une semaine s'était écoulée depuis l'avalanche et le kidnapping. Il était en fuite depuis quatre jours qui lui semblaient une éternité. Les journaux n'indiquaient rien, mais comment savoir ce qui se tramait en coulisse ? L'Amérique avait peut-être déjà cédé. Ou bien une nouvelle série de demandes avait été formulées par les ravisseurs.

— Les kidnappeurs et les rançonneurs sont peut-être deux équipes différentes, dit Claudia.

— C'est possible, oui. En sorte que si l'on trouve un groupe, on trouve le second.

— Qu'avons-nous d'autre ?

— Eh bien, nous avons les deux tueurs du Palais de Glace parlant serbe. La confirmation qu'un escadron de la mort composé de Suisses était actif en ex-Yougoslavie pendant la guerre des Balkans.

— Les Lions, c'est ça ?

— Ça te dit quelque chose ?

— Vaguement. Il y a en Suisse, à Lucerne, un monument très célèbre qui montre un lion à l'agonie. Il a été taillé dans le roc en hommage aux gardes suisses morts en défendant Louis XVI et Marie-Antoinette durant la Révolution. C'étaient des mercenaires. La Suisse est un pays neutre qui a toujours été fier de ses mercenaires.

— À Lucerne. Et où vit Miner ?

— Sa résidence principale s'y trouve.

— Les Lions de Lucerne. Pourquoi pas ? Ce n'est pas grand-chose mais c'est toujours une piste.

Le lendemain matin, grâce au kit de coloration de Claudia, Scot entreprit de se teindre à nouveau les cheveux, cette fois en brun, une couleur plus passe-partout. Puis, après avoir tout nettoyé derrière eux, ils quittèrent la maison et se mirent en chemin vers Lucerne.

61

C'était un paquet envoyé depuis un petit village du nom de Hochdorf, au nord de Lucerne. Un paquet que Claudia avait repéré lorsqu'elle avait entrepris de surveiller le courrier de Miner après leur déjeuner frustrant.

— Il a quitté la ville à un moment donné mais j'ai continué la surveillance, avait expliqué Claudia à Scot. Le paquet est arrivé à son attention voici quelques jours.

— Et bien sûr, tu en as examiné le contenu…

— On ne peut rien te cacher. J'ai trouvé son passeport, des tickets de train annulés et des reçus de carte de crédit attestant des voyages dans plusieurs pays d'Europe. J'en ai fait des copies.

— Tu veux dire qu'il était à l'étranger au moment du kidnapping ?

— En Europe, pas en Amérique.

— Quel rapport avec le cousin de Hochdorf ?

— C'est quelque chose qu'il faudra lui demander. Le paquet venait de là. Il doit y avoir une raison.

— Ce sont des choses qu'il a pu oublier. Son cousin les lui a peut-être renvoyées pour lui éviter le déplacement.

— Ça n'empêche pas de vérifier. Au point où nous en sommes, il faut tout contrôler.

À une heure de Lucerne, ils s'arrêtèrent sur une aire de repos. Tandis que Scot restait dehors à se dégourdir les jambes, Claudia disparut dans le restaurant pour prévenir le bureau du procureur de son absence. À l'autre bout de la ligne, la secrétaire la dirigea immédiatement sur son supérieur dont la voix rude retentit sans le moindre salut :

— Où êtes-vous ?

— Bonjour monsieur Schnell, répondit Claudia par réflexe.

— Répondez à ma question, madame Mueller, où êtes vous ? Et où étiez-vous samedi soir ?

— Je suivais une piste, je suis dans la région de la Jungfrau. Pourquoi ? Que se passe-t-il ?

— Chez vos parents à Grindelwald ?

— Oui.

— Et où avez-vous passé la journée de dimanche jusqu'à aujourd'hui ?

Claudia commençait à se méfier. Schnell ne pouvait savoir qu'elle s'était introduite chez lui. Elle avait eu l'intention de lui dire en temps et en heure et à sa manière, mais se ravisa.

— Avec un ami. De quoi s'agit-il exactement, monsieur Schnell ?

— Il s'agit de savoir pour quelle raison vous êtes restée si longtemps sans faire le moindre progrès dans l'affaire des armes volées.

— C'est un dossier très difficile à suivre, comme vous savez.

— Je viens de parler avec Arianne Küess à La Hague. Elle a des choses passionnantes à dire sur vous.

— Sur moi, répéta Claudia incapable de saisir où Schnell voulait en venir.

— D'après elle, vous vous êtes portée volontaire sur cette histoire.

— C'est exact. Je ne vois pas ce que…

— Vous ne le niez pas ?

— Bien sûr que non. Monsieur Schnell, avec tout le respect que je vous dois, j'ai besoin que vous m'expliquiez ce qui se passe.

Il s'exécuta. Et lorsqu'il eut fini, tout ce que Claudia pu faire fut reposer le téléphone et repartir vers la voiture en état de choc.

— Qu'est-ce qui t'arrive ? dit Scot apercevant son visage décomposé.

Pour toute réponse, Claudia prit place au volant. À peine Scot l'avait-elle rejoint qu'elle mit la voiture en marche et démarra sur les chapeaux de roues.

— Hé ! fit Scot projeté en arrière. Une seconde ! Qu'est-ce qui se passe ?

— La police a investi la ferme de mes parents hier, dit-elle enfin sans desserrer les dents, enfonçant l'accélérateur.

— Comment ça ? Ils vont bien ?

— Physiquement, sans doute, oui. Mais ils doivent être secoués. Ils sont beaucoup trop vieux pour ça.

— Pour ça quoi ? Qu'est-ce que la police faisait là ?

— Ils avaient reçu un coup de fil anonyme. Ils ont fait une fouille approfondie de la grange. Ils y ont déniché deux missiles anti-tank suisses.

— Deux missiles anti-tank ? Attends un peu…

— Oui, le numéro de série correspond à ceux qui ont été volés à Bâle.

— Claudia, je ne sais pas quoi dire.

— Moi, si. Ils vont me le payer.

62

— Il n'y a rien de pire qu'une dénonciation anonyme, disait Scot dans la voiture.

— Schnell ne les apprécie pas non plus, répondit Claudia. J'imagine que c'est l'une des raisons pour laquelle il m'a donné quarante-huit heures de répit.

Naturellement, sa crainte du scandale était l'autre. Si Urs Schnell avait la moindre velléité de carrière au sein du Bundesanwaltshaft, voir l'une de ses collaboratrices impliquée dans un vol d'armes de cette envergure était bien la dernière chose qu'il pouvait souhaiter.

— Tu ne vas pas aller très loin avec quarante-huit heures.

— Parce que tu as plus de temps que moi, tu crois ? Il y a des tueurs à tes trousses, dois-je te le rappeler ?

— On ne va pas se disputer pour savoir lequel de nous deux risque de mourir en premier !

— Non. Il faut essayer de réfléchir. Je n'arrive pas à comprendre pourquoi ces armes ont été cachées chez mes parents.

— Ça me parait assez simple. Ils ont voulu t'impliquer parce qu'ils pensent que tu approches de la vérité. Les tueurs du Palais de Glace étaient peut-être là pour toi aussi, qui sait.

— Oui, dit Claudia après une seconde de réflexion. C'est vrai pour tous les deux. Plus nous approchons du but et moins il nous reste de temps.

La charpenterie de Wilhelm Schroeppel, à Hochdorf, ne fut pas très difficile à trouver. Claudia gara la voiture juste en face, de l'autre côté de la rue et, avant d'entrer, ils répétèrent la stratégie qu'ils avaient pris le temps de mettre au point : elle s'adresserait à lui en allemand et avec courtoisie, tandis que Scot, muet, jouerait de sa simple présence intimidante.

Ils poussèrent la porte, faisant sonner les cloches miniatures qui signalèrent leur présence. Ils firent des yeux le tour de l'atelier désert. Scot passait son doigt sur l'une des étagères pleine de poussière quand une voix retentit derrière eux :

— Oui, je ne suis pas vraiment la fée du logis ces temps-ci.

Ils se retournèrent. Un homme grand et beau, aux cheveux gris, dont le teint hâlé par le soleil commençait à pâlir, leur faisait face. Il portait un tablier et se tenait dans l'embrasure de la porte. Claudia ne put s'empêcher de remarquer sa ressemblance frappante avec Miner.

— Je rentre tout juste de vacances, ajouta-t-il, je n'ai pas encore eu le temps de nettoyer.

— Quelle chance, dit Claudia avec un sourire. Où étiez-vous ?

— En Europe du Sud. En Grèce. Je peux faire quelque chose pour vous ?

— Je l'espère. Je suis Claudia Mueller et mon assistant, Hans Peter Sampras, du Bundesanwaltshaft, division investigation, la Bundespolizei.

— La Bundespolizei ? À quel sujet mon Dieu ? demanda l'homme manifestement nerveux.

— Plusieurs. Nous pourrions commencer par vos vacances, par exemple. Où êtes vous allé à part la Grèce ?

— Nulle part. Le reste est trop cher.

— Je vois. Juste en Grèce.

— Oui.

Le regard du type passait nerveusement de Claudia à son équipier silencieux.

— Et naturellement, les tampons appropriés figurent sur votre passeport ?

— Puis-je vous demander de quoi il s'agit ? fit-il.

— C'est une enquête de routine, monsieur Schroeppel. Juste de routine. Auriez vous l'obligeance de nous montrer votre passeport ?

— J'en serais enchanté. Mais auparavant, j'aimerais appeler mon avocat si vous voulez bien.

— Votre avocat ? Pour une simple vérification de passport, monsieur Schroeppel ?

— Oui. Voyez vous, j'estime être citoyen d'un pays démocratique. Que feriez vous si la Bundespolizei débarquait chez vous sans prévenir et sans explication ? Vous n'appelleriez pas votre avocat ? Moi je travaille dur, je m'occupe de mes affaires. Je n'ai pas d'intérêt pour vos questions ou vos enquêtes. Donc, à moins que vous n'ayez un mandat, je vous prierai de sortir de mon atelier. Bonne journée.

Claudia resta muette un instant. Stupidement, elle s'était faite avoir. Lui poser un pistolet sur la tempe était inconcevable. Il ne restait qu'à faire marche arrière. Mais elle était sûre qu'il mentait et ne voulut pas partir sans le moucher.

— Rassurez-vous monsieur Schroeppel, dit elle sur un tout autre ton. Je vais revenir avec un mandat puisque c'est ce que vous voulez. Non seulement pour vous, mais j'en aurai un aussi pour votre cousin Miner. Quelque chose me dit que la comparaison entre vos deux passeports risque d'être passionnante. Bonne journée à vous.

Elle tourna les talons et sortit, suivie par Harvath qui n'avait pas saisi le tiers de la conversation.

— Explique-moi, dit-il lorsqu'ils furent revenus à la voiture.

— Ce type est le portrait craché de son cousin. Et les douaniers ne sont pas regardants. Souviens-toi du paquet qu'il a envoyé : mon hypothèse est que Miner lui a offert de tranquilles vacances à ses frais et avec ses cartes de crédit. Le parfait alibi. Si Miner se dorait la pilule en Grèce il ne pouvait pas voler un stock d'armes en Suisse. Moins encore enlever le Président des États-Unis en Utah.

— Splendide, dit Scot. Si tu as raison, Miner commence à avoir un sérieux problème. Et si on essayait de vérifier ?

63

Moins d'une heure après qu'elle eut laissé le message, la sonnerie du téléphone de Claudia retentit.

— Mueller, dit-elle en décrochant.

— Quelle bonne surprise que d'entendre votre voix sur mon répondeur, Fraülein Mueller, fit Miner à l'autre bout.

— Vraiment ?

— C'est toujours un plaisir de susciter l'ardente attention d'une jolie femme, Fraülein.

— Dans ce cas, vous ne serez pas contre un déjeuner aujourd'hui même ?

— J'adorerais, mais c'est impossible. Dès que je peux, je vous le promets.

— Herr Miner ? Je crois que vous feriez une erreur en refusant.

— Et pourquoi donc ?

— Je suis en possession de certaines informations qui pourraient vous intéresser.

— Difficile à croire, fit-il avec ironie.

— Je peux en parler avec le procureur fédéral, si vous préférez.

— Fraülein, pour être franc, je suis déjà étonné que vous soyez encore libre de vos mouvements. Est-ce que vous n'êtes pas inculpée par le procureur ?

— Eh non. Que voulez-vous c'est comme ça. Les procureurs ne sont plus ce qu'ils étaient. Ils ont perdu le goût des dénonciations anonymes. Ils préfèrent les témoignages directs. Celui d'un charpentier de Hochdorf, par exemple ferait très bien l'affaire.

Le silence dans le téléphone fut soudain absolu.

— Herr Miner ? Vous êtes encore là ?

— Oui, dit-il calmement. Je suis là.

— Vous ne l'avez pas encore rappelé, n'est-ce pas ? Vous vous êtes figuré que c'était sans importance. Je l'ai senti presque physiquement composer votre numéro quand je suis sortie de chez lui.

— À quelle heure ?

— À quelle heure je suis sortie ?

— Non. À quelle heure le déjeuner.

— Eh bien, je suis assez prise aujourd'hui vous savez. Se retrouver impliquée dans un vol d'armes pareil, ça crée un tas d'obligations. Laissez-moi consulter mon agenda.

C'était purement gratuit, mais elle ne pouvait résister à la tentation de jouer un peu avec lui, maintenant qu'elle était en position de force. Elle attendit de longues secondes la main sur l'appareil puis dit :

— Herr Miner ? Merci d'avoir attendu. Disons trois heures ? Dans ce charmant endroit que vous m'avez fait découvrir ? L'hôtel des Balances ? À tout à l'heure.

Elle raccrocha avant qu'il n'eût le temps de répondre.

64

L'heure choisie par Claudia leur avait laissé une marge suffisante pour vérifier les abords de l'hôtel. Claudia pénétra dans le vestibule tandis que Scot prenait position dans l'un des magasins d'en face dont la vitrine offrait une parfaite visibilité de l'entrée.

Il vit Miner s'extraire d'une Audi noire et disparaître derrière les portes tournantes. Il attendit quelques minutes avant de se diriger à son tour vers le restaurant où l'hôtesse le conduisit à la table qu'il avait pris soin de réserver un peu plus tôt, ni trop loin ni trop près de celle où Miner et Claudia se trouvaient déjà assis.

— … Pas tous les jours que j'ai le bonheur de déjeuner avec une femme si ravissante, était en train de dire Miner qui appela le serveur dans la foulée. Vous avez votre canard rôti, aujourd'hui ? demanda-t-il.

— Oui monsieur.

— Très bien. Et vous, Fraülein ?

— Moi, je suis plutôt poisson.

— Je recommande fortement la truite dans ce cas. Droit sortie du lac. Qu'en dites-vous ?

— Ça me semble bien.

— Parfait. Et voyons, qu'est-ce que les Américains aiment, d'habitude ?

— Les Américains ? dit Claudia en arrêt.

— Le steak ! C'est ça ! dit Miner en claquant des doigts. Et donc un beau filet bien épais et à point pour notre ami.

— Votre ami ? demanda le serveur. Vous êtes trois, monsieur ?

— Pas encore, mais ça ne saurait tarder. Un peu de vin, Fraülein ?

— Je me contenterai d'eau minérale.

— Non, non, non. Je sais que vous m'invitez, mais il est hors de question de se passer de vin dans une occasion pareille. Voyons... Je suis sûr que notre ami est un bon buveur, et entre son steak et mon canard... Apportez-nous donc un bon Saint-Émilion. Sept ans d'âge, pas plus n'est-ce pas ? Je m'en voudrais de vous mettre un peu plus encore dans l'embarras auprès du procureur avec des notes de frais astronomiques.

Sur quoi, Miner rendit la carte au serveur qui s'éloigna en souriant.

Il fallait lui reconnaître une bonne dose de contrôle de lui-même, pensait Claudia. Même à présent que la situation se retournait contre lui.

— À propos, dit-elle, comment avez-vous eu vent de mes problèmes avec le procureur ?

— Oh, nous n'allons pas commencer à discuter sans votre ami. C'est lui là-bas n'est-ce pas ? Absorbé de façon touchante dans la lecture de son journal. Pas exactement la table que j'aurais choisie, bien qu'elle offre un angle de vue imprenable sur nous, mais enfin.

Claudia n'était qu'à demi surprise. Miner était un professionnel, c'était indéniable. Elle fit la seule chose qui lui restait à faire : un signe insistant de la main à Scot, qui finit par comprendre que sa couverture était éventée. Il se leva et les rejoignit.

— Monsieur Sampras, tenta Claudia, laissez-moi vous présenter Gerhard Miner.

— Sampras, Brauner... fit Miner sur le même ton de politesse excessive. Ce n'est plus très sympathique de votre part, à ce stade, n'est-ce pas, tous ces pseudonymes ? Nos services reçoivent des agences américaines les mêmes informations que vous, Fraülein Mueller, vous savez. Asseyez-vous sans plus de manières, agent Harvath. J'ai pris la liberté de vous commander un steak, j'espère que ça vous va ?

— Très aimable à vous, dit Scot.

— Bien. Une dernière petite chose avant que nous ne commencions, dit-il et il porta sa main à sa poche intérieure. Ne soyez pas si nerveux mon cher, ajouta-t-il en voyant le geste parallèle de Scot : c'est totalement inoffensif.

Miner sortit de sa veste un petit boîtier d'argent qui ressemblait à un étui à cigarettes. Il le posa sur la table entre eux, pressa le petit bouton qui se trouvait sur le côté et une rangée de petites lumières colorées s'allumèrent. Il appuya sur le côté droit, ce qui fit jaillir un petit plateau d'argent que Miner dressa à la manière d'une antenne G.P.S.

— Quand ça attire trop l'attention, expliqua-t-il, je dis qu'il s'agit d'un téléphone design. La technologie évolue à une telle vitesse de nos jours ! Les gens sont près à croire n'importe quoi. En fait, c'est un système assez ingénieux. La lumière verte par exemple, me dit qu'aucun de vous n'est équipé d'appareil d'enregistrement ou de transmetteur. Les petites lampes jaune et bleue sont le signal du brouilleur pour tout éventuel équipement qui serait placé dans l'hôtel ou même à l'extérieur, comme un micro parabolique par exemple. Ça me permet de m'exprimer avec un certain de degré d'assurance.

— Amusant, votre truc, dit Scot. Où avez-vous déniché ça ?

— Ah ce n'est pas si facile à trouver, dit Miner en riant.

— Eh bien figurez-vous que si. J'ai justement quelque chose de similaire mais plus gros et blanc. Environs la taille d'un haut-parleur. Fabriqué par les Nord-Coréens. Vous connaissez la Corée du Nord ?

— Du tout. Je le regrette d'ailleurs, il paraît que les femmes là-bas sont obséquieuses jusqu'à la servilité. Totalement dévouées à leurs hommes, à ce qu'on m'a dit. C'est là la raison de cette invitation à déjeuner ?

— Presque. Nous nous intéressons à vos habitudes de voyage, monsieur Miner. La Grèce, par exemple.

— Hm-hm. Charmant pays.

— La France ? L'Italie ? continua Claudia.

— Je vois que vous avez fait votre travail. Je rentre de croisière en Europe du Sud, effectivement, j'ai poussé jusqu'à Venise.

— Puis vous avez pris le train pour rentrer en France. Les tampons sur votre passeport en font foi, de même que les billets des trains et d'avions et les récépissés de cartes de crédit.

Bien que surpris par l'étendue de leurs informations, Miner n'en laissait rien paraître et continuait de sourire.

— Vous songez à vous reconvertir, Fraülein Mueller ? Dans le tourisme, peut-être ?

Ce fut Scot qui répondit :

— Dans le trafic d'armes, plutôt. Il semble qu'elle ait des opportunités, ces temps-ci. Surtout si vous continuez à l'alimenter. Qu'en pensez-vous ?

— Agent Harvath, un coup de fil de ma part et vous êtes en état d'arrestation. Votre gouvernement semble impatient de vous récupérer. J'ignore pourquoi, mais ça à l'air sérieux.

— Je ne crois pas que vous ayez envie de vous signaler à mon gouvernement, Gerry, répliqua Harvath. À moins que vous ne vouliez que l'on découvre comment vous avez utilisé votre cousin comme couverture pendant que vous étiez en train de kidnapper le Président.

— Kidnapper le Président ? Je vois que rien n'arrête votre imagination. Je n'ai pas mis les pieds aux USA depuis des années, agent Harvath.

— Pas depuis les entraînements à Little Creeck ?

Miner ne put retenir un mouvement de surprise.

— Oui, j'en sais pas mal à votre sujet, Miner. Et je peux vous dire que je m'arrangerai pour que vous ayez un traitement de faveur dans les prisons américaines. Et je vais vous dire encore autre chose, ajouta Scot en se penchant vers lui. Ma carrière et ma vie sont pratiquement foutues aujourd'hui. Je suis très en colère, je n'ai plus rien à perdre et cela fait de moi quelqu'un de très, très dangereux.

— Il ne fait aucun doute dans mon esprit que vous êtes quelque peu instable, oui, rétorqua Miner. J'irai jusqu'à dire dérangé. Je crois que le mieux…

— *Chutee !* siffla Scot en l'interrompant.

Il y eut une seconde de silence interloqué.

— Eh oui, dit Scot en se penchant un peu plus. Espèce de fils de pute, qu'est-ce que tu t'imaginais ? Qu'on ne finirait pas par vous avoir, toi et tes petits minets ? Des *Lions*, quelle blague ! Des amateurs, oui ! Quand ils ne laissent pas leurs empreintes dans la ferme que vous avez utilisée pour l'enlèvement, ils échangent des blagues en serbe en tirant dans tous les coins. Je serais curieux de savoir combien de temps le sénateur Snyder va accepter de travailler avec une telle bande de demeurés avant de vous lâcher. Et aussi ce qui adviendra de toi quand Snyder va se décider à sauver sa peau, faire un deal et vous sacrifier au passage, toi et tes minous suisses. Tu veux voir le dossier qu'on a sur toi, Miner ? Les preuves de tes activités en ex-Yougoslavie ? Le meurtre de Hassan Useff ? Tu sais comment entretenir une réputation, il faut le reconnaître.

C'était en partie du bluff, mais Miner l'ignorait. Le silence de plomb par lequel il répondit se suffisait à lui-même. Pour une fois, Miner n'avait rien à dire. Il avait tout prévu, chaque pièce de son plan avait été minutieusement pesée, chaque conséquence anticipée – tout sauf l'irruption de ce fou errant qui, il ne savait comment, était parvenu à entrer en contact avec Claudia Mueller. Ce dernier point était d'ailleurs le plus improbable.

— Qu'est-ce qui se passe, mon chat, continuait Scot. On a avalé sa langue ?

— Voyez-vous, Harvath, parvint à articuler Miner qui se ressaisissait, vous avez été bien bavard, et Fraülein Mueller bien muette. Ça laisse supposer quelque chose.

— Ah oui, quoi donc ? Le suspense est intenable !

— Que vous n'avez rien. Aucune preuve tangible. Vous traînez mon malheureux cousin dans toute cette histoire dans le seul but de m'intimider. Vous n'auriez pas eu besoin de m'inviter à ce rendez-vous si vous aviez quelque chose. Fraülein Mueller, de plus, va devoir faire face à de très sérieuses accusations, qui déboucheront certainement sur un procès. Et ce n'est pas de vous avoir rencontré qui va l'aider. Vous êtes un malade, mon petit vieux.

Miner éteignit le boîtier d'argent, replia l'antenne et fit disparaître le tout dans la poche de son blazer.

— Fraülein Mueller, dit-il, je suis navré de ce qui vous arrive. Et plus encore navré que cet individu soit venu embrouiller ce que je m'imaginais être de votre part une enquête objective basée sur des faits. Profitez de votre déjeuner en sa compagnie, je le prends à ma charge. Mais laissez moi vous donner un conseil. Oubliez cet homme après le dessert. Vous avez suffisamment d'ennuis comme ça.

Il posa sa serviette sur la table.

— Quant à vous, agent Harvath, j'espère de tout cœur que nos routes ne se croiseront plus à l'avenir.

— Ça reste à voir. J'aimerais qu'un jour tu m'expliques comment on fait pour kidnapper un Président des États-Unis.

— Eh bien ! Naturellement, je maintiens ma totale innocence face à ces accusations. Tout ce que je peux dire, c'est que sous le règne de Dieu, rien n'est impossible.

Sur quoi il se leva.

65

— Eh bien, dit Claudia une fois qu'ils furent seuls, j'ai l'impression que nous ne sommes pas tellement plus avancés.

— Bien sûr que si !

Scot exultait.

— Nous avons parlé au cousin et nous savons qu'il est impliqué. Il est certain que Miner l'a utilisé et qu'il n'est venu à ce déjeuner que pour savoir ce que nous savions.

— Et bien, maintenant c'est fait, dit Claudia d'une voix maussade. Il sait. Il me semble que ça lui profite plus qu'à nous.

— Peut-être et peut-être pas.

— Pourquoi dis-tu ça ?

— Pourquoi je dis quoi ?

— *Peut-être et peut-être pas*, singea Claudia agacée. Parle clairement, tu n'as pas besoin de faire de mystère.

— Qu'est-ce qui ne va pas, Claudia ?

— Tu as vu la façon dont tu lui as parlé ? Franchement, il n'avait pas tort. Tu avais l'air d'un fou, tout à l'heure. Et ce langage ! C'est la procédure standard aux États-Unis de s'exprimer de cette façon ?

— Je ne voulais pas te blesser, Claudia. Miner est connu pour sa maîtrise de lui-même et son autoritarisme. Il fallait bien lui faire passer le message.

— Concernant ton instabilité psychique, je crois qu'il l'a reçu cinq sur cinq !

— Eh bien oui, en fait. Je voulais qu'il sache contre qui il se bat. Je voulais qu'il sache que je sais qu'il est coupable et que rien ne m'arrêtera.

— Bon, super. Et maintenant, quoi ?

— Je ne sais pas. Je me demande…

Il hésita une seconde.

— Quoi donc ?

— Non, rien. Je dois tourner en surchauffe. Mais je trouve sa dernière phrase étrange. *Sous le règne de Dieu, rien n'est impossible…* Ça a le moindre sens ?

À cet instant, le serveur fit de nouveau irruption avec la bouteille de Saint-Émilion et Scot interrompit ses réflexions :

— Je suis navré mais nous avons changé d'avis. Le déjeuner est annulé.

— Vraiment monsieur ? Mais, mais… Vous êtes les invités de monsieur Miner. Tout est déjà réglé.

— Dans ce cas, dit Scot. Êtes-vous marié ?

— Non monsieur.

— Une petite amie ?

— Heu, oui monsieur.

— C'est une bonne bouteille. Prenez-la avec vous. Vous et votre petite amie boirez ce soir à notre santé.

— Mais et, heu, et les plats ?

— Partagez-les vous aux cuisines. Nous devons partir.

Le serveur battit en retraite non sans jeter quelques regards furtifs en direction de cet Américain décidément bizarre.

Claudia ne put s'empêcher de sourire aux manières de Scot.

— Tu sais, dit-elle, je commence à associer le vin à des moments déplaisants de mon existence. À notre premier déjeuner, Miner a absolument tenu à me soûler, littéralement, avec une bouteille de je ne sais quoi, qu'un ami américain lui avait fait découvrir, un vin de dessert, il paraît que l'hôtel garde une cave spéciale à son intention. Il était d'un pompeux, en me racontant ça.

— Attends une seconde.

— Quoi donc ?

— Un vin de dessert ? Un ami américain ?

— Oui, pourquoi ?

Scot se tortura l'esprit pour ramener à sa mémoire ce qu'André Martin lui avait dit à ce sujet. Qu'est-ce que c'était ?

Un cadeau de Snyder... Qui lui a menti... prétendait être en France quand il était en Suisse. Le vin ne venait pas de France, trop sucré pour ça. Il venait de...

— Un vin importé d'Afrique du Sud ?

— Comment le sais-tu ?

— D'après André Martin, c'est Snyder qui est amateur d'un vin de ce genre. Essayons de voir si on ne peut pas en obtenir une bouteille par le serveur. Après tout, nous sommes censés être les invités de Miner.

— J'ai une meilleure idée. Viens avec moi.

L'employé de la réception les dirigea vers le bureau du sommelier de l'hôtel, un certain Johanus Schepp. C'était un petit homme doté d'une voix fluette et d'environ soixante ans.

— Que puis-je faire vous ?

— Claudia Mueller, monsieur Schepp, dit Claudia en anglais. Elle exhibait sa carte tandis que Scot restait absolument immobile. Je travaille avec le bureau du procureur fédéral. Peter Boa, ici présent, est chef du bureau des fraudes d'Afrique du Sud. Nous avons des raisons de croire que votre hôtel a partie liée avec un trafic illégal de biens en provenance de ce pays.

— Un trafic ? Dans l'hôtel ? Je vais appeler le directeur.

Scot l'arrêta d'un geste. Il savait que l'homme pouvait voir la crosse de son Beretta dépassant de sa veste. Avec un peu de chance, cela pallierait à sa mauvaise imitation de l'accent de Pretoria.

— Inutile d'appeler le directeur, dit-il. Vous avez une petite chance de vous en sortir sans trop de casse, vous et votre établissement, si vous coopérez.

— Mais je... je ne peux pas ne pas avertir ma hiérarchie...

— Monsieur Schepp, savez-vous combien de fois votre nom a surgi au cours de cette enquête ?

— Mon nom ?

— C'est ce que je viens de dire, fit Scot, qui sortit de sa poche une feuille de papier, d'un geste révélant cette fois complètement son arme.

— Avez-vous entendu parler d'un certain Tommy La Torche, ou Tommy l'Escabeau ?

— N… Non, non du tout.

— Patrick l'As ?

— Non.

— Jeff Le Marieur ?

— Monsieur Boa, ces noms ont l'air de sortir d'un film de gangsters américain, parvint à dire Schepp dont la lèvre supérieure était toute perlée de sueur.

— Ah oui ? Sachez que mon gouvernement prend ces gens très au sérieux.

À cet instant, Claudia réalisa qu'il lui fallait ramener l'entretien dans les limites, non seulement de la respectabilité, mais aussi de la vraisemblance.

— Monsieur Schepp, intervint-elle, chacun de ces hommes a été interrogé par la police sud-africaine. Ils travaillent pour un établissement vinicole qui, entre autres choses, viole les lois de la réglementation douanière. Cela vous dit quelque chose ?

— Je ne sais pas. Nous avons plusieurs vins d'Afrique du Sud en cave, mais nous ne sommes pas en contact direct avec les producteurs. Nous passons par un distributeur suisse.

— Nos informateurs nous précisent que les vins sont délivrés ici au nom d'un seul individu. Monsieur Boa, le nom de cet homme ?

— Un certain Gerhard Miner. Ça ne vous rappelle rien, Schepp ?

— Mais oui, bien sûr, je connais monsieur Miner. C'est un client régulier de l'hôtel. Nous avons toujours une caisse de vin de dessert pour lui dans le cellier, du vin de Constantia.

— Pourquoi votre nom apparaît-il dans l'enquête, monsieur Schepp ?

— J'imagine que le vin a été livré pour monsieur Miner mais à mon intention. Si j'avais eu la moindre idée que c'était illégal…

— Ignorer la loi, dit Scot, n'est pas une excuse.

— Monsieur Schepp, j'ai le sentiment que votre implication dans toute cette affaire est marginale, dit Claudia, manifestement aussi à l'aise dans le rôle du « bon flic » que Scot prenait plaisir à jouer le méchant. Peut-être même vouée à l'oubli si vous acceptez de nous aider.

L'homme hochait la tête avec une telle force que Claudia crut un instant qu'elle allait se détacher.

— Vous n'avez pas vous-même passé d'ordre de livraison n'est-ce pas ?

— Non, absolument pas. Monsieur Miner m'a toujours dit que l'un de ses amis lui faisait des cadeaux. C'est un vin très rare, distribué en très petites quantités et difficile à trouver.

— Vous avez un reçu ? Quelque chose susceptible de corroborer votre version des faits ?

— J'ai un dossier pour monsieur Miner, dit Schepp, se levant de son bureau et se dirigeant vers une armoire.

— Voilà, reprit-il après quelques instants de recherche. Les fournisseurs incluent parfois des indications spéciales sur la manière de conserver les bouteilles, ou des publicités. Moi, je garde toujours tout. Voilà ce que vous cherchez.

Il tendit le dossier à Claudia.

— Nous allons devoir l'emporter, dit-elle, mais si vous voulez faire des photocopies pour vos archives, libre à vous de les faire maintenant.

— Oh absolument, absolument, dit le petit homme. La photocopieuse est à la réception, si vous voulez m'excuser un instant.

— Je vous en prie.

En une seconde, il fut à la porte qu'il referma derrière lui. Scot parcourut d'un trait le dépliant promotionnel des vins de Constantia.

— C'était le plus célèbre des vins de l'hémisphère sud aux XVIIIe et XIXe siècle, lut-il à haute voix. Napoléon en conservait trente bouteilles à l'île d'Elbe…

— Fais voir ? dit Claudia en s'approchant et en lisant par-dessus son épaule. Quel crétin pompeux, ce Miner ! Je comprends maintenant pourquoi il m'a fait la leçon comme ça. Il avait appris la notice par cœur.

— Attends une seconde, dit Scot.

— Quoi donc ?

— Regarde ça. Dans *Raison et Sentiments*, Jane Austen recommande le vin de Constantia comme une médication pour les cœurs brisés.

— Et alors ?

— Devine qui d'autre a écrit dessus ? Charles Dickens, dans son roman *Edwin Drood.*

— Tante Jane, Edwin, dit Claudia… Le code entre Miner et Snyder ?

— Bingo !

66

— Tuez-les tous les deux aussitôt qu'ils sortent ! ordonna Miner par radio après s'être éloigné de l'hôtel en voiture. Et ne merdez pas, cette fois !

Klaus Dryer et Anton Schebel faisaient le guet devant l'hôtel des Balances. Klaus était muni d'un Walther P4 calibre 9 et Schebel de son arme favorite, le pistolet-mitrailleur HK MP5 SD1 – deux armes compactes, faciles à dissimuler et munies de silencieux.

Miner les avait prévenus que l'attente pouvait durer une heure, et les deux tireurs furent surpris de voir leurs cibles surgirent au bout de vingt minutes seulement. Claudia et Scot prirent un passage étroit et désert qui bordait l'entrée de service de l'hôtel sur la droite. Scott avait jugé préférable de laisser la voiture de Claudia au parking, sur la Matthaüskirche.

À l'instant où ils s'engageaient dans la ruelle, une brutale pluie de plâtre s'abattit sur eux et l'une des fenêtres de l'immeuble d'en face explosa.

— Cours ! hurla Scott en attrapant le bras de Claudia.

Les tirs venaient de l'arrière. Ils foncèrent jusqu'à l'angle du Rathausquai qui borde la rivière Reuss. Scot prit le temps d'observer la zone piétonne avant de s'avancer avec Claudia. Ils se précipitèrent jusqu'à l'hôtel Schiff pour se dissimuler entre ses piliers de vieilles pierres.

— Qui était-ce ? demanda Claudia en reprenant son souffle.

— Soit un des Américains, soit un des types de Miner.

Pointant du doigt le coin de rue qu'ils venaient de quitter :

— Regarde ! À gauche des deux femmes avec les landaus, le grand type au manteau sombre. C'est lui. Filons d'ici !

Ils foncèrent le long du quai. Passé les dernières colonnades, ils s'apprêtaient à s'engager sur le pont quand Scot aperçu à trente mètres devant eux un homme vêtu d'une parka bleue, un pistolet au bout du bras. Scot dégaina son Beretta mais le tueur se plaça derrière un groupe de touristes, l'empêchant de le mettre en joue.

— Merde, ils sont deux !

Toujours sur le quai, ils dépassèrent le Rathaus, le Zum Weissen Kreuz, le Pickwick, l'hôtel des Alpes et, à la hauteur du Sankt-Peter-Kirsche, ils prirent à droite pour rejoindre l'escalier grinçant du Kapellbrücke, le fameux pont de bois couvert. Toujours en courant, jetant un regard par-dessus son épaule, Scot aperçut Parka Bleue sur le quai, juste en contrebas. Long Manteau était invisible, mais il ne devait pas être loin.

Parka Bleue leva son pistolet au canon démesurément allongé par le silencieux.

— À terre ! hurla Scot, et ils s'aplatirent sur le bois mouillé.

Le parapet était assez haut pour les dissimuler, mais trop peu épais pour arrêter des balles.

— Avance sans te redresser !

Juste derrière eux, des éclats de bois volèrent. Parka Bleu s'approchait en tirant au jugé. Les dégâts auraient été bien pires avec une mitraillette. Dans quelques secondes, il serait sur le pont et les prendrait à revers.

Ils reprirent leur course aussi vite que possible, toujours pliés en deux.

Arrivés à hauteur des petites échoppes pour touristes et de la tour d'eau, ils se redressèrent essoufflés. Ils avaient mis un peu de distance entre eux et leur poursuivant et se trouvaient maintenant à mi-chemin au-dessus de la rivière, là où le pont fait un coude sur la gauche. Soudain, depuis l'angle en face, Harvath aperçut Long Manteau qui venait droit sur eux.

Il eut le temps de le voir empoigner son HK MP5, une arme qu'il connaissait parfaitement. Baisse-toi ! hurla-t-il. Devant les marchands éberlués, Claudia et lui plongèrent de nouveau à plat ventre, dégainant leurs armes tandis que les deux tireurs s'approchaient. Le Berreta de Scot fut le premier à entrer en action – une explosion de trois salves dans la direction de Long Manteau qui disparut.

Claudia, son SIG-Sauer P 220 9 mm en main, ajustait Parka Bleue. Elle tira quatre fois et vit le type reculer pour se mettre à l'abri.

— C'est bon ? demanda Scot.

— Pour l'instant. Mais ils vont revenir.

— Ils sont sans doute surpris qu'on riposte. Ils doivent être en train de prendre leurs ordres par radio. Est-ce qu'on peut s'échapper par la tour ?

— Non. La seule voie de sortie est l'autre côté du pont.

Harvath leva la tête. Le toit du Kapellbrücke était composé de montants et de chevrons couverts de tavillons de bois. Il roula sur le dos, leva son arme et tira cinq coups vers le haut en s'efforçant d'éviter les peintures qui faisaient la célébrité du lieu depuis des siècles. Dans un nuage de poussière et un envol d'oiseaux paniqués, de petits morceaux de ciel apparurent. Il calcula que la moitié de son magasin était désormais vide.

— Claudia, je compte jusqu'à trois et tu te précipites sur la paroi latérale jusqu'aux chevrons où je viens de faire des trous. Dès que tu es en place, essaie d'agrandir l'ouverture. Je te couvre.

— Ok, fit-elle après un coup d'œil critique au toit. Je suis prête quand tu veux.

— Tu as des munitions en réserve ?

— Non.

— On va faire avec ce qu'on a.

Scot se remit sur le ventre. Il commença à compter, tout en balayant de son pistolet l'espace vide où avait surgi Long Manteau. À « trois », Claudia se hissa à la hauteur des chevrons les plus bas. Bientôt, au-dessus de lui, elle se mit à défaire le treillis de bois, arrachant les tavillons pour creuser dans le toit un trou qui allait s'élargissant.

Scot savait qu'elle ne lui serait maintenant plus d'aucune aide si Parka Bleue faisait irruption, et il roula jusqu'au mur derrière lui dans l'espoir de surveiller en même temps les deux directions. Mais le coude sur le pont était autant une protection qu'un obstacle – impossible d'évaluer la position des tireurs sans se mettre lui-même à découvert.

Le dos contre le mur, il retira partiellement le magasin de son Beretta pour vérifier le nombre de balles restantes. Il remit le chargeur en place, glissa sur le pont jusqu'à se trouver juste au-dessous de Claudia.

Elle se faufilait sur le toit par le trou maintenant suffisamment large. Il se mit en position pour la rejoindre. Lorsqu'il la vit disparaître, il se hissa à son tour en prenant appui sur les murs. Le vacarme strident des sirènes de police lui parvenait distinctement. Il pensa que les flics seraient là d'une minute à l'autre. Les tireurs n'avaient plus beaucoup de temps pour agir à présent, ce qui signifiait qu'ils allaient sous peu tenter une dernière attaque, il en était certain.

Il inspira profondément. Il leva son Beretta, tira très vite deux fois de suite au jugé vers chacun des deux hommes, puis, glissant le pistolet dans sa ceinture, il sauta sur le bord du mur.

Il était sur le point d'agripper les chevrons quand une série de rafales étouffées lui parvint en réponse, simultanément depuis les deux directions d'où les deux hommes ripostaient. Scot avait été à l'abri tant qu'il se tenait au sol, mais désormais, debout sur le mur, il était complètement exposé.

Une balle lui frôla le front, vint s'écraser sur le chevron qu'il s'apprêtait à saisir. Par réflexe, il rejeta sa main en arrière en un mouvement qui lui fit perdre l'équilibre. Il sentit qu'il chutait. Il eut le temps de penser aux piliers en contrebas sur lesquels il allait s'écraser. D'une poussée des muscles de ses jambes il se rejeta vers l'extérieur de toutes ses forces. Il aperçut en un éclair l'expression horrifiée de Claudia, perchée sur le toit pentu du Kapellbrücke, qui le regardait tomber à l'eau. Puis, rapprochant ses genoux de sa poitrine, comme un enfant qui joue au boulet depuis le tremplin de la piscine, il se prépara à l'impact.

67

D'abord, il y eut le choc de l'eau glacée qui le paralysa, puis le courant l'emporta jusque sous le pont. Il lui fallut se battre contre son instinct de survie qui guidait son corps vers la surface. Il savait que les hommes attendaient de le voir réapparaître pour faire feu et que sa seule chance était de s'enfoncer dans l'eau aussi profondément que possible. Mais il remontait inexorablement. Levant la tête, il vit à la surface de l'eau une ouverture de ciel, l'ombre du pont finissait. Et dès qu'il ne fut plus sous le pont, comme il s'y attendait, les tirs commencèrent.

Il entendit le bruit étouffé des balles ricochant sur l'eau tout autour de lui. Il vit les tunnels de bulles d'air ondulant des tirs qui depuis le haut creusaient l'eau dans sa direction. Dans un effort désespéré il usa de toute la force de ses bras pour plonger à nouveau. Soudain, les tirs cessèrent, mais c'est à peine s'il eut le temps de se demander pourquoi. Déjà le courant l'emportait, plus rapide encore.

Il aperçut l'ombre d'un second pont sous lequel il passait. Une bouffée d'air lui brûla les poumons à l'instant où il atteignait la surface. Il vit qu'il se trouvait maintenant au milieu de la rivière. Il prit une seconde inspiration, s'enfonça à nouveau. Avec de longs mouvements de brasse, poussant des pieds, il se dirigea sous l'eau vers la rive nord.

Il avait passé l'hôtel des Balances quand il refit surface. Le courant était trop rapide. Le froid l'engourdissait, ses doigts étaient paralysés, sa tête résonnait de douleur et il sentit qu'il lui fallait agripper quelque chose, n'importe quoi.

Il approchait d'un nouveau pont dont les pieds étaient enfoncés dans des îlots de béton auxquels étaient accrochés, à hauteur d'eau, ce qui ressemblait à des anneaux de fer. S'il parvenait à en attraper un, au moins pourrait-il se reposer un peu. Celui qu'il avait repéré ne se trouvait qu'à quelques mètres. Il sortit son bras droit de l'eau glacée. Ses doigts étaient presque entièrement paralysés. Il savait que sa main ne sentirait pas le contact de l'anneau, qu'il lui faudrait garder les yeux dessus et faire preuve de volonté pour que ses doigts lui obéissent.

Il était tout près, moins d'un mètre quand de nouveau – *plonk plonk plonk* – l'eau se souleva sous l'impact des balles.

Les tirs étaient imprécis – les tueurs devaient se trouver sur l'autre rive – mais ils venaient en rafales et déchiraient la surface de l'eau autour de lui. Il comprit qu'il n'avait pas d'autre option que d'abandonner l'anneau et de s'enfoncer à nouveau dans l'eau.

Il sentait ses forces l'abandonner. En dépit de son entraînement au froid, il ne pourrait pas tenir encore très longtemps. Dans l'eau glacée, la clé de la survie consiste à bouger le moins possible car la nage consume une bonne partie de la chaleur de centre du corps pour l'irradier vers les extrémités. L'organisme se refroidit quatre fois plus vite dans l'eau qu'à l'air libre et les effets de ce refroidissement peuvent se faire sentir très rapidement.

Le courant continuait de l'emporter à une vitesse incontrôlable. Il compta jusqu'à cinq et, ne percevant plus d'impact de balles autour de lui, entreprit de remonter, s'approchant lentement de la surface, prêt à replonger à la moindre alerte. Ses bras lui semblaient d'une mollesse désespérante. Il craignait que le froid ne commence à affecter son esprit.

Sur l'autre rive, il n'y avait aucun signe des tireurs. Il vit que la rivière avait gagné en force et prenait de la vitesse, aspirée comme dans un entonnoir par la petite station électrique installée près du second pont couvert de Lucerne, le Spreuerbrücke.

En un instant, la vitesse du courant qui avait déjà doublé, tripla. Indifférent aux tireurs, Scot concentrait maintenant toute son attention sur les grilles de fer vers lesquelles l'eau le précipitait. L'écume et le niveau indiquaient une chute qui devait se trouver probablement après les grilles. S'il ne trouvait pas immédiatement un moyen de s'extraire de l'eau, il serait plaqué contre ces dernières et se noierait.

Il rassembla ses dernières forces pour tenter de nager à contre-courant, vers la rive nord, tendant au maximum les muscles de ses bras, indifférent à la plaie fraîchement recousue qui le faisait souffrir. L'espace d'un instant, il lui sembla progresser un peu. Puis il réalisa qu'il ne s'agissait en fait que de variations du courant à mesure qu'il s'approchait du béton.

Harvath résistait de toutes ses forces. Il nageait et frappait l'eau de ses pieds avec acharnement quand une nouvelle douleur lui traversa soudain le corps. Quelque chose venait de le frapper à la hanche. Dans le même instant, la pression de l'eau se fit plus intense.

À vingt mètres peut-être avant la station de pompage se trouvait une autre grille, juste au dessous du niveau de l'eau, qui devait servir à arrêter objets et débris. Ce n'était pas un objet qui l'avait frappé, c'était lui qui venait d'échouer avec violence contre la grille. Un répit, à ceci près que l'eau glacée lui écrasait la poitrine au point qu'il pouvait à peine respirer. Il n'allait pas périr noyé, non, il allait mourir de froid.

À cinq mètres seulement, le quai de béton dépassait de la station comme un doigt enfoncé dans la rivière. Il l'apercevait sans pouvoir s'en approcher, incapable de lutter contre la violence des eaux. Il essaya de maîtriser sa respiration. Il ne voyait aucune issue. *Mais il doit y en avoir une*, pensa-t-il. Il ferma les yeux, tenta de réfléchir. Il reçut une forte éclaboussure. Il rouvrit les yeux juste à temps pour apercevoir un énorme objet jaune flashant qui se dirigeait droit sur sa tête.

— Attrape ! Attrape ! criait une voix qu'il reconnut comme celle de Claudia. Scot, tu m'entends ? Attrape-la, je vais te tirer. Dépêche-toi !

C'était une bouée de sauvetage à laquelle une corde était attachée. Claudia se tenait sur le quai, l'autre extrémité entre ses mains.

Il enroula un bras autour de la bouée.

— Passe ton bras droit et ton épaule dans la bouée, ensuite la tête, lui ordonna Claudia tandis qu'il luttait pour reprendre possession de son corps, le bras en question semblant excessivement difficile à bouger.

Il parvint enfin, non sans effort, à glisser son épaule puis sa tête dans la bouée. Quand Claudia commença de tirer, il vit qu'il parvenait à aller contre le courant. Elle le guida ainsi jusqu'à une petite échelle à laquelle il grimpa.

— Ça va ? lui demanda-t-elle quand il fut à sa hauteur. Pour toute réponse, il ne put que hocher la tête. Il avait perdu toutes ses couleurs, à l'exception de ses lèvres ayant viré au bleu sombre, et ses dents claquaient frénétiquement.

— Mets ça, dit-elle en le recouvrant de son manteau. Je suis navré, mais nous n'avons pas le temps de récupérer, ils sont sur nos talons.

Ils arrivaient en haut du quai quand une nouvelle série de rafales explosa le béton tout autour d'eux. Les tireurs les attaquaient depuis le *Spreuerbrücke.*

Claudia poussa Scot au sol, sortit son SIG, roula brutalement sur la droite avec l'espoir d'attirer les tueurs dans sa direction. Elle riposta au jugé, sans compter les balles ni cesser de rouler, tandis que les impacts écorchaient le sol autour d'elle et qu'elle appuyait frénétiquement sur la gâchette. Elle vit l'un des hommes lâcher son H&K et tomber vers l'avant. C'était le type au long manteau. Claudia l'avait touché en pleine poitrine. Il glissa sur le sol gelé et s'écroula. Plus qu'un songea-t-elle.

Elle ajusta l'homme à la parka bleue, fit feu. Seul le click du barillet vide lui répondit. Elle était à court de munition et se trouvait de plus acculée à la rambarde du quai.

Elle vit l'homme s'approcher et l'ajuster avec un sourire. Elle eut le temps de se demander si mourir faisait mal. Elle vit le canon pointé sur elle et ferma les yeux dans l'attente d'un impact qui ne vint pas.

Lorsqu'elle souleva les paupières, le type était sur les genoux et se tenait la gorge d'où s'échappait un flot de sang. À dix pieds de là, elle vit Scot lâcher le lourd Beretta avant de retomber lui-même sur le sol.

Elle bondit sur ses pieds.

— J'ai bien cru que c'était la bonne, dit-elle.

— Aucun risque avec moi, souffla Scot, complètement épuisé. Il ajouta en se redressant : fouille leurs poches, prends tout ce que tu trouves. Dépêche-toi. La police est en chemin, il faut filer d'ici. Sans compter qu'il fait un peu frisquet.

Il parvint à sourire, puis ses dents se remirent à claquer violemment.

Elle s'exécuta. Aucun des hommes n'avait de portefeuille et leurs poches étaient presque vides. Elle revint vers Scot tout en se demandant comment faire, car sa voiture se trouvait de l'autre côté de la vieille ville. Comment allait-elle l'y conduire ? D'une minute à l'autre, les flics quadrilleraient tout le secteur et dans son état Scot ne pouvait passer inaperçu. Elle fit le tour du périmètre des yeux. Elle aperçut, deux immeubles au-dessus du quai Sankt-Karli où ils se trouvaient, l'enseigne du Tourist Hôtel. Elle mit Scot sur ses pieds et l'entraîna.

Contournant le groupe de gens alertés par les coups de feu qui se tenaient massés devant la porte, elle se dirigea droit sur le premier des chauffeurs de taxis arrêtés.

— S'il vous plaît monsieur, dit-elle en allemand, je dois emmener mon frère à l'hôpital. Je ne sais pas ce qui se passe, il y a eu comme des détonations et mon frère a paniqué, il est tombé à l'eau. Je crois qu'il fait de l'hypothermie.

Avant que le chauffeur eut pu répondre, le manager de l'hôtel qui l'avait entendu intervint :

— Heinrick ! Attends !

Sans comprendre, elle le vit disparaître dans le vestibule et ressortir quelques instants plus tard, avec une épaisse couverture de laine qu'il enroula autour de Scot.

— Voilà, vous pouvez y aller, dit-il avec un sourire à Claudia qui le remercia.

68

Claudia le ramenait à Berne, le pied sur l'accélérateur et le chauffage poussé au maximum. Tous deux étaient parvenus à convaincre le taxi de les laisser à leur voiture plutôt qu'à l'hôpital. Entre temps, Scot s'était débarrassé de ses vêtements trempés et s'était enroulé dans la couverture qu'il conserva jusqu'à ce que Claudia trouve le premier relais routier. Elle y acheta de la soupe chaude et du café que Scot but avidement. Puis il passa sur la banquette arrière et entreprit de s'habiller tandis que Claudia, théoriquement concentrée sur la route, ne pouvait se retenir de l'observer dans le rétroviseur.

Il reprit des couleurs, ses tremblements diminuèrent.

— Comment te sens-tu ?

— Furieux, répondit-il, s'enroulant de nouveau dans la couverture.

— C'est bon signe. À voir comme tu tremblais, je commençais à croire qu'on aurait bel et bien dû aller à l'hôpital.

— Je connais mes limites, ne t'inquiète pas.

— Oh, pardon ! Je m'en souviendrai la prochaine fois que tu te noies.

Scot la regarda un instant en silence.

— Merci, dit-il enfin.

— Pourquoi ça ?

— Pour m'avoir sauvé la vie.

— Tu veux dire te sortir de l'eau et buter les types de Miner ? Ce n'est rien du tout, ça. La prochaine fois, je tâcherais d'avoir une serviette à dispo.

— Comment sais-tu que c'étaient les hommes de Miner ? demanda-t-il en partie pour changer de sujet.

— Ils ne ressemblaient pas à des Américains. Et celui que tu as tué bafouillait en allemand pendant qu'il agonisait. Je suppose que Miner les a envoyés.

— On dirait, oui.

— Ils étaient en contact radio, comme tu le pensais. Oreillettes de fabrication allemande.

— Leurs poches ?

— Du liquide, des cigarettes. Et ça aussi, dit Claudia qui lui tendit ce qui ressemblait à deux cartes à jouer.

La chaleur lui revenait maintenant et il stoppa le radiateur de sa main libre avant de les saisir. Elles étaient munies au verso d'une bande magnétique et le recto montrait un dragon rouge, sous lequel étaient inscrit les mots *Mt Pilatus* suivis de quelques lignes en allemand.

— Qu'est-ce que c'est ? demanda-t-il.

— Des tickets pour le mont Pilate. Le mont Pilate est une montagne aux environs de Lucerne. Par temps clair, on l'aperçoit depuis la ville. D'après la légende, le corps du gouverneur romain Ponce Pilate, l'exécuteur de Jésus, est enterré dans le lac avoisinant. On dit que c'est le seul endroit où son âme a pu trouver le repos. Chaque année, pour le vendredi saint, il est censé surgir des eaux et laver le sang de ses mains.

— Charmant. Et le dragon ?

— L'emblème de la montagne. Depuis le XIVe siècle, on affirme y avoir vu des dragons tout autour.

— Qu'est-ce que tu sais d'autre sur l'endroit ?

— Il y a deux hôtels au sommet, le Bellevue, qui est une construction entièrement ronde, et le Pilatus Kulm. L'attraction principale est le panorama, on y fait aussi un peu de randonnée et d'alpinisme.

— Je ne vois pas le rapport avec ces types.

— C'étaient peut-être des randonneurs à leurs moments perdus.

— Donc le plan était de nous tuer, puis d'aller admirer la montagne ?

— Ne sois pas stupide.

— Alors pourquoi ces tickets ? Ils les avaient avec eux, ce qui signifie qu'ils comptaient les utiliser après nous avoir éliminés.

— Peut-être, oui.

— Quels sont les moyens d'accès pour se rendre au Pilatus ?

— À pied par la montagne, on met environ cinq heures. Il y a aussi deux téléphériques et un train au départ de Kriens. Et enfin, un tramway à Alpnachstad… Que cherches-tu ? ajouta-t-elle tandis que Scot ouvrait la boîte à gants et farfouillait fiévreusement dedans.

— Tu as une carte de la région de Lucerne ?

— Dans l'atlas suisse, juste sous ton siège.

— Ok, dit Scot après l'avoir parcouru quelques instants. Le tramway est direct ?

— Oui. Pourquoi ?

— Je me demande s'il est possible de cacher quelqu'un dans l'un des hôtels du Pilate. Imaginons que Miner connaisse un des propriétaires ou qu'il le fasse chanter. C'est concevable ?

— Concevable, oui. Probable, non.

— Pourquoi non ?

— Le personnel là-haut n'est pas différent du reste du pays. Très amical et incapable de rester muet. Tout le monde connaît tout le monde et sait ce que tout le monde fait. Cacher le Président des États-Unis dans un lieu pareil ? Il faudrait avoir envie de se faire prendre !

— D'accord. Et pourquoi pas ailleurs, mais dans le coin ? À mi-pente de la montagne, par exemple ?

— Les tickets indiquent qu'ils vont au sommet.

— Peut-être pour induire en erreur.

— S'ils ont pensé que les tickets pouvaient être découverts, ils pouvaient aussi bien les laisser dans leurs chambres ou dans leurs voitures.

— Ils devaient parer à toute éventualité. Y compris celle d'être séparés, de ne pouvoir retourner à leur hôtel… Dans ce cas, il leur fallait être sûr qu'ils pouvaient accéder à la montagne.

— Pourquoi ne pas acheter tout simplement un nouveau ticket ?

— Et faire la queue au risque d'être repéré si les choses tournaient mal ? Non. Ils devaient pouvoir agir le plus vite possible.

Claudia réfléchissait.

— Il y a des étables dispersées dans la montagne. Les randonneurs les utilisent comme abris.

— Et regarde ici, sur la carte. Alpanachstad possède un petit terrain d'aviation. Miner pourrait très bien aller et venir à sa guise par là. Sais-tu si c'est un terrain privé ?

— C'est un terrain d'aviation civile si je me souviens bien, avec un ou deux hangars militaires... Ça y est ! dit soudain Claudia.

— Quoi donc ?

— Je me suis trompée à propos du mont Pilate. Je t'ai dit que les infrastructures hôtelières se trouvaient au sommet. En fait, les téléphériques approchent le sommet par différentes faces. Normalement, les touristes arrivent par l'une et redescendent par la seconde, c'est ce que les publicités appellent le circuit doré. Départ et arrivée se font sous Le Bellevue, qui est en partie encastré dans le roc.

— Et ?

— Quand j'ai commencé la compétition, j'ai fait quelques circuits autour du Pilate. Mon grand-père m'entraînait, c'était un alpiniste lui aussi. Tu sais comment il gagnait sa vie ?

— Non. Mais j'espère que ça un rapport...

— Il était ingénieur pour l'armée, dit-elle en le fixant comme si ce qu'elle venait de dire avait un sens évident.

Scot lui renvoya un regard blanc.

— Scot, as-tu jamais vu une base militaire suisse lors de tes précédents voyages ? Le moindre tank ?

— Non, jamais. J'ai toujours entendu dire qu'en dépit de sa longue neutralité, l'armée suisse était l'une des meilleures. Personne n'a jamais pu le vérifier cependant parce que...

Il s'arrêta net.

— Parce que tout est caché dans la montagne, finit Claudia pour lui. Après que je suis entrée au bureau du procureur, mon grand-père était très fier de moi. J'étais sa seule descendante. J'avais accès à certaines informations et, du coup, il a commencé à m'en dire un peu plus sur ce qu'il avait fait pour l'armée. À ton avis ?

— Il a aidé à la construction de forteresses militaires dans la montagne ?

— Très bien, agent Harvath. Oui, c'était un ingénieur hors pair. D'après ce qu'il m'a dit, ils ont construit ces monstres de forteresses un peu partout en Suisse en utilisant comme couverture les infrastructures touristiques.

— Donc le mont Pilate est l'une d'entre elles.

— Non.

Scot la fixa, désappointé.

— Plus maintenant. Elle a été condamnée.

— Tu veux dire abandonnée ? Pas détruite ?

— Pas détruite, non, juste désactivée.

— Donc, en théorie, si Miner avait connaissance de cette base comme cela est probable, tout ce qu'il avait à faire était de la réactiver.

— Et ce n'est pas forcément difficile. D'après papy, ces forteresses ont plusieurs points d'accès. Circuits de ventilation, passages secrets etc.

— Je commence à avoir beaucoup de sympathie pour ce grand-père. Tu crois qu'il pourrait nous aider ?

— Il aurait sans doute adoré, malheureusement il est mort il y a deux ans.

— Je suis navré…

— D'après lui, chacune des structures du Pilate a un sens. Comme le Bellevue, par exemple.

— Comment ça ? Quel est le sens du Bellevue ?

— Ça, il ne me l'a pas dit, hélas. Mais rien n'est là par hasard. Tout a une double fonction. C'était quelque chose, ces ingénieurs. Certains des meilleurs esprits de la Suisse.

— Voyons. Il y a les deux hôtels, le téléphérique et le tramway. Quoi d'autre ?

— Une petite station météo, une station radar et…

— Et quoi ? Qu'est-ce qu'il y a d'autre, Claudia ?

— Une église, dit-elle en ouvrant grand les yeux.

Harvath répéta les derniers mots que Miner leur avait adressé et dont la bizarrerie l'avait frappé. *Sous le règne de Dieu, rien n'est impossible.*

69

Il y avait des images d'ours partout dans les rues de Berne. C'était, lui expliqua Claudia, l'emblème de la ville et du canton. Enseignes aux ours, gâteaux en forme d'ours dans les pâtisseries, et même une fosse à ours où un couple d'ours authentiques faisait sa vie.

C'était la première visite de Scot et il était émerveillé par les vieux immeubles en grès rouge et acajou, par les arcades couvertes de la vieille ville aux fontaines colorées au-dessus desquelles se dressaient les flèches de l'église de Münster, les plus hautes de toute la Suisse.

Bien en dessous de Münster, au pied d'un énorme mur de soutènement, se trouvait le quartier de Claudia. On l'appelait le Matte. Autrefois un quartier d'artisans et de travailleurs, aujourd'hui l'un des lieux les plus *trendy* de la jeunesse de Berne.

Parce que Scot cherchait un fax, Claudia le conduisit dans l'agence de voyage de son amie Fabia où ils s'enfermèrent dans le bureau privé. Scot avait décidé d'appeler Washington et Claudia décréta qu'elle se rendrait pendant ce temps chez elle, à deux pas de là, afin de préparer le matériel dont ils avaient besoin. Scot grimaça – l'équipe américaine l'avait très certainement suivie depuis Berne jusqu'à la Jungfrau, et sans doute aussi mis son appartement sous surveillance, mais elle lui assura qu'elle pouvait entrer et sortir sans être vue. Elle comptait revenir aussi vite que possible.

On envoya l'une des employées au restaurant du coin de la rue afin que Scot puisse manger un morceau tout en travaillant. Une assiette de foie de veau agrémenté de *sauerkraut* lui fut servie, avec une barre de chocolat.

Scot la remercia. Une fois seul, il avala quelques bouchées pour se donner de l'énergie, puis saisit le téléphone et composa le numéro.

— Lawlor, fit une voix claire et brutale qui semblait toute proche.

— Gary, c'est Scot.

Un silence lui répondit.

— Qu'est-ce qui se passe chez vous ? continua-t-il, vous avez avancé sur l'affaire ?

— Parce que je devrais te le dire ? répliqua Lawlor

— Voilà qui répond à l'autre question que j'avais en tête. Je suis donc toujours *persona non grata* ?

— Tu es bien pire que ça, mon vieux. Bien pire.

— Gary, je crois être en position de vous aider. Mais il faut me dire ce que vous savez.

— Bon Dieu, Harvath. Je ne sais même pas pourquoi je me soucie de toi.

— Parce que nous nous connaissons. Parce que tu sais que je ne suis pour rien dans l'enlèvement du Président. Ni dans les meurtres de Natalie et de Martin.

— Je vais te dire ce que je sais, d'accord, fit Lawlor après un temps. Mais après, tu me dis où tu es.

— Marché conclu.

— On est au maximum. F.B.I., C.I.A., D.O.D… Le moindre agent de la moindre agence travaille sur le dossier, et rien. Les kidnappeurs ont envoyé au vice-président un doigt coupé qui semble bien être celui de Rutledge. Ils veulent cinquante millions de dollars. Je suis convaincu qu'ils l'exécuteront si on ne paye pas.

— On est sûr qu'il s'agit de son doigt ?

— C'est ce que disent l'A.D.N. et les empreintes.

— Quels barbares !

— Tu parles. Marshfield est secoué.

— Comment gère-t-il ça ?

— Il reste sur la position dure. Pas de négociation avec les terroristes. Et il est psychologiquement complètement effondré. Livide. Je crois qu'il n'a ni dormi ni mangé depuis des jours. Il ne consulte même plus DaFina. Sitôt que quelqu'un lui demande de prendre une décision, il le fout dehors. Il y a une rumeur selon laquelle il consulte une voyante.

— Ce type n'a pas de couilles.

— Eh non. Voilà les nouvelles, Scot. À toi maintenant. Où es-tu ?

— Avant tout, je veux que tu enregistres cette conversation. J'ai beaucoup de choses à dire et il y a des gens à qui tu voudras faire écouter ça, alors, magnéto. En revanche, je te conseille de ne pas essayer de tracer l'appel.

— Et pourquoi ça ?

— Tout d'abord, je ne serais plus là après avoir raccroché. Deuzio, si tu arrives à me localiser, je suis au regret de te dire que l'information peut parfaitement tomber entre de mauvaises mains. Dans ta propre agence, oui. Fais moi confiance sur ce point, tu comprendras ce que je veux dire.

— Ok, Scot, vas-y.

— Donne moi aussi un numéro de fax sécurisé, j'ai des choses à t'envoyer. Tu es seul dans ton bureau ?

— Oui.

— Je crois que je sais qui a kidnappé le Président et où il se trouve.

— Tu quoi ?

Scot raconta toute l'histoire. Puis il dit :

— Je te faxe le contenu de l'enveloppe qui se trouvait dans le casier d'André Martin à Union Station. Si tu envoies un homme chez moi, il trouvera le morceau de chocolat suisse que j'ai ramassé dans la ferme des Maddux, il est enterré dans le pot, sur le bord de la fenêtre dans la chambre à coucher. Je te faxe aussi le bordereau d'expédition du vin de Miner. Je crois que quand on saura qui paye, on aura une preuve des contacts entre Snyder et lui. Tu peux mettre quelqu'un de l'agence de Pretoria sur le coup ?

— Bien sûr. J'espère seulement qu'on aura les résultats à temps.

— Et souhaite moi bonne chance.

— Bonne chance ? Pourquoi ça ?

— Mon boulot était de protéger le Président et je n'ai pas su le faire correctement. À présent, mon boulot est de le ramener.

— Scot, si ton hypothèse est la bonne, agir seul ne fera qu'empirer la situation.

— Je ne serai pas seul. Et puis j'en ai marre d'être sur la défensive ! Marre de me faire tirer dessus tous les jours aussi ! Sans compter que si les kidnappeurs sont sérieux, Rutledge n'a plus beaucoup de temps devant lui.

— Mais ils n'auront pas l'argent s'ils le tuent.

— Tu n'en sais rien. Qui sait ce qu'ils peuvent faire ? Plus on attend, plus ses chances diminuent, selon moi.

— Tu ne peux pas te contenter de jouer les John Wayne et de foncer. Laisse-moi un peu de temps pour examiner tout ça.

— Donc tu crois que j'ai raison ?

— *Si* tu as raison, tu as fais plus de progrès à toi seul que toutes les agences combinées. Si…

— Mets dans la balance tous les coups de feu que j'ai essuyés depuis mercredi et le « si » se charge de beaucoup de vraisemblance.

— Vrai. Mais on a un otage sur les bras.

— Et le compte à rebours a commencé. Écoute Gary, le Président était sous ma protection. Mes hommes sont morts. Je n'ai pas su protéger Natalie ni Martin. La seule façon pour moi d'agir est celle-ci.

Sur quoi, il raccrocha.

70

Il ne fallut pas plus de vingt minutes à Claudia pour faire ses courses et rassembler les affaires dont Scot et elle allaient avoir besoin. Que son appartement fut surveillé lui semblait une évidence. Un type était probablement planté aussi devant son bureau.

Tout en montant les escaliers, elle se reprochait d'avoir découragé Scot de l'accompagner. Une pensée stupide, elle en convenait, mais en sa compagnie, elle se sentait en sécurité. Elle parvint au cinquième étage, qui était le sien et le dernier de l'immeuble, avança dans le couloir jusqu'à l'appartement 5B, sa main gauche contre le mur tandis que la droite agrippait la crosse de son SIG-Sauer.

Arrivée devant chez elle, en quête d'une possible effraction, elle prit le temps d'examiner les verrous avec attention. Elle sortit la clé de sa poche, l'introduisit doucement dans la serrure. La porte glissa sur ses gonds sans un bruit. Elle la poussa jusqu'au bout afin de s'assurer que nul ne se cachait derrière. Scot lui avait conseillé de ne pas allumer la lumière, sous peine de donner l'alerte à ceux qui étaient postés en faction et elle mit quelques secondes à s'accoutumer à l'obscurité.

À distance, le poids de son corps également répartit sur ses jambes, les pieds écartés, elle lança sa main gauche vers la poignée du placard et tira mais la porte restait coincée. Ce n'était pas nouveau : il fallait toujours forcer, pousser et soulever d'un même mouvement pour l'ouvrir. Avec réticence, elle s'approcha, prit une longue inspiration et, dans un mouvement rapide, s'appuya contre le meuble en tournant la poignée.

Sitôt qu'il s'ouvrit, elle recula immédiatement. Elle ignorait ce qu'elle s'attendait à voir surgir. En fait, il n'y eut rien. Elle prit les objets dont elle avait besoin sans lâcher son arme et les posa dans l'entrée.

Son cœur s'emballa de nouveau à l'instant de refermer la porte. Et si quelqu'un se tenait de l'autre côté ? C'était une pensée stupide et irrationnelle, mais cela même la rendait crédible. Marchant à reculons, son arme à hauteur de poitrine, elle poussa du pied la porte qui se referma. Derrière il n'y avait rien, bien sûr, sinon son salon habituel. Elle se traita d'idiote.

Elle inspecta les lieux. Tout était vide, de même que la salle de bains, où elle prit une trousse de premiers soins nécessaires au pansement de Scot qu'il faudrait changer. Elle entra dans la chambre, jeta le tout sur le lit. Elle en inspecta les coins.

Elle s'avançait vers les tiroirs quand une main apparut pour saisir sa cheville. Elle hurla.

Elle bondit, son dos heurta le mur tandis qu'elle pointait son arme dans la direction de la figure qui, d'une seconde à l'autre, allait surgir de sous le lit. Elle attendit. Rien ne bougeait.

Elle fixa quelques secondes le barillet de son arme sur lequel se reflétaient les lumières de la nuit. Elle suivit des yeux le canon. Avec une lenteur infinie, elle baissa la tête là où elle s'attendait à voir surgir une main sinistrement gantée… et ne trouva que la poignée en nylon noir de l'un des nombreux sacs qu'elle entassait sous son lit.

Elle émit un soupir d'exaspération et, en même temps, éclata de rire. Elle s'agenouilla, plaça sa main droite sur le matelas et la gauche au sol pour conserver son équilibre, puis entreprit de dénicher dans le fouillis les deux sacs à dos que Scot et elle avaient prévu d'emporter.

Elle posa son arme sur le matelas pour plonger les deux mains. Et c'est alors qu'elle saisit quelque chose qu'elle n'identifia pas tout de suite… *La main !*

Les mains. En une fraction de seconde, elles avaient saisi ses poignets et Claudia perdit l'équilibre. Sa tête heurta le montant du lit. Dans un vertige de cauchemar, elle vit le type s'extraire de l'amas de sacs. Il était entièrement vêtu de noir.

Elle secoua la tête pour retrouver ses esprits. Avant que l'homme ne se fut complètement remis sur ses pieds, elle eut le temps de lui balancer un coup de pied. Elle visait le nez, le manqua, toucha la cuisse.

— Sale petite pute, dit-il en anglais.

Un Américain. Scot avait raison. Elle pensa que cela signifiait qu'ils ne savaient pas où il se trouvait et qu'il était donc en sécurité.

L'homme la releva, un bras tordu dans le dos, et aboya :

— Où est-il ?

— Qui ?

Sans lâcher son bras, le type attrapa une poignée des longs cheveux bruns de Claudia qu'il enroula autour de sa main. Il tira sa tête en arrière, fit deux pas en avant. La tête de Claudia vint cogner contre la glace de l'armoire. Elle vit le sang couler de son nez. L'instant d'après, le goût du sang lui emplit la bouche.

— Où est-il ? répéta le type.

— Je ne sais pas de qui vous parlez. Je vous en prie.

Sans changer de position, l'homme tira Claudia hors de la chambre. Elle tenta de résister mais il resserrait sa prise et une douleur brûlante traversa le corps de la jeune femme. Elle ne pouvait opposer qu'une résistance passive tandis qu'il la traînait vers ce qu'elle comprit avec horreur être la salle de bains.

Il ouvrit la porte en un coup de pied. Il alluma le plafonnier d'un coup de coude. Il relâcha son bras, jeta un coup de poing violent dans les reins de Claudia qui tout de suite tomba à genoux, la tête au-dessus des toilettes. L'homme souleva le couvercle avec une telle force qu'il se brisa et tomba sur le sol de tomettes. Claudia ne pouvait détacher son regard de la cuvette. Quelle horrible façon de mourir, pensa-t-elle. Elle avait toujours eu une peur incontrôlable de la noyade.

— Dernière chance. Où est-il ?

— Va te faire foutre, parvint-elle à articuler du fond de sa peur.

Sans un mot, l'homme la saisit par le cou et plongea sa tête dans la cuvette.

Elle se débattait sauvagement, ses bras agités dans toutes les directions. Lorsqu'il la retira de l'eau, ce fut d'un mouvement si violent que sa tête partit en arrière et qu'elle crut que sa nuque allait se rompre. Elle se mit à tousser et à cracher, à la recherche de sa respiration.

— Où est-il ? Dis moi ce que je veux savoir et je te laisse tranquille.

— Tu parles. Va te faire foutre, souffla-t-elle à l'instant où elle se sentait de nouveau propulsée sous l'eau.

Elle eut l'idée désespérée de ne plus bouger du tout, cette fois. Ses bras restaient délibérément inertes. Mais cela semblait faire durer la torture deux fois plus longtemps. Il ne la retirerait pas de l'eau, elle en était convaincue, il allait la laisser mourir.

— Tu parles où tu veux vraiment finir là-dedans, dit le type après l'avoir tirée une nouvelle fois hors de l'eau. Confusément, elle sentit que c'était là sa seule chance.

Son visage était si proche du sien qu'elle percevait dans son haleine des restes de repas.

— Ce serait vraiment dommage d'avoir à tuer une belle fille comme toi.

Elle trouva ce qu'elle cherchait pendant qu'il parlait – la brosse des toilettes en acier inoxydable, dont l'extrémité était surmontée d'une pointe en plastique imitant un rubis – une pointe si dure et coupante qu'elle s'enfonça droit dans l'œil gauche de son assaillant.

Le type hurla, les mains au visage tandis qu'elle glissait sur le sol pour lui échapper.

— Sale pute ! Sale pute ! Tu vas me le payer ! hurla-t-il tout en s'efforçant de retirer l'arme enfoncée dans son œil, et saisir une serviette afin d'arrêter le flot de sang.

Dans l'intervalle, elle s'était relevée et sortit de la salle de bains en courant. *L'arme – où est mon arme ?*

Pas sur le dessus de lit où elle l'avait pourtant posée. Le Sig avait du tomber pendant leur lutte.

— Tu vas regretter d'avoir vu le jour, espèce de salope ! hurlait le type en sortant à demi aveugle de la salle de bains.

Claudia, maintenant hystérique, cherchait dans le fouillis de sacs amassés sous le lit. Seules quelques petites secondes la séparaient de l'instant où l'homme entrerait dans la pièce. Mais l'arme était introuvable. *Est-ce qu'il l'a pris ? Non, il me tenait des deux mains. Où est-ce qu'il est, bordel ?* Peut-être n'était-il pas tombé du lit ? Elle déblaya les derniers sacs amassés devant elle. Elle s'extirpait de dessous le lit et se figea sur place en entendant la voix du tueur dans l'embrasure de la porte.

— Tu es là, hein ? Tu crois que tu peux m'échapper ? Trop tard, ma petite, je vais te crever.

Il leva vers elle ce qui s'avéra être un Pistolet Makarov PM russe muni d'un silencieux. Les premiers coups de feu pulvérisèrent sa lampe de chevet et une photographie qui se trouvait derrière. Sa blessure à l'œil altérait visiblement sa capacité à tirer. Claudia baissa la tête.

De là où elle se trouvait, elle saisit la couette à deux mains, la tira de toutes ses forces pour la tendre et, la tête protégée par le montant du lit, leva une main qu'elle passa sur la surface. Enfin elle sentit ce qu'elle cherchait – la crosse froide et dure de son arme. Elle l'attrapa aussitôt, ramena sa main.

Les tirs avaient cessé.

— Rassure-toi, je ne vais pas te tuer tout de suite, disait le type. On va d'abord s'amusei. J'ai un couteau ici, je vais te découper en rondelles.

Elle sortit de sa cachette et se dressa droit devant l'homme, l'arme pointée ;

— Je t'ai dit d'aller te faire foutre, connard ! dit-elle.

Elle lui tira deux balles en pleine poitrine. L'homme lâcha son couteau et s'effondra.

Mais ce n'était pas fini. Du coin de l'œil, Claudia aperçut dans l'embrasure de la porte, le canon d'une seconde arme. Elle se retourna et fit immédiatement feu. Des morceaux de bois volèrent en éclat. C'était sa dernière cartouche. Elle lâcha son arme, sauta par-dessus le lit, atterrit littéralement sur le cadavre du type qu'elle venait de tuer, saisit son arme et retomba sur les fesses, le pistolet pointé vers l'entrée.

— Claudia ! Claudia ! C'est moi ! Scot ! Ne tire pas ! C'est moi ! Je vais approcher, ne tire pas !

Aussitôt qu'elle le vit, elle fondit en larmes.

71

Son premier geste fut de retirer la couette du lit pour en entourer les épaules de la jeune femme, qu'il entraîna aussitôt dans le salon. Puis il ramena une serviette de la salle de bains et l'étendit sur ses cheveux trempés.

— Tu n'es pas blessée, n'est-ce pas ? demanda-t-il en la serrant contre lui.

— Oh Scot, c'était horrible... Il essayait de me tuer... Il voulait me noyer dans les... la cuvette... Il voulait que je lui dise où tu étais... Sinon j'allais mourir...

— Ça va aller, ça va aller. C'est lui qui est mort, tu l'as tué. C'est fini.

— Je n'arrive pas à m'empêcher de trembler.

— Tu es en état de choc. Ça va passer.

Tandis qu'elle se remettait, il fit le tour de l'appartement et entreprit de rassembler les affaires dont ils avaient besoin. Il trouva les deux sacs à dos dans le fouillis de la chambre à coucher. Il fouilla aussi dans les poches du cadavre mais la pêche fut maigre. L'homme était équipé d'une radio, pulvérisée par l'un des tirs de Claudia. Il ramassa également le Malakov Russe 9 mm du tueur pour en vérifier les balles. Il en restait une dans le chargeur, une autre dans le canon. Pas de munitions en réserve, et le Marakov 9 mm était un format intermédiaire entre celui du Parabellum et du Short. Aucune des cartouches de Claudia ne serait utilisable avec ça. Du moins deux tirs silencieux valaient-ils mieux que rien, se dit-il en fourguant l'arme dans l'un des sacs.

Il revint au salon où Claudia tremblait toujours.

— Tu as du brandy ? demanda-t-il.

Elle acquiesça d'un geste, désigna la cuisine où il se rendit. Il revint dans le salon équipé d'une bouteille et de deux tasses à café.

— Ça t'aidera à te calmer les nerfs, fit-il en lui tendant l'une des tasses. Tout est quasiment prêt, on peut partir dans une minute. Avant que la police n'arrive.

Elle acquiesça, toujours sans un mot.

Il acheva les préparatifs. Claudia possédait un fusil d'assaut et, contrairement à la majorité de ses concitoyens, une autorisation pour acheter les munitions qui vont avec. Il empila dans un sac le triple magasin du fusil, y ajouta une boîte de cartouches 9 millimètres pour leurs pistolets, ainsi que deux barillets destinés au SIG de Claudia. Puis, avec précaution, il enroula le fusil d'assaut télescopique suisse SG551 et sa lunette de vision nocturne dans une serviette qu'il plaça sur le dessus du paquet.

Il revint chercher Claudia pour l'aider à se diriger jusqu'à la porte, posa un manteau sur ses épaules et chargea les deux sacs sur les siennes. Sitôt dehors, il s'arrêta pour vérifier l'entrée afin de s'assurer que l'homme n'avait pas d'acolytes en faction.

Mais les sirènes des voitures de police se rapprochaient et ils n'eurent d'autre choix que de se mettre en route. Son bras gauche autour de Claudia, le Beretta pendant au bout de sa main droite, il remonta l'allée sans incident. Une fois dans la rue, il mit l'arme sous son blaser. Ils entreprirent de franchir les deux blocs d'immeubles qui les séparaient de la voiture.

Ils s'obligeaient à marcher d'un pas égal afin de ne pas attirer l'attention. La Volkswagen de Claudia ne se trouvait plus maintenant qu'à un demi bloc, la ruse avait presque réussi.

Abandonnant le bureau du procureur fédéral où il avait attendu en vain le retour de Claudia Mueller, le chef et dernier survivant de l'équipe des tueurs américains se rendait à présent en direction de l'appartement de la jeune femme. La dernière transmission radio l'avait averti que quelqu'un entrait dans les lieux, puis plus rien.

Il ne lui fallut pas longtemps pour comprendre lorsqu'il aperçut le couple marchant sur le trottoir juste en face de lui. Instinctivement, sa main fila vers le journal qui dissimulait son arme sur le siège passager. Il ralentit, adoptant l'allure d'un chauffeur en quête de place. Dans quelques secondes, tout serait joué.

L'Opal noire glissait sur la chaussée. Elle était maintenant si près que, si l'homme avait compris l'allemand, il aurait pu déchiffrer les marques des sacs que Scot portait sur ses épaules. Il sortit l'arme de sa cachette et la posa sur sa hanche.

Ses cibles se trouvaient à sa droite et il se pencha pour descendre la vitre du siège passager. Il émit un gémissement au passage, souvenir de sa blessure consécutive à l'attaque manquée à Washington.

Ils étaient juste à sa portée quand deux voitures de police, toutes sirènes hurlantes et les gyrophares allumés, débouchèrent dans la rue juste en face. Entre-temps, Harvath et la fille avaient disparu. Aucun signe de vie. Il y avait une petite rue discrète, quelques pas plus loin – étaient-ils passés par là ? Ou bien se cachaient-ils derrière une voiture à l'arrêt ? Son arme à la hanche, le tueur n'eut d'autre possibilité que de dégager la route pour laisser passer les véhicules de police.

72

Scot choisit de contourner Lucerne plutôt que de traverser la ville. Nul doute, grâce à la diligence des commerçants du Kapellbrücke, que tous les policiers des environs devaient maintenant posséder une description précise des deux fuyards. Le détour les retardait mais donnait aussi à Claudia l'occasion de prendre un peu de repos. Elle dormait, enroulée dans la couverture qu'il avait lui-même utilisée après sa quasi-noyade, et il n'avait aucune intention de la réveiller. Il faudrait qu'elle soit aussi fraîche que possible pour ce qui les attendait.

Dehors, il faisait nuit noire. Les phares de la voiture projetaient une curieuse lumière verte dans l'obscurité. Le chauffage était au maximum. De temps à autre, il jetait un œil à Claudia. Curieux comme les rôles s'échangeaient. Curieux aussi comme il se sentait moins seul en sa compagnie, songea-t-il en constatant le plaisir qu'il éprouvait à la voir se réveiller.

— Bonjour revenante, dit-il lorsqu'elle ouvrit les yeux. Comment te sens-tu ?

— Furieuse.

— Parfait, dit Scot en riant. Je n'ai plus de souci à me faire à ton sujet.

— Comment as-tu su ce qui se passait chez moi ?

— Je t'ai attendu une demi-heure à l'agence après mon coup de fil. Ce n'était pas compliqué à deviner.

— Ce type. Ce n'était pas un des hommes de Miner.

— Non ?

— Non. C'était un Américain.

— Tu aurais dû me balancer.

— Et le laisser te tuer ? Pour ce que ça aurait changé de toutes façons. Il voulait me tuer, je ne vois pas pourquoi je lui aurais facilité la tâche.

À cela, il ne put qu'acquiescer.

— Tiens, dit-il, sortant de sa poche la plaquette de Toblerone. On m'a donné ça chez Fabia, j'ai pensé que tu aimerais.

— Merci.

Elle se mit à manger en silence. Une neige légère commençait à tomber. Scot mit les essuie-glaces en marche.

— Il ne manquait plus que ça.

— Ne te plains pas, si ça continue, ça peut nous donner une couverture supplémentaire.

Claudia finit le chocolat, et se faufila sur la banquette arrière.

— Qu'est-ce que tu fais ?

— L'inventaire. J'essaie de répartir le matériel de façon égale dans les deux sacs.

— Ça ne peut pas attendre notre arrivée ?

— Je ne veux pas que nous restions sous la neige plus que nécessaire.

73

Quarante minutes plus tard, Harvath apercevait Alapnachstad. Claudia lui indiqua où s'arrêter. La neige tombait plus fortement à présent et elle dû lui faire traverser deux fois le village avant de trouver le chemin conduisant au lac et à la station de tramways. La route bifurquait à cinquante mètres en direction d'une clairière, derrière un épais bosquet de sapins. Sous les instructions de Claudia, il se gara là, au bout de la clairière, aussi loin que possible de la route.

Claudia s'éjecta de la voiture et se mit à travailler à une vitesse extraordinaire. Les trois magasins de son SIG-Sauer étaient déjà chargés que Scot n'avait pas encore enfilé son costume de ski – un costume blanc, parfait pour se camoufler.

— Attrape, dit-elle en lui lançant un large rouleau de papier collant. Je suis sûre que tu sais comment dissimuler une arme là-dedans.

En raison de son expérience des armes à feu, il avait été convenu qu'il lui reviendrait de porter le Makarov silencieux en plus de son Beretta. Lorsqu'ils seraient à portée de leur but, il sortirait le fusil d'assaut du sac et l'assemblerait. Claudia portait avec elle trente-six salves de munitions dans les chargeurs de son SIG-Sauer, plus une dans la chambre. Son rôle serait strictement limité au renfort, tandis que Scot serait le tireur. Elle ne devrait pas même avoir à tirer une cartouche, si tout se passait comme prévu. Mais bien sûr, rien ne se passait jamais comme prévu.

Il enfila les bottes d'escalade que Claudia avait acheté à son intention. Elles étaient un peu serrées mais lui allaient néanmoins. En cas d'ampoules Claudia s'était procuré un équivalent suisse de la moleskine qu'elle tiendrait prête au moindre signe d'inconfort. Un long chemin les attendait, ils ne pouvaient prendre aucun risque.

Armes et matériel sécurisés, ils enfilèrent leurs écouteurs et testèrent le niveau de leurs talkie-walkie, lequel s'avéra excellent. Enfin, ils enfilèrent leurs gants blancs, leurs lunettes et, tels une paire de fantômes, disparurent entre les arbres vers la piste.

Deux heures après le départ, ils firent leur première pause. Ils mangèrent chacun une barre de céréales et vidèrent un litre d'eau à eux deux. Scot appliqua un peu de moleskine sur l'intérieur de son pied droit légèrement irrité par les bottes. Appuyé sur ses coudes, il respira profondément l'air froid. À en juger par l'altimètre de la montre de Claudia, ils avançaient bien. Sur le chemin, il avait attentivement cherché le moindre système d'alarme que Miner était susceptible de disperser un peu partout par précaution, mais jusqu'à présent il n'avait rien trouvé. Il avait non moins fréquemment sorti de son sac la lunette télescopique du fusil d'assaut afin de scanner le terrain loin devant eux. Pas une fois il n'avait cru devoir regarder derrière lui.

Ils reprirent le chemin en direction du sommet. Le vent qui soufflait avec violence mordait chaque morceau de peau exposé. La neige tombait à présent en rafales, et, eut-on dit, dans toutes les directions à la fois, bouchant la vue, les obligeant à ralentir et à marcher prudemment. Un faux pas et ils pouvaient tomber dans le vide. Scot prit une longueur de corde du sac et les attacha l'un à l'autre pour éviter qu'ils ne se perdent.

Ils firent deux nouvelles poses, burent ce qu'il restait d'eau, mangèrent les dernières barres de céréales. En dépit de leurs combinaisons, le froid commençait à les pénétrer. Ils étaient gelés à chaque arrêt et ne se sentaient bien qu'en marchant. Ce n'était pas de bon augure, dans la mesure où le plus dur restait encore à venir.

Une demi-heure après leur dernier arrêt Claudia tira sur la corde. Scot se retourna. Elle pointait quelque chose au-dessus d'eux. Il sortit la lunette télescopique dans la direction qu'elle indiquait. Entre les bouffées de neige venteuse et tourmentée il pouvait apercevoir deux constructions. Il reconnut par les hôtels du mont Pilate. Plusieurs centaines de mètres au-dessus, on distinguait les lumières de la station radar.

Il leur avait fallu cinq heures pour arriver jusque là. Ils parvinrent à une crête cachée du sommet par un vaste plateau. Habituellement, ce plateau signalait aux randonneurs la fin du voyage, la perspective de bière et de *Würstel* à seulement vingt minutes dans l'un des bars des hôtels.

Mais Scot et Claudia n'étaient pas des randonneurs lambda et le plateau ne leur servait qu'à contourner la montagne sans risque d'être repérés par une éventuelle sentinelle. L'idée, qui venait de Claudia, était d'arriver par la direction la moins probable : directement depuis la face glacée, juste sous l'église.

Laquelle devait être le point d'entrée logique dans la forteresse.

Il leur fallut une bonne heure pour contourner la crête et parvenir au pied de la façade à escalader. Un coup d'œil vers le sommet n'indiquait que neige, rochers et glace – nul signe d'église, mais il faisait confiance au jugement de Claudia.

Ils enfilèrent harnais, crampons et libérèrent les cordes. Claudia était la grimpeuse la plus expérimentée et ils étaient convenus qu'elle dirigerait cette partie de l'expédition. Elle l'avertit, une fois de plus, des risques que comportait le fait de grimper avec un fusil d'assaut entièrement monté dans le dos mais Scot resta inébranlable. Il avait franchi des montagnes plus dures avec des armes plus encombrantes, dit-il. Il monta le fusil tandis qu'elle sortait les piolets des sacs et finissait de préparer le matériel.

Enfin prêts, après s'être vérifiés mutuellement, Claudia entama l'escalade.

Elle grimpait avec une maîtrise et une agilité qu'il ne pouvait qu'admirer. Il avait toujours vu l'escalade comme un sport viril, nécessitant une énergie physique des bras et du torse, mais Claudia était à l'évidence très forte – à en juger par la façon dont elle maniait le piolet et enfonçait les pitons avec précision à mesure qu'elle s'élevait.

De son côté, il sentait bien qu'il aurait été deux fois plus rapide sans sa blessure au bras gauche qui se faisait sentir sous la triple action de la fatigue, de l'escalade et, aussi, du froid. Il respirait lourdement et appréciait les fréquentes poses de Claudia qui lui permettaient de se reprendre. Elle, il le savait, n'en avait nul besoin.

Ils progressaient lentement, luttant contre le vent qui les agressait et menaçait à chaque instant de les faire décrocher. Bientôt, la fatigue de Scot fut telle qu'il commença à initier les pauses et à les rendre plus fréquentes. Claudia ne disait rien. Chaque fois, elle attendait qu'il donne le signal pour continuer et se remettait aussitôt en mouvement.

Enfin, le son pénible de sa propre respiration fut remplacé par celui de Claudia qu'il entendit claquer la langue par deux fois dans ses oreillettes. C'était le signal indiquant qu'ils se trouvaient à vingt mètres environs du sommet. Claudia s'arrêta, attendit qu'il la rejoigne. Lorsqu'il parvint à sa hauteur, il resta dix minutes sans pouvoir prononcer un mot. Il était épuisé.

Il était impossible bien sûr, de demander à Claudia de monter seule en repérage vers l'église, au risque de sa vie. Par ailleurs, Scot était le seul à savoir ce qu'il cherchait. C'était donc à lui d'y aller.

Il passa devant.

Enfoncer les pitons au marteau, creuser les prises pour les pieds s'avéra insoutenable. À présent seulement, il prenait la mesure de tout ce qu'il avait exigé de son bras droit durant la montée, pour compenser la faiblesse du gauche. Mais il ne pouvait abandonner, à quelques mètres seulement de l'arrivée. Derrière lui, Claudia le soutenait, dirigeant ses efforts à bonne distance ainsi qu'il le lui avait demandé. Il voulait qu'elle ait le temps de se préparer et que son arme soit prête lorsqu'il se hisserait au sommet, à l'éventualité d'un homme posté en garde.

Une nouvelle fois, il lança son bras au-dessus de sa tête, prêt à enfoncer un nouveau piton quand l'impensable se produisit. Une fantastique rafale de vent le souleva littéralement de la façade pour le projeter dans le vide.

Il tomba. Ses mains cherchaient à agripper quelque chose bien qu'il n'y eut rien à agripper. Puis vint le claquement sec, l'arrêt brutal de la corde. Du moins, c'est ce qu'il croyait. Mais pourquoi, au lieu de se sentir retenu par le harnais, comme il l'aurait dû, éprouvait-il un violent étirement sur tout le côté gauche de ses côtes et, dangereusement, contre sa trachée ? Il mit quelques secondes avant de comprendre.

Ce n'était pas la corde ni le harnais de sécurité qui le retenait, mais la bandoulière du fusil d'assaut. Accrochée à un piton, le poids de son corps penchant sur la droite, il était en fait à demi pendu. Sa position menaçait de lui couper l'oxygène et de l'étrangler. Il agrippa la bandoulière pour essayer de se libérer mais c'était impossible. En dessous de lui ses jambes pendaient inertes et il n'avait même plus assez d'énergie pour s'écarter du mur de glace. Il baissa les yeux. En bas, il n'y avait que le vide et l'obscurité.

74

Claudia s'était précipitée le long de la face glacée où Scot s'étranglait. Son couteau sorti, elle s'approchait pour couper la bandoulière quand elle vit avec stupeur que Scot faisait *Non* de la tête.

Les hommes pensa-t-elle en un flash. S'étrangler d'accord, mais perdre son précieux fusil, sûrement pas !

Elle évalua la situation. Il n'y a avait qu'une seule autre possibilité. Parvenue à la hauteur de son épaule, elle souleva la bandoulière de toutes ses forces pour tenter de le décrocher. Impossible. Elle songea à se caler entre Harvath et la face montagneuse pour le pousser avec ses jambes, mais cela aussi était irréalisable. Le risque qu'ils s'emmêlent et basculent dans le vide, emportés par le poids de leur équipement commun était trop grand. Non. L'unique solution était de le soulever. Pour cela, Claudia devait parvenir jusqu'au sommet.

Elle enroula une longueur de corde autour de la poitrine de Scot sous son bras, puis repartit vers le haut, à une vitesse qui laissait de côté la question de sa propre sécurité. Le vent la secouait en tout sens tandis qu'elle grimpait. Par deux fois, des rafales manquèrent de la faire décrocher. En brisant la glace, ses piolets envoyaient dans son bras de véritables décharges. À chacun de ces chocs correspondait un coup de pied, tandis que ses crampons faisaient gicler des débris de glace et de roc. Elle parvint juste en dessous de la crête neigeuse du sommet. Deux ou trois coups de piolets la séparaient du but. Précisément de l'endroit où, selon Scot, ils avaient toutes les chances de rencontrer les premiers dangers – système de détection ou, pire encore, sentinelles.

Elle songea à sortir son SIG mais réalisa qu'elle avait sacrifié presque tous ses pitons durant les derniers mètres d'escalade. Si elle tombait, elle ne pourrait plus remonter. Sortir son arme était un trop grand risque.

Le vent soufflait, intense et féroce, et le bruit était tel que, même si quelqu'un se tenait juste au-dessus d'elle, il ne l'entendrait probablement pas. Elle retint son souffle et se concentra. Il s'agissait de traverser les deux derniers mètres comme s'ils n'avaient été que des centimètres. Elle prit appui sur ses crampons, compta jusqu'à trois et lança son corps en direction du sommet.

Ce qu'elle ne pouvait savoir, c'était que le sommet de la crête tombait en pente extrêmement inclinée, si bien qu'elle perdit le contrôle presque tout de suite et se mit à rouler sur la façade neigeuse. Elle lui fallut enfoncer ses talons dans le sol pour s'arrêter.

Y avait-il un détecteur caché quelque part ? Impossible à dire. Sa chute l'avait décontenancée et elle n'avait pas eu le temps d'examiner quoi que ce soit. Elle jeta un regard rapide autour d'elle à la recherche d'une présence quelconque et ne vit rien. Elle n'avait pas le temps de chercher plus avant. Scot était en train de s'étrangler.

À deux pas du bord de la crête, elle enfonça énergiquement ses deux derniers pitons auxquels elle s'amarra.

— En relais, dit-elle dans le micro en dépit des instructions de Scot qui avait exigé un silence radio complet.

Elle voulait qu'il sache que la délivrance était proche, qu'elle était sur le point de lancer la corde. Mais il n'y eut pas de réponse. Était-il mort ?

Les talons enfoncés dans la neige et calée dans son harnais, elle tira la corde qui presque instantanément se tendit. Mais elle ne bougea pas. *Il est plus coincé que je ne pensais,* songea-t-elle. Elle se renfonça, tira plus fort encore. Ses bras la brûlaient, son dos, ses épaules n'étaient plus que torture. En bas, elle sentit un léger mouvement et en déduisit qu'il se libérait du piton. Elle continua de tirer, poignée après poignée, centimètre par centimètre. La souffrance était insupportable mais elle n'en avait cure, elle le ramenait à elle. La corde s'empilait peu à peu tandis qu'elle la libérait progressivement de sa taille. *On y est presque. Il arrive.*

— *Halt ! Stehen bleiben !*

« Ne bougez plus » : la voix venait de derrière son épaule droite et prit Claudia complètement par surprise. Elle fut si effrayée qu'elle faillit lâcher la corde.

— *Stehen bleiben !* répéta l'homme.

Il était, tout comme elle et Scot, entièrement vêtu de blanc et l'arme automatique qu'il tenait à la main était pointée sur elle. Claudia cessa de tirer, non sans maintenir fermement la corde de sa main gauche.

— *Was machen sie hier ?*

« Que faites-vous là ? » Elle répondit qu'ils étaient un couple de grimpeurs coincé par la tempête à mi-pente.

— *Mitten in der Nacht ? Das glaube ich nicht. Kommen Sie mit !*

« Au milieu de la nuit ça m'étonnerait. Venez avec moi. Suivez-moi ! » Tout en prononçant ces mots, l'homme s'était approché d'elle. Elle enroula la corde une deuxième fois autour de sa main par sécurité.

L'homme était tout prêt lorsqu'elle saisit l'un des piolets de sa main libre et le lança. Il reçut la pointe en pleine poitrine. Il émit un râle rauque d'agonie tandis que sa combinaison se tâchait de sang.

— Je ne sais pas si tu m'entends, dit-elle dans le micro tout en se remettant à tirer furieusement sur la corde, mais je ne suis pas toute seule ici, et on ferait bien d'accélérer.

Claudia parvint à tirer encore plusieurs mètres de corde. Elle était maintenant convaincue qu'il devait se trouver tout proche quand la neige autour d'elle explosa en une série de détonation. Pas le temps de prévenir Scot. Si elle restait sur place, elle était morte. Elle réagit à la vitesse d'un chat sur un four brûlant.

Elle enroula la corde sur l'un des pitons enfoncés et roula sur elle-même vers l'abri d'une petite congère. Un deuxième garde tirait dans sa direction.

Bientôt elle put entendre ses pas s'enfoncer dans la neige tandis qu'il courait vers elle sans cesser de tirer. Entre-temps elle avait libéré non sans mal ses mains de ses gants et, en quête de son arme, elle entreprit d'ouvrir sa fermeture éclair mais celle-ci se bloqua. Elle baissa les yeux. La fermeture et la bande de tissus qui la recouvrait étaient emmêlées, et l'ouverture n'était pas suffisante pour qu'elle puisse sortir son arme.

Dans un instant l'homme la tiendrait en joue. Elle se souvint de son couteau. Elle l'ouvrit, parvint à faire un trou dans sa combinaison et s'apprêtait à fermer les doigts sur la crosse de son SIG quand elle vit le type surgir au-dessus d'elle.

Elle le vit lever son arme, la mettre en joue. Elle regarda impuissante, le petit point rouge de la visée au laser, qui remontait le long de sa jambe, puis de son ventre et de sa poitrine. Le point rouge disparut brièvement, réapparut dans ses yeux, se stabilisa à hauteur de son front.

Soudain le corps de l'homme se raidit, et c'est sur son front à lui que se dessina un point rouge. Du sang. La silhouette de Scot était derrière, perchée de façon précaire à mi-hauteur du bord de la crête, le Marakov encore pointé sur le type qui tombait, d'abord sur les genoux puis face contre terre dans la neige.

Claudia courut jusqu'à lui tandis qu'il achevait de se hisser et détachait le fusil d'assaut. Plusieurs minutes d'affilée, il resta sans bouger ni parler, allongé dans la neige, les yeux sur l'obscurité.

Enfin, quand Claudia se pencha sur lui, il émit :

— Ouf ! Tu parles d'une escalade !

— Ça va ? Tu n'es pas amoché ?

Scot se frottait la gorge et respirait avec peine.

— Je devrais sans doute porter une minerve quelque temps, mais je survivrai. Et toi ?

— Moi aussi. Tu sais que c'est la deuxième fois que tu fais ça ?

— Quoi donc ?

— Me sauver la vie.

— Si c'est le cas, nous sommes à égalité.

— À propos, je croyais que tu étais un bon alpiniste.

— Moi aussi, je croyais. Je ne sais pas, je dois me faire vieux.

En d'autres circonstances, elle aurait éclaté de rire, mais elle se contenta de le regarder, heureuse de le voir vivant.

— Qu'est-ce qui est arrivé à ta combinaison ? demanda-t-il en désignant sa déchirure. Tu es blessée ?

— Non, je me suis fais ça moi-même.

— L'idée étant, au juste ? De distraire les tueurs par un strip-tease ?

— Très drôle. Je n'ai plus à me faire de souci, à ce que je vois tu es ressuscité, blagues idiotes incluses. Est-ce qu'on ne devrait pas les fouiller ?

— Oui, assez reposé. Là où il y a deux sentinelles, il doit y en avoir d'autres. Il est temps de bouger avant qu'elles n'arrivent.

Ils leur firent les poches sans rien trouver d'autre que des cigarettes.

— Le mien est encore chaud, dit Scot. Il ne doit pas être dehors depuis bien longtemps.

— Le mien également.

— Ils venaient de prendre leur service. Personne ne va demander de contrôle avant encore un petit moment. Ça nous laisse un peu de temps.

— Mais celui-ci est équipé d'une radio. Il a pu donner l'alerte.

— Si c'est le cas, on ne peut plus rien y faire de toutes façons. Ramasse son arme. Tu sais t'en servir ?

— H&K MP5. Arme classique de la police suisse. D'habitude sans silencieux, mais je me débrouillerai.

— Parfait, allons-y.

Claudia fit rouler le corps de l'homme jusqu'au bord de la crête. Scot compta jusqu'à trois et ils poussèrent les deux cadavres et leur équipement dans le vide. Ils balayèrent la neige du mieux qu'ils purent pour couvrir le sang et se mirent en route.

75

Même ainsi, en plein hiver, la piste était bien visible, déployant ses lacets vers le sommet, autour des affleurements de rocs. Au terme d'un dernier coude, Scot et Claudia parvinrent sur une petite crête qui descendait en pente douce vers l'église.

— C'est ça, murmura-t-elle dans le casque.

— Parfait. Voyons si nous sommes attendus.

Ils s'assirent dans la neige. Scot fixa la visée à infrarouge sur le fusil d'assaut. Il scanna la crête et les environs de la petite église, tandis que Claudia, de son côté, vidait les balles de neuf millimètres Parabellum de son SIG et chargeait le fusil mitrailleur H&K.

— Tout a l'air calme, dit Scot en s'accroupissant. Suis moi.

Il prit un chemin hors piste en direction du plateau étroit où se trouvait l'église, non sans scanner régulièrement l'espace autour de lui.

Ils parvinrent ainsi à l'arrière du bâtiment. Scot se pencha sur les vitraux teintés pour tenter d'en distinguer l'intérieur, qui était parfaitement sombre. Il fit signe à Claudia de se baisser et de le rejoindre. Il rejeta le fusil derrière son épaule et sortit le Makarov. Prudemment, il fit le tour de l'autre moitié de l'église. Déjà, Claudia l'attendait.

— Quelqu'un ? murmura-t-il.

— Des empreintes de pas seulement. Mais elles ont l'air fraîches.

Scot vérifia la porte en quête d'un système d'alarme puis, comme il n'y en avait pas, tenta de l'ouvrir. Sans succès. Il donna ses instructions par signes à Claudia puis se mit en position accroupie, les yeux sur la lunette télescopique et son doigt sur la gâchette. Claudia positionna son MP5 sur « tir unique » puis pointa le canon dans la direction de la serrure. Il hocha la tête, elle tira. La serrure explosa en une multitude de débris de métal calciné. Claudia poussa la porte et s'engouffra à la suite de Scot dans la pièce obscure.

L'église était toute petite – peut-être dix bancs de chaque côté d'une aile étroite. Il leur fallut peu de temps pour en faire le tour.

Soudain sans prévenir, Scot qui ouvrait la marche ferma le poing droit. Claudia se figea instantanément. Il avait placé sa Mag-Lite sous le fusil d'assaut et, après l'avoir allumée, en braquait le rayon vers ses pieds.

— Tu vois le sol, dit-il à voix haute, certain que personne ne les écoutait.

Claudia hocha la tête en signe d'assentiment.

— Regarde la neige qu'on a amenée avec nous. Elle commence déjà à fondre. Tu vois ça ? Maintenant, regarde là.

Ses yeux suivirent la direction indiquée et tombèrent sur deux dalles grises où l'on distinguait des empreintes de chaussettes.

— Je crois que nos amis ne veulent pas faire la même erreur que nous en amenant la neige à l'intérieur de l'église. Ils enlèvent leurs bottes à l'entrée. Et après plusieurs heures de garde, leurs pieds transpirent.

— Donc ils ont arpenté l'église sans savoir qu'ils laissaient des traces ?

— Exactement.

Les empreintes conduisaient à la plateforme de pierre qui soutenait l'autel. Harvath inspectait les dalles tout autour, à la recherche d'un mécanisme secret. Ils aboutirent à une énorme pierre qui servait de fonts baptismaux, au-dessus de laquelle était suspendue une statue du Christ.

— Est-ce que beaucoup de gens viennent se faire baptiser ici ? demanda Scot.

— Non, ce sont plutôt des mariages.

— Oui, j'imagine. Monter jusqu'ici pour ça… Et les empreintes s'arrêtent juste ici. Il doit y avoir une porte. On va la trouver, mais débarrassons-nous d'abord de ces tenues. J'étouffe.

Ils cachèrent de leur mieux combinaisons et matériel à l'extrémité de l'église. Harvath échangea le fusil d'assaut contre le H&K de Claudia, une arme qu'il connaissait et maniait avec aisance. Il donna le Makarov silencieux avec sa dernière cartouche à Claudia.

Revenus à la pierre, ils cherchèrent en vain le moindre indice d'une porte secrète. Une heure s'était écoulée depuis leur entrée dans l'église.

— Scot, regarde ça, dit Claudia.

Il s'approcha d'elle tandis qu'elle examinait avec sa lampe une série de reliefs en pierre au-dessus des fonts baptismaux.

— Tu vois ça ?

— Eh bien ?

— Ces figures représentent les cantons suisses. Quelque chose ne va pas. Il y en a un de trop.

Elle posa la main sur la pierre usée.

— Elle a l'air vieille mais c'est une illusion. Elle a été fabriquée pour se fondre dans le décor.

— D'accord, mais qu'est-ce que c'est ?

— C'est l'armoirie du corps des ingénieurs. Mon grand-père avait exactement la même sur une bague.

— Tu es sûre ?

— Je crois, oui. Laisse moi approcher, je vais me mettre exactement dans les empreintes… D'ici mes bras sont trop courts pour atteindre la pierre. Mais quelqu'un de plus grand comme ces types que nous avons descendus…

— Tu crois que l'armoirie ouvre une porte ?

— Il n'y a qu'un moyen de le savoir.

— Recule, dit Scot tandis que lui-même avançait, couvre-moi avec le Marakov.

La pierre au toucher était froide et rêche. Il appuya. Rien ne se produisit. Il tira – rien non plus. Après une seconde d'hésitation, il essaya de la tourner dans le sens des aiguilles d'une montre. Il la sentit céder. Il y eut un lourd bruit de pierre frottée contre la pierre tandis que tout les fonts baptismaux se reculaient pour révéler un étroit escalier en spirale.

Une série de lumières apparurent. Scot tressaillit, prêt à tirer, mais rien de plus ne survint. Un mécanisme automatique devait allumer les lumières à l'ouverture. Quiconque avait dessiné cet escalier était ingénieux. Scot fit signe à Claudia et tous deux s'y engouffrèrent.

76

Il descendait l'escalier de métal, aussi précautionneusement que possible, attentif au moindre bruit, Claudia juste derrière lui. Ils étaient à présent dans l'antre du lion, n'importe qui pouvait surgir n'importe quand.

Une petite trappe menait du bas des escaliers jusqu'à un corridor désert. Toute la scène semblait sinistrement familière. Il se souvint avoir visité l'un des derniers bunkers nazis, à Berlin. Tout ce qu'il avait sous les yeux à présent en était la réplique exacte. Les murs peints en gris étaient étonnamment lisses, pour des parois creusées à même la montagne. L'ensemble affichait une impressionnante solidité. Même la trappe était faite d'épaisses plaques de métal capables de supporter une forte explosion. Les ampoules nues alignées sur les murs et qui éclairaient le corridor étaient encagées dans des grilles de fer rouillé ne faisaient qu'ajouter au sentiment de complet isolement se dégageant du lieu.

— Par où on commence ? murmura Claudia.

Trois couloirs partaient de là où ils se trouvaient. À l'entrée, sur le mur, on distinguait des carrés de peinture plus claire, percés de trous à chaque angle, probablement l'emplacement d'anciennes plaques d'aération.

— Am, stram, gram, dit Scot. Prenons celui-ci.

— Et les gardes ?

— Selon moi, Miner ne doit pas avoir beaucoup d'hommes à gaspiller.

— Comment ça ?

— Réfléchis. Nous avons tué deux de ses hommes à Lucerne et deux autres dehors. Il n'y a pas tant d'individus capables de se lancer dans une telle aventure. Ce doivent être des types en qui il a confiance, qui ont sans doute déjà travaillé avec lui. Et il n'en a pas mis plus sur le coup qu'il ne faut pour faire le job.

Ils s'avancèrent dans le tunnel choisi. Toute la structure paraissait déserte, le seul bruit provenait du système de ventilation. Pourtant, quelqu'un était là, quelque part. Le trouver n'était qu'une question de temps.

Ils passèrent dans une pièce, puis dans l'autre... Toutes étaient vides. Ils virent des baraquements, un mess, et même une salle de communication aux équipements fermés par des plaques de métal. Des signaux d'interdiction de fumer étaient postés tous les deux mètres.

Ils parvinrent à un nouvel embranchement.

— Qu'en penses-tu ? demanda Claudia.

— Je pense que quelqu'un, ici, n'aime guère les fumeurs.

— Hein ?

— Non, rien. Tous les autres tunnels allaient vers la gauche. Je dirais donc à gauche.

Ils s'avancèrent dans un nouveau dédale de pièces vides, dénuées de toute trace de vie. L'aspect désert des lieux les effrayait l'un et l'autre bien qu'aucun ne soit prêt à l'admettre.

Ils parvinrent à une nouvelle pièce. Une infirmerie semblait-il, ou une salle d'opération. À l'évidence, elle avait été utilisée récemment. Ils entrèrent, en firent le tour l'arme au poing.

Ils trouvèrent des instruments médicaux, des pochettes d'intraveineuse, des équipements chirurgicaux dispersés un peu partout. Une table en acier inoxydable se trouvait au milieu de la pièce. Du pied, Scot appuya sur la pédale d'une poubelle laissant apparaître une masse de gazes ensanglantées, des gants et des papiers d'emballage.

— Au moins, on sait que les lieux ne sont pas déserts, dit Scot.

Claudia se penchait à son tour au-dessus de la poubelle et s'apprêtait à dire quelque chose quand un homme râblé, en costume d'hôpital militaire franchit le seuil.

Sa première réaction fut une complète surprise. La dernière chose à laquelle il devait s'attendre dans sa salle d'opération était un couple armé en train de fouiller ses poubelles.

En un seul mouvement rapide, Claudia s'était débarrassé du fusil d'assaut et avait saisi le Marakov. Elle savait n'avoir qu'une cartouche à sa disposition et l'utilisa au mieux. La balle pénétra sans bruit le crâne de l'infirmier, juste au-dessus de l'œil gauche. Il mourut dans l'instant et s'écroula d'une masse.

Harvath fut sur lui en une fraction de seconde. Il le tira à l'intérieur de la pièce.

— Où as-tu appris à tirer comme ça ? demanda-t-il.

— Quand tu grandis dans une ferme du Grindelwald, tu cherches tout ce que tu trouves pour te distraire, tu sais.

— Aide-moi à le rentrer.

En vérité, Claudia était aussi surprise que Scot de sa propre précision. À ceci près qu'elle n'avait pas visé la tête mais la poitrine – soit sa cible, soit elle, soit tous deux avaient dû bouger au dernier instant.

— On approche du but. Ils ne doivent pas utiliser plus de trois ou quatre pièces de toute la forteresse.

Harvath passa un œil dans le couloir, puis fit signe à Claudia. Ils poursuivirent dans la même direction que précédemment, se serrant contre la paroi gauche entièrement plate.

Comme des caisses s'empilaient, ils durent s'écarter et se retrouvèrent au milieu du couloir. Aussitôt un cri retentit derrière eux.

— *Eindringlinge ! Eindringlinge !*

« Des intrus ! »

Une rafale d'armes automatiques suivit.

Scot saisit Claudia, la propulsa contre les caisses et la couvrit de son corps pour la protéger.

— J'ai comme l'impression qu'ils savent que nous sommes là, dit-elle.

— Pas possible ? Écoute, je m'occupe de la grande gueule derrière. Assure-toi que personne n'arrive de l'autre côté.

À l'autre bout du corridor, l'homme tirait par rafales, à l'aveuglette, envoyant voltiger des morceaux de peinture grise tout autour d'eux. Scot alluma sa vision laser, roula sur le ventre, appuya doucement sur la gâchette et tira. Les tirs cessèrent aussitôt tandis que l'homme tombait au sol, mort.

— Scot, je crois que tu ferais bien de revenir ici, dit la voix de Claudia derrière lui.

Il roula de nouveau sur lui-même, se retrouva derrière les caisses, juste à temps pour entendre ce que Claudia écoutait, tendue, le fusil d'assaut prêt à faire feu : des bruits de pas en grand nombre courant dans leur direction.

Sitôt que le premier homme tourna le couloir et surgit, elle fit feu dans un vacarme assourdissant. Toutes les armes, jusque-là, avaient été silencieuses et le canon du SG551 n'en résonna que plus violemment avec la puissance d'une bombe. Tout de suite, les assaillants reculèrent derrière le coude.

— Maintenant !

Harvath sauta sur ses jambes, poussant Claudia devant lui, et ils se mirent à courir dans la direction par laquelle ils étaient venus. Ils parvinrent à l'intersection qu'ils avaient empruntée cinq minutes plus tôt. Sans cesser de courir, ils prirent à droite, dans la direction opposée aux autres tunnels.

C'était un passage plus sombre, aux murs plus rugueux que les autres, suggérant quelque part une entrée de service. Seules quelques rares portes y apparaissaient sporadiquement, et elles étaient toutes fermées. Au bout, un nouveau virage ramenait vers la gauche.

Ils le prirent sans ralentir et, quinze mètres plus loin, débouchèrent sur ce qui semblait être une vaste zone de chargement surmontée de treuils. D'énormes palettes chargées de nourriture et de boisson étaient empilées au milieu d'une pièce par ailleurs parfaitement vide. Scot s'en approcha.

— Évian, commenta-t-il.

— Il y a aussi du vin italien et des pâtes. Françaises. Comment font-ils pour acheminer tout ça ici ?

Pour toute réponse, Scot pointa les rails qui, à l'extrémité de la zone, disparaissaient dans un tunnel.

— Je te parie qu'ils sont reliés au tramway d'une manière ou d'une autre.

Au bout de la rangée, une dernière palette plus petite que les autres était recouverte d'une bâche de toile verte que Scot retira d'un geste, découvrant à la fois des caisses de munitions et d'autres caisses en bois remplies d'armes. L'expression du visage de Claudia lorsqu'elle s'approcha ne lui laissa aucun doute sur leur provenance.

— Le stock de Bâle ?

— Je ne sais pas pourquoi, mais je n'arrive pas à y croire.

— Ton cadeau de Noël, cette année. Et maintenant le mien : où est le Président des États-Unis que j'ai demandé ?

— Il n'y a pas de livraison prévue, fit soudain une voix.

Un gardien, avait surgi de derrière une palette et braquait son arme sur la tempe de Claudia.

— Je vous conseille de lâcher votre arme.

Elle hésita. Il saisit son bras gauche et le tordit fermement vers l'arrière jusqu'à ce qu'elle cède.

Scot, après un temps d'hésitation, posait doucement son H&K à terre.

— Très bien, dit l'homme, tout en palpant Claudia pour la délester de son SIG-Sauer qu'il jeta au sol. Et toi, le cow-boy ? Pas d'autre flingue ? Je serais surpris.

À cet instant, Claudia balança d'un geste court la lame de son couteau dans la gorge de l'homme. Elle se recula. Scot avait plongé au sol pour éviter un éventuel tir de réflexe. Le tueur, maintenant à genoux, tenait à deux mains le couteau si profondément enfoncé dans sa gorge que seul le manche dépassait. Des flots de sang s'en échappaient.

Claudia se précipita vers Scot qui se relevait, et il la prit dans ses bras.

— Pas de mal ? demanda-t-il.

— Mon grand-père m'a donné ce couteau dit-elle les yeux sur le type qui agonisait. C'est la première fois que je m'en sépare.

Il allait faire un commentaire quand un groupe d'homme émergeant du tunnel d'accès se mit à faire feu.

Claudia tenta de ramasser le fusil d'assaut.

— Pas le temps, l'arrêta Scot. Filons !

Il lui saisit la main et ils s'élancèrent.

77

À eux deux, ils n'avaient plus qu'une seule arme, le Beretta de Scot. Il lui restait seize coups, tous semi-automatiques.

Ils parvinrent à une autre intersection et, avant même de le réaliser, deux hommes munis de H&K furent devant eux. Scot mit un genou à terre, Claudia resta derrière lui. Il fit feu par trois fois sur chacun des types. Ils tombèrent dans un vacarme qui résonna longtemps dans le tunnel.

Toujours à demi agenouillé, il se retourna, entraînant Claudia avec lui d'un mouvement du bras et de nouveau fit feu sur les hommes qui les poursuivaient. Son tir était moins précis, il dut s'y prendre à plusieurs reprises avant de voir s'écrouler un, puis deux des gardes.

De nouveau sur leur pieds, ils se remirent à courir.

Une nouvelle intersection :

— Par où ? cria-t-elle.

Scot pointa vers la gauche. Ils détalèrent. Trente mètres plus loin, un autre croisement les attendait. Scot, après un regard derrière lui, indiqua la droite. Ils reprirent leur course quand Claudia s'arrêta net.

Devant eux se tenait un homme vêtu d'un treillis du désert, la tête entourée d'un keffieh qui ne découvrait que ses yeux. Dans sa main droite, il tenait un pistolet mitrailleur Skorpion modèle 61 et le pointait droit sur eux.

Scot, qui se trouvait derrière Claudia et avait failli buter sur elle lorsqu'elle s'était arrêtée, leva sa main gauche vers la ceinture de la jeune femme.

— Posez votre arme au sol, cria-t-il, tout en priant pour que Claudia saisisse ce qu'il s'apprêtait à faire. Tandis que le type hésitait, il fit pression une première fois sur la ceinture comme pour dire *un*. La seconde pression signifiait *deux* et il lui sembla qu'elle hochait très légèrement la tête. À la troisième pression, comme il l'espérait, elle se laissa tomber avec lui.

Le premier tir de Scot partit à l'instant où ils touchaient le sol. Il manqua la tête du type d'un millimètre. Le second l'atteint pile entre les yeux, et le tueur s'écroula aussitôt. Mais l'arme de Scot était vide et il dut l'abandonner.

Avant de les intercepter, le type était assis derrière un petit bureau de bois qui, dans le couloir, faisait face à une épaisse porte en métal. Une série de clés étaient posées sur la table. Harvath enjamba le cadavre, prit les clés, puis se pencha sur l'homme pour lui retirer son keffieh. Il découvrit se trouvait un parfait visage suisse aux cheveux blonds, aux yeux bleus. Le déguisement était incompréhensible.

Il se releva tandis que Claudia saisissait le Skorpion.

— Couvre-moi, dit-il.

Il s'approcha de la porte. Une étagère avait été fixée à sa gauche et une boîte était posée sur le dessus, reliée au mur et à la porte elle-même par une série de fils électriques. Très précautionneusement, il ouvrit le couvercle et jeta un œil à l'intérieur. Ce qu'il vit n'avait aucun sens. C'était un magnétophone. Il appuya sur le bouton *play*. La voix lointaine d'un appel à la prière se fit entendre, comme sortant d'un haut-parleur en mauvais état.

Au-dessus de la porte était disposée une autre boîte, apparemment un ventilateur dirigé vers ce qui se trouvait de l'autre côté. Scot tira la chaise branlante de derrière le bureau, grimpa dessus pour l'examiner.

De nouveau, il souleva le couvercle – et dut le refermer immédiatement. Une seule chose puait à ce point : des déjections de chameaux.

Cela commençait à devenir clair. Tandis que Claudia surveillait le couloir, il inspecta une dernière fois la porte et le bureau en quête d'un système d'enregistrement, d'alarme ou d'un piège quelconque, puis, n'ayant rien trouvé, il entreprit de sélectionner la bonne clé et ouvrit la porte.

Aussitôt, une bouffée d'air fétide lui sauta au visage. La température infernale, dans la pièce obscure, devait être de trente degrés supérieure à celle des couloirs. Les murs avaient été traités pour ressembler à de la chaux, le plancher était recouvert de paille et, dessus, dans un coin, les mains recouvertes de pansements sales, était recroquevillé le Président. Il était vêtu d'une simple djellaba.

— Vous voulez quoi ? dit-il d'une voix épuisée manifestement aveuglé par la lumière qui venait du couloir. Un autre doigt ?

— Personne ne va vous faire de mal, monsieur le Président, dit Scot.

— Qui êtes-vous ? Qui est là ?

Il avait levé une main vers son front dans l'espoir d'apercevoir les traits du nouvel arrivant.

— Agent Harvath des Services secrets, monsieur. Ici pour vous ramener à la maison.

À cet instant une autre voix se fit entendre derrière Scot.

— Ça m'étonnerait, dit Gerhard Miner, tout en jetant sur la paille le corps de Claudia qu'il venait d'assommer.

Scot se retourna juste à temps pour voir le pistolet mitrailleur cogner son crâne. Ses genoux cédèrent, il tomba. Avant qu'il ait pu reprendre son souffle, Miner lui décocha un nouveau coup dans la mâchoire, l'envoyant rouler en arrière.

— Tu sais combien de mes hommes tu as tué ? Tu as une idée du souk que tu fous chez moi ? dit Miner sans cesser de le frapper, cette fois dans les côtes. Les meilleurs hommes jamais rassemblés ! Morts ! Une opération planifiée dans les moindres détails ! J'ai pensé à tout, travaillé sans relâche, et toi tu te pointes et tu fous tout en l'air avec tes gros sabots !

Les coups pleuvaient, asphyxiant Scot. Miner allait le tuer puis il tuerait Claudia et enfin Rutledge. Il tenta de saisir le pied qui le frappait mais Miner qui l'avait vu venir, esquiva.

Il cessa de frapper, pointa le canon du Skorpion :

— Tu as peut-être plus de vie qu'un chat, mon salaud, mais maintenant c'est fini. Cette fois, pour toi, c'est la bonne. Et ton Président aura le privilège de te voir te planter une seconde fois.

À sa stupeur, Harvath se mit à rire.

— Qu'est-ce qu'il y a de si drôle, connard ?

— Ah, Gerry. Si tu savais ce que je déteste avoir des choses pointées sur moi…

À cet instant, Miner fut violemment repoussé vers le fond de la cellule. Claudia avait profité de ce qu'il la croyait inconsciente pour intervenir. Il tomba, le fusil mitrailleur en main, roula et frappa Claudia en plein visage. De nouveau, elle glissa contre le mur, cette fois K.O. pour de bon.

Sans perdre un instant, Scot, surmontant sa nausée, bondit sur Miner et s'agrippa à lui. Miner le frappait violemment avec la crosse de son arme. En retour, Harvath lui balança un coup de genou dans le nez, suivi d'un coup de coude au visage et d'un uppercut à la mâchoire.

Tandis que Miner tentait de nouveau de l'ajuster, il parvint à lui saisir le poignet et à l'écraser de toutes ses forces dans l'un des angles de la cellule. Miner hurla de douleur, appuya sur la détente. Les vingt-quatre coups de l'arme furent vidés en un clin d'œil, se dispersant dans la pièce et rebondissant au hasard contre les murs. Il sentit Miner faiblir et comprit qu'il le tenait.

Il continuait de le frapper, toujours plus vite et avec plus de force. Pour les agents Maxwell, et Ahern, et Houchins. Pour la trahison dont il avait été victime de la part de Shaw. Pour le meurtre de Natalie et de son ami André Martin. Pour toutes les vies innocentes perdues et enfin pour son ami et mentor Sam Harper. Pour tout cela, Miner allait mourir, Scot l'envoyait en enfer par train express.

Ses mains se couvraient de sang à mesure qu'il cognait et il pouvait entendre les os se briser. Sa rage, sa culpabilité, ses regrets, tout passait dans les coups qu'il assénait avec une violence de dément. Mais quelque chose l'arrêta. Une main sur son épaule, une voix lointaine, qui le ramenèrent lentement vers les rivages de la santé mentale. C'était le Président :

— Cela suffit, agent Harvath. Il nous le faut vivant. Lâchez-le.

Scot se releva lentement, jeta un regard presque étonné au corps en charpie qu'il venait de massacrer. Impossible de dire s'il respirait encore. Non qu'il s'en souciât.

Le Président avait commencé à retrouver son équilibre, en dépit de son aspect hagard.

— Occupons-nous d'elle, dit-il.

Claudia revenait lentement à elle. Sa lèvre ouverte saignait, mais du moins elle était consciente. Scot posa son bras autour d'elle et l'aida à marcher jusqu'à la porte. Il était, commençait-il à comprendre, au-delà de l'épuisement.

— Monsieur le Président, fit-il en désignant Miner, à moins que vous n'ayez une idée sur la manière de le ramener, il va nous falloir le laisser ici. Ma mission est de vous évacuer.

— Vous l'avez appelé par son nom. Savez-vous qui il est ?

— Oui monsieur le Président. Un membre haut placé des Services secrets suisses.

— Suisse ? Que fait-il au milieu du désert ?

— Nous ne sommes pas dans le désert, monsieur le Président. Nous sommes dans les Alpes suisses. Il neige à se geler dehors.

— En Suisse ?

— Oui, monsieur le Président. Pour une raison quelconque ces types ont cru malin de se faire passer pour un groupe moyen-oriental.

— Eh bien, laissons les Suisses s'occuper de lui. Sortons d'ici.

Scot traînait Claudia dans le couloir. Il prit à droite, le Président sur ses talons. Il n'avait aucune idée de ce qui les attendait, mais revenir par le même chemin était hors de question.

Ils ne s'étaient pas mis en marche depuis cinq minutes qu'il comprit son erreur. Une immense silhouette leur barrait le passage, armée d'un fusil-mitrailleur. Contrairement aux hommes de Miner, il était vêtu en tenue de ville.

— Pas d'arme, hein, dit-il en parfait américain.

C'était, comprit Scot, le tueur engagé par ses ennemis à Washington.

— Tu sais quoi, continua-t-il. Tu es le plus grand putain d'emmerdeur que j'ai jamais rencontré de ma vie. Des hommes d'expérience, des hommes de talents sont morts sur ta piste.

Il leva son arme, ajustant le meilleur angle.

— J'ai pris deux balles à DC et mes côtes sont dans un tel état que c'est à peine si je respire.

Les doigts du tueur pressaient déjà la gâchette quand sa tête explosa. Son corps sans vie fut projeté contre le mur et tomba à terre, désarticulé.

Le tireur, qui se trouvait dans son dos, fut vite rejoint par un groupe d'hommes vêtus comme lui de treillis noirs, les yeux et la tête dissimulés par des lunettes et des passe-montagnes.

Scot était figé, incapable de réagir. Combien d'hommes Miner avait-il donc recruté ? À l'évidence, il s'était trompé dans ses estimations. Peut-être était-il temps de s'avouer vaincus ? Lui et Claudia avaient presque réussis. Presque.

Le tireur s'approcha. Scot le vit retirer de son bras une petite pièce de tissu noir. En dessous, découvrit-il, se trouvait les couleurs rouge blanc et bleu du drapeau américain et l'emblème des forces spéciales. Lorsqu'il retira son cache-nez, Harvath se retrouva nez à nez avec le docteur Skip Trawick.

— Surprise, surprise !

— Vous y avez mis le temps, finit par articuler Scot après un long moment d'étonnement.

— On a pris quelques pintes sur le chemin. Où est le Président ?

— Je suis là, fit ce dernier tandis que Scot et Claudia s'écartaient pour le laisser passer. Je suis heureux de vous voir. Bon sang, je suis heureux de vous voir tous. Le chemin est-il sécurisé ?

— Oui monsieur le Président. Si vous n'y voyez pas d'inconvénient, j'aimerais vous examiner avant l'évacuation.

— Hors de question. Examinez cette jeune femme, ensuite l'agent Harvath. Ensuite vos hommes…

— Monsieur le Président ? Ces hommes ne sont pas *mes* hommes, monsieur le Président. Ce sont des membres des SEAL. L'équipe numéro deux.

Tandis qu'ils retiraient leurs passe-montagnes, Scot reconnut en effet la plupart d'entre eux. Il sourit et soupira. Enfin, c'était fini.

78

Genève, deux jours plus tard

Scot s'éveilla lentement. Il lui fallut quelques secondes pour faire le point sur les murs de la chambre – et un peu plus pour constater qu'il était sous perfusion. Le soleil derrière la vitre le gênait. Une ombre bougea au coin du lit.

— Comment va mon pote ?

Il reconnut la voix avant de distinguer le visage.

— Docteur John Paulos. On fait aller, on fait aller, dit-il en s'efforçant de s'asseoir, et le docteur l'aida à ajuster les oreillers. Qu'est-ce que tu fais ici ?

— Dis-moi d'abord ce dont tu te souviens.

— Tu fais un test de mémoire, c'est ça, répondit-il en fermant les yeux, cherchant dans ses souvenirs ce qu'il pouvait révéler sans mettre en péril les éléments de l'enquête.

— Exactement. Pourquoi ne pas commencer à l'instant où Skip vous a tous récupérés ?

— C'est comme ça qu'il formule les choses ?

— C'est un cow-boy. Tu sais comment il est.

— Okay. Donc il nous a récupérés. Nous avons pris le tramway jusqu'à Alpanachstad où deux avions nous ont transportés à Genève. Je suppose que le Président est encore là ?

— Non. Ils l'ont amené pour un check-up complet puis immédiatement renvoyé à DC pour la chirurgie. Beaucoup de gens sont très heureux et très fiers de toi, Scot.

— Merci. Ça ne me dit pas ce que tu fais ici. La dernière fois que je t'ai vu, tu devais être à Park City.

— On se faisait du souci sur l'état du Président. Tu es au courant pour le doigt ?

Scot acquiesça. L'idée le rendait encore malade.

— Il y avait de sérieuses craintes qu'ils fassent pire et qu'il soit dans un triste état lorsqu'on le retrouverait.

— Et ils ont envoyé le meilleur chirurgien orthopédique au monde pour parer à toute éventualité.

— Le meilleur, ça reste à voir, dit John, modeste. Disons l'un des dix meilleurs.

— Ce que je n'arrive pas à saisir, c'est comment vous saviez où se trouvait Rutledge.

— Voilà quelque chose que j'ignore. Il faut demander ça à ton ami Lawlor au F.B.I. C'est lui qui a tout organisé à ce que je sais.

— Et si le Président est reparti, pourquoi es-tu encore là ?

— Scot. Ce n'est pas parce que tu n'es plus dans l'équipe que je ne me soucie pas de ta santé, mon ami.

— Ouais. Tu as repéré une infirmière je parie, non ?

— Peut-être aussi.

— Certaines choses ne changent jamais.

— Pour en revenir à toi : tu souffres d'épuisement généralisé et tu t'es pris une sérieuse raclée. On va t'examiner ici et une fois rentré, mais je crois que dans l'ensemble, tu devrais t'en tirer.

— Merci.

— Autre chose que je puisse faire pour toi ?

— En fait, oui, je...

— Ah ! J'oubliais. J'ai laissé quelque chose pour toi dehors.

Il sortit de la pièce. Une minute plus tard la porte s'ouvrit.

— Et voilà, fit John en entrant, poussant devant lui Claudia assise sur une chaise roulante. Son visage était couvert de bleus et sa lèvre était enflée mais elle était toujours aussi belle.

John sortit. Scot n'entendit pas s'il avait ajouté quelque chose.

Claudia se leva, marcha jusqu'au lit, lui saisit la main sans un mot. Il la pressa contre elle et, aussi doucement que possible pour ne pas heurter sa lèvre blessée, il l'embrassa. Elle enroula ses bras autour de lui et l'étreignit, indifférente à sa douleur comme il l'était à la sienne. Tout était terminé et ils étaient vivants, ensemble.

79

Lac Geneva, Wisconsin, USA – le lendemain, 4 h 30

Quatre mini-vans Mercury s'arrêtèrent devant les maisons bordant la propriété grandiose de Donald Fawcett. Un cinquième se trouvait sur Snake Drive, prêt à intercepter tout véhicule qui tenterait de fuir. Un hors-bord Boston Whaler attendait pour sa part le signal d'accoster devant la maison pour l'investir depuis le parc. Il restait trente secondes.

Lawlor avait obtenu les informations nécessaires via les confessions de Gerhard Miner échangées contre une promesse de réduction des charges pesant contre lui, et faites sur son lit d'hôpital à quelqu'un que Lawlor supposait être de la C.I.A.. Le degré de pression auquel le prisonnier avait été soumis lui était inconnu.

La Maison-Blanche avait accepté le marché. Ce qui n'empêcherait sans doute pas Miner de finir avec une balle dans la tête.

Lawlor, les yeux sur sa montre, avertit son équipe de se tenir prête.

— Cinq… Quatre… Trois… Deux… Un… Go !

Les cinquante-cinq agents s'animèrent en même temps. Toutes les sorties furent bouclées, le système d'alarme démantelé. En une minute, les agents avaient forcé les portes d'entrée et pénétré les lieux. Aucun signe de Fawcett.

Deux corps se trouvaient dans le bureau d'étude. Lawlor, averti par radio, s'y rendit. Ce qu'il découvrit lui souleva l'estomac. Les cadavres de deux hommes méconnaissables, visiblement exécutés, reposaient sur le parquet dans une mare de sang coagulé. Leurs papiers d'identité révélèrent qu'il s'agissait des sénateurs Russel Rolander et David Snyder.

80

Washington DC, une semaine plus tard

Après cinq jours dans un hôpital suisse, Harvath était de retour aux États-Unis, afin de récupérer et de passer des examens approfondis. Il dut surtout subir les débriefing successifs du ministère de la Justice, de la C.I.A. du F.B.I. et des Services secrets. Au bout d'un certain temps, les questions devinrent monotones, répétitives, mais comme il le savait, elles étaient parties prenantes d'une procédure inévitable. Jameson avait tout de même poussé la magnanimité jusqu'à lui offrir un assistant, en sorte qu'il n'eut rien à écrire.

Il y eut une cérémonie privée à la Maison-Blanche après les funérailles du vice-président. La cause de la mort, selon la presse, était un accident domestique. Officieusement un suicide.

Harvath fut introduit dans le bureau ovale où le Président le rejoignit, le bras droit en bandoulière, accompagné du procureur général, de Gary Lawlor et de Jameson. Il se leva à leur entrée.

— Voilà l'homme que j'attendais de rencontrer, dit le Président en franchissant l'espace qui les séparait. Je ne saurais jamais assez vous remercier, agent Harvath. Maintenant que je connais les détails de votre histoire, surtout. C'est incroyable. Vous avez tout risqué.

— Je n'ai fait que mon travail, monsieur le Président.

— Monsieur le Président, intervint le procureur. Si je peux me permettre ?

— Naturellement.

— Je sais que votre temps est limité et que vous avez désiré cet entretien comme une sorte de... résumé.

— Un résumé ? répéta Scot.

Jameson intervint.

— Comme une sorte de dernier débriefing. Nous savons que les choses sont encore un peu floues pour vous et le Président a jugé que vous étiez en droit de connaître toute l'histoire.

— Je vois.

— Asseyez-vous, je vous prie, dit le Président qui en fit autant.

— Agent Lawlor, dit le procureur, en tant que responsable de l'enquête, vous voudrez bien commencer ?

— Merci, monsieur. Agent Harvath... Scot. En notre nom à tous je tiens à vous présenter nos excuses pour la façon dont nous vous avons traité.

— Ce n'est pas nécessaire, dit Scot.

— Si, ça l'est. Votre instinct était le bon. Sans vous, nous n'aurions pas réussi. Le déclic final a été le bordereau du vin de Constantia que Miner commandait à l'hôtel des Balances. Grâce à votre fax nous avons pu établir que le payeur était Donald Fawcett.

— Le milliardaire ? dit Scot, stupéfait.

— Oui. Le Président est parvenu à réunir une – excusez-moi monsieur le Président – une coalition plutôt fragile autour d'un projet de loi destiné à réduire notre dépendance vis-à-vis des énergies fossiles et à promouvoir des sources alternatives dans les vingt ans à venir. Savez-vous d'où les industries Fawcett tirent l'essentiel de leurs bénéfices ?

— Le pétrole ?

— Exactement. Tout leur empire commercial est basé là-dessus, depuis l'extraction jusqu'à la vente. Des centaines de milliards sont en jeu.

— Il y eu une sérieuse guerre de lobbies pour et contre cette loi au Sénat comme à la Chambre, intervint le Président. Ce n'est un secret pour personne que je ne me représente pas. Cette loi est mon testament et je suis déterminé à la faire passer. Comme le directeur Lawlor vient de le faire remarquer, la coalition que je suis parvenu à rassembler est fragile. Sans moi, elle s'effondre.

— Et donc, dit Scot... Si je puis me permettre...

— Allez-y.

— Le but de Fawcett était de vous kidnapper le temps que le projet passe aux oubliettes ?

— Apparemment oui, dit Lawlor. Mais quelque chose s'est produit.

Il marqua un temps.

— Il va de soi, Scot, que rien de tout ceci ne sort de cette pièce.

— Naturellement, monsieur.

— Star Gazer était le nom de code pour le vice-président Marshfield.

— Le vice-président Marshfield ? répéta Scot incapable d'un autre commentaire.

— Malheureusement, oui. Il était impliqué avec les sénateurs Snyder et Rolander.

— Mais leur bénéfice là-dedans ?

— L'argent. Rolander et Fawcett étaient des amis d'adolescence. Rolander a toujours envié sa fortune et je crois que Fawcett l'avait mis à sa botte depuis déjà longtemps. À un moment donné, quand et comment, nous ne le saurons peut-être jamais, Snyder est entré dans le jeu. Ils ont convaincu Marshfield de financer sa campagne.

— Et le scénario lui donnait la possibilité de démontrer au peuple américain sa force de caractère en temps de crise...

— Exact. Ce qu'il n'avait pas prévu, c'est que la crise s'approfondirait. D'après ce que l'on sait, les hommes de Miner avaient pour mission de garder le Président le temps que la loi capote.

— En détournant l'attention sur le Moyen-Orient ?

— Oui. Une fois débriefé, le Président n'aurait pu témoigner que de son expérience sensorielle dans la cellule : appels à la prière et odeurs.

— Sauf que les kidnappeurs sont devenus gourmands. Ils ont exigé leur propre bénéfice. Fawcett se foutait de ce qui adviendrait et a refusé de leur donner ce qu'ils demandaient. De plus, la mort du Président facilitait l'accession au pouvoir de Marshfield, ce qui n'en était que mieux de son point de vue.

— Et Bill Shaw ? Qu'est-ce qu'il vient faire là-dedans ?

— Marshfield l'a recruté. Il était déjà impliqué dans un certain nombre de petites escroqueries. Des contrats sur des marchés de sécurité plus ou moins truqués, des arnaques de ce genre. Il n'a pas été difficile à convaincre. On lui a offert de l'argent et la direction des Services secrets si tout réussissait.

— Vous n'avez pas eu tout ça seulement grâce au le bordereau de vin ?

— Non. On a aussi les confessions de Miner et de Shaw lui-même.

— C'est pourquoi nous avions besoin que Miner soit en vie Scot, dit le Président.

— Et maintenant ? Si je comprends bien, Fawcett a pris le large.

— Avec les moyens qu'il a, c'était prévisible, dit Lawlor. Mais nous l'aurons. Nous avons quelques pistes. Au fait, j'ai un message pour vous de la part de mon directeur, Sorce. Il m'a chargé de vous dire qu'il était désolé de ne pouvoir vous le donner en personne. Vous imaginez comme il doit être occupé.

— Bien entendu.

— Il m'a chargé de vous transmettre son admiration. Vous êtes l'emblème des Services secrets et de ce pays.

— Eh bien ! dit Jameson.

— Il vous transmet aussi ses condoléances pour les hommes que vous avez perdus.

— Remerciez-le de ma part, c'est plus qu'aimable.

— Il y a autre chose.

— Oui ?

— Il a conscience que William Shaw vous a trahi, vous et le Service. Il veut que vous sachiez que Shaw sera traduit en justice. Et aussi qu'il a malencontreusement glissé plusieurs fois durant les interrogatoires. Il a pensé que ce dernier détail vous plairait.

Scot jeta successivement un regard au procureur et au Président, apparemment sourds l'un et l'autre.

— Merci, dit-il.

— De rien répliqua Lawlor. Voilà, c'est tout je crois. Des questions ?

— Oui, une, pour vous, monsieur le Président. Comment va Amanda ?

— Parfaitement bien, elle se remet à merveille. Je dois aussi vous remercier de ça. Vous lui avez sauvé la vie. Si vous avez un peu de temps, je suis sûr qu'elle sera heureuse de vous remercier elle-même.

— Dites-lui que je passerai, bien sûr.

— Directeur Jameson, je crois que vous vouliez évoquer un dernier point ?

— Oui, dit Jameson. Scot, nous savons que ces deux dernières semaines ont été extrêmement éprouvantes pour vous. Bien entendu, vous avez été innocenté de toutes les charges qui pesaient contre vous et nous devons tous nous excuser pour ce qui s'est passé. Vous aurez sans doute besoin d'un peu de temps pour récupérer, mais je tiens à vous le dire, le Président m'a autorisé à vous proposer le poste de chef de la sécurité de la Maison-Blanche. Il y a beaucoup de choses à restructurer et je ne vois qui d'autre que vous serait mieux placé pour ça.

— … Je ne sais pas quoi dire, répondit Scot après un instant.

— Dis oui, fit Lawlor en éclatant de rire.

— Ok. Oui. J'accepte.

Il y eut une salve d'applaudissements. Scot se leva pour serrer la main de chacun des hommes présents.

— Avant que vous ne sortiez, dit le Président en le saluant, je voudrais vous demander, agent Harvath, s'il y a quoi que ce soit que je puisse faire pour vous… Vous avez sauvé ma vie et celle de ma fille. Je viens de vous promouvoir mais nous sommes selon moi, encore loin du compte. Donc s'il y a quoi que ce soit…

— Eh bien, oui, monsieur le Président. Il y a quelque chose.

Épilogue

Mer Caspienne, un mois plus tard

— *Dahling*, si tu ne presses pas, tu vas manquer coucher de soleil, miaula la jolie blonde à l'épais accent russe, dont le corps bronzé offrait un contraste frappant avec la blancheur du hamac où elle reposait. Le yacht lustré était paisiblement ancré au large de la côte russe, à peine soulevé par le léger ballottement des vagues tranquilles. Le temps était merveilleux.

— *Dahling*, tu apportes verres ?

— *Da,* fit une voix d'homme depuis l'intérieur. Encore une goutte de téquila et je vais te faire goûter la Margarita de ta vie, ma douce. Même ces enculés de Mexicains ne savent pas la faire comme ça.

Huit hommes en costumes de plongée émergèrent de l'eau calme. Quatre d'entre eux nagèrent vers l'avant du yacht tandis que les quatre autres prenaient l'arrière.

Son MP5 prêt, Scot Harvath pénétra l'intérieur du bateau en quête de sa cible. Il l'aperçut, à quelques mètres, en bermuda, vêtu d'une chemisette blanche, occupé à briser des glaçons. Scot s'éclaircit la voix. Donald Fawcett se retourna pour découvrir une arme pointée sur lui.

— Qu'est-ce que vous foutez chez moi ? fut sa première réaction. Scot ne dit rien. Qui êtes-vous, bordel ? Sortez de ce bateau immédiatement. Vous vous croyez où ? Vous avez une idée des protections dont je jouis ici ?

— Mes commanditaires, dit enfin Harvath, sont un peu au-dessus de la mafia russe, malheureusement.

Fawcett ne s'était pas attendu à entendre parler anglais. Il comprit tout de suite ce que cela signifiait. Harvath continuait :

— J'ai un colis de la part du Président.

Il baissa son arme, visa, et pulvérisa d'un coup le doigt de la main droite de Fawcett qui tenait encore le mixeur, lequel explosa au passage, répandant sur le sol un mélange de Margarita et de glace à demi fondue.

Fawcett recula avec une grimace de douleur jusqu'à une série de tiroirs. Son visage exprimait le choc et l'incrédulité.

— Vous n'avez aucune autorité ici ! hurla-t-il. Nous sommes dans les eaux territoriales russes ! Vous ne pouvez pas entrer comme ça, ni m'arrêter !

Tout en parlant, il s'était mis à chercher quelque chose dans l'un des tiroirs.

— C'est là qu'on ne se comprend pas, dit Scot. Je ne suis pas venu t'arrêter.

La peur dans les yeux de Fawcett se mua en fureur pure. Il brandit soudain un pistolet et le pointa sur Harvath.

Scot, par réflexe, appuya sur la détente. La volée de balles saisit Fawcett en plein crâne.

Avant même que le corps n'ait touché le sol, il prononça les quatre mots que le Président, Gary Lawlor et tous ceux qui se trouvaient avec eux dans la salle de contrôle de la Maison-Blanche attendaient :

— Tango exécuté. Mission accomplie.

Puis il ferma le micro avant d'ajouter, pour lui seul, dans la pièce vide :

— Celui-là était pour toi, Sam. Tu me manqueras.

Il regarda sa montre. Il lui restait juste le temps de prendre le vol pour Zürich. Claudia ne serait que trop heureuse de venir le chercher à l'aéroport. Le temps des vacances commençait.